Entre terre et ciel

PAS DE DOUTE, c'est la rentrée ! Avez-vous remarqué le nombre de choses qui sollicitent notre attention en ces premiers jours de septembre ? Reprendre le rythme du travail pour la plupart, organiser les activités des enfants pour certains, accepter à nouveau l'absence et la solitude pour d'autres, réfléchir aux engagements divers, évaluer, s'inscrire, planifier… Nous appartenons bien à ce monde et c'est heureux.

Pas de doute, quelque chose de lumineux éclaire notre monde et nous invite à regarder plus haut que nos préoccupations. La croix plantée dans la profondeur de notre terre se dresse – flèche déchirant la nuée – pour nous rappeler que nos occupations ou notre désœuvrement obligé n'ont pas leur fin en eux-mêmes. Nous appartenons au Christ, qui auréole toute souffrance de la lumière de sa résurrection.

Pas de doute, le ciel est bien le but de notre vie, qui donne à nos journées cette saveur particulière puisée à la source de la joie : l'amour du Père. Les archanges bénissant le Seigneur nous attendent à la fin de ce mois et nous accompagnent au cœur de notre quotidien et nous apprennent à demeurer dans la louange : « Saint ! Saint ! Saint, le Seigneur, Dieu de l'univers ! Le ciel et la terre sont remplis de ta gloire ! »

Par nos vies, portons la gloire de Dieu sur cette terre, par nos prières tenons-nous en sa présence, par notre charité répandons sa lumière. Bonne rentrée ! ■

Venez, entrez, aujourd'hui écoutez…

EST-IL DE PLUS BELLE INVITATION que celle que nous lance la liturgie au début de ce mois de septembre ? Si vous vous demandez ce que sera l'année qui commence, la réponse, ou tout au moins le cœur de la réponse, tient dans ces quelques mots du psaume **94** qui, justement, s'appelle invitatoire.

Venez, allons jusqu'à lui !

Le chemin est tracé. Tout semble simple, il suffit d'aller jusqu'à « lui », le Seigneur. Mais ne sentez-vous pas comme un certain décalage entre cet appel et la réalité de nos vies quotidiennes ? C'est souhaitable ! Le chemin est ouvert, nous y marchons, mais nous ne sommes pas encore au but. Il y a tout un heureux travail à faire pour avancer vers le Seigneur, et c'est pour cette raison que l'Église élève sa voix et nous appelle : « Venez. » Ce pluriel signale que nous ne sommes pas seuls et c'est déjà une bonne nouvelle. Nous sommes convoqués « pour avancer ensemble sur le même chemin », dit un beau chant d'entrée de la messe. N'est-ce pas précisément pour ce rassemblement – la messe – que nous sommes invités ? Là, nous allons retrouver nos frères et parcourir avec eux le chemin qui conduit à Dieu.

Impossible alors de ne pas s'interroger sur le décalage que la liturgie affiche. Elle met le ciel et la rencontre de Dieu en perspective avec notre vie terrestre mais, surtout, elle célèbre la réconciliation entre la terre et le ciel en Jésus Christ, Fils de l'homme et Fils de Dieu inséparablement. Nous venons avec la charge de nos soucis et la lourdeur de nos cœurs, et, là, ensemble, nous recevons la force de « bâtir avec Dieu un monde plus humain », poursuit le même chant d'entrée, un monde, non à la dimension de l'homme pécheur, mais à la mesure de l'homme réconcilié dont le Christ est l'image parfaite. Grandir ensemble en accueillant notre responsabilité baptismale, rien de telle pour motiver notre joie au début de ce mois de rentrée. *Allons jusqu'à lui en rendant grâce, par nos hymnes de fête acclamons-le !* (Ps **94**, 2).

Entrez, inclinez-vous, prosternez-vous

Après le temps des vacances, le premier dimanche de septembre marque une reprise, comme le début d'une année nouvelle. Pourtant, le calendrier liturgique indique 23e dimanche du temps ordinaire. Pas de rupture, le temps de la célébration du salut ne prend pas de vacances ! Et le calendrier liturgique nous paraît comme décalé par rapport à notre vie, marquée par le rythme scolaire. Belle manière de comprendre que la vie chrétienne est tendue vers Dieu, mais encore bien ancrée en ce monde !

La liturgie dominicale nous insère dans la vie de Dieu – qui est incessante nouveauté – et nous travaille le corps, l'âme et l'esprit pour nous rendre disponibles à Dieu. Le psaume 94 donne le ton à travers trois verbes, « entrer », « incliner » et « prosterner ».

« Entrer » est le mouvement qui fait passer de l'extérieur à l'intérieur ; il s'agit donc d'entrer physiquement dans la communauté des fidèles et, en même temps, de passer de nos préoccupations légitimes à l'attention à l'œuvre de Dieu, que déploie la liturgie. Quelle découverte allons-nous faire en acceptant d'entrer ?

« S'incliner », c'est pencher son corps en avant en signe de respect, c'est aussi marquer un penchant pour quelque chose, aussi, s'incliner – geste du corps – est une manière de dire son penchant pour Dieu et pour sa volonté, qui est amour. N'y a-t-il pas des moments où la liturgie nous invite à incliner notre corps et notre cœur ?

« Prosterner » c'est descendre plus bas, jusqu'à terre, s'humilier, retourner à l'humus, cette terre féconde que Dieu travaille. Il est vrai que la liturgie nous donne rarement l'occasion de nous prosterner, mais, lorsqu'elle le fait, elle nous permet de comprendre ce que signifie s'abandonner entre les mains de Dieu.

Adorons le Seigneur

Nous disions que septembre marque une reprise, mais, plutôt que de l'entendre comme un commencement, dont nous avons constaté qu'il n'a pas de résonance dans la liturgie, nous pouvons le comprendre comme une « reprise en main ». N'y a-t-il pas alors un certain paradoxe avec ce qui vient d'être évoqué ? Car se reprendre en main signifie bien « avoir l'entière maîtrise de sa vie », alors que l'abandon souhaité témoigne d'une parfaite « démaîtrise ». En vérité, la liturgie implique ces deux mouvements. D'une part, nous avons sans cesse à rechoisir de vivre selon Dieu, dans un acte de foi décidé. *Oui, il est notre Dieu* (Ps **94**, 7). D'autre part, en vivant la liturgie, nous apprenons à nous abandonner, comme et avec le Christ, à la volonté du Père. C'est là le chemin de la véritable adoration, *Oui*, vraiment, *il est notre Dieu*, source de toute joie.

Pour cela, « il ne s'agit pas d'inventer un "nouveau programme", disait le bienheureux Jean-Paul II[1]. Le programme existe déjà : c'est celui de toujours, tiré de l'Évangile et de la Tradition vivante. Il est centré […] sur le Christ lui-même. »

Aujourd'hui écouterez-vous sa parole ?

Nous sommes entrés en liturgie, avec nos frères, pour adorer notre Dieu et voilà que le psaume **94** nous interroge sur notre capacité à vivre en adéquation avec le divin programme : *Aujourd'hui écouterez-vous* la parole de Dieu, qui est le Christ lui-même.

Où nous conduit l'adoration véritable, lorsque, le premier jour du mois, nous entendons Jésus nous dire : *Avance au large* (Lc **5**, 4) ? Où nous entraîne notre prosternement, lorsque, le jour de la fête de la Croix glorieuse, nous chantons : « Que notre seule fierté soit la croix de notre Seigneur Jésus Christ » ? Où nous mène notre inclination, lorsque nous entendons Jésus nous appeler : *Suis-moi* (Lc **5**, 27) ? Que décidons-nous lorsque nous entendons le vieillard Syméon dire à Marie, la parfaite disciple : *Ton cœur sera transpercé par une épée* (Lc **2**, 35) ?

Peut-être sommes-nous, comme les Hébreux au désert, tentés de fermer notre cœur, pas totalement, mais un peu quand même. Comme les Hébreux, n'avons-nous pas vu les exploits du Seigneur : la résurrection – exploit de Dieu par excellence – ; la pêche miraculeuse qui fait tomber Pierre aux pieds du Seigneur ; la conversion radicale de Matthieu qui entraîne une foule de pécheurs à

---

1. Lettre apostolique *Au début du nouveau millénaire*, n° 29.

sa suite; l'acceptation de Marie qui devient mère de l'Église aux nombreux fils, et bien d'autres merveilles!

Christ, notre chemin

Parfois, nous sommes enclins à rechercher une efficacité immédiate de la Parole. D'autre fois, nous lisons l'Écriture avec l'intention de la retenir, comme si la mémorisation était un gage de mise en pratique. Souvent, nous oublions que la Parole, avant d'être un texte imprimé, est le Christ lui-même. Dans la liturgie dominicale, goûtons à la présence de Celui qui nous parle; tenons-nous simplement dans sa divine compagnie. Sa présence, à ce moment-là, est plus importante que son message. Et la seule présence de la Parole faite chair nous abreuve et nous nourrit. En nous rendant présents, tous ensemble, à la Parole vivante, nous découvrirons à quel don et à quelle offrande l'adoration véritable nous conduit. Nous suivrons le chemin unique: Jésus Christ, qui prend forme au cœur de nos vies si différentes.

Septembre, un mois de reprise? Puissions-nous le vivre au souffle de l'Esprit.

> Pour avancer ensemble sur le même chemin,
> pour bâtir avec Dieu un monde plus humain,
> abreuvons-nous aux mêmes sources
> et partageons le même pain,
> ouvrons nos cœurs au même souffle,
> accueillons le Royaume qui vient.
> Exultons de joie, proche est le règne de Dieu!
> Exultons de joie, il est au milieu de nous[2]!

Hélène Villars

---

2. *Pour avancer ensemble*, K 20-38, CNA 524.

Petite chronique biblique

Marie-Noëlle Thabut

■ *Un mois tout entier sous le signe de la justice et du pardon de Dieu! Ézékiel fut l'un des acteurs de la révélation biblique dans ce domaine. Avant que Jésus lui-même vienne nous rappeler qu'en amour, on ne compte pas. Ou seulement jusqu'à soixante-dix fois sept fois! Il nous arrive pourtant de ressembler à Jonas qui trouvait bien excessive l'indulgence de Dieu à l'égard des pécheurs. Cependant, indulgence ne veut pas dire laxisme, il faudra donc parfois savoir pratiquer l'ingérence.* ■

Le devoir d'ingérence   23e dimanche ordinaire, A

Si ton frère a commis un péché, va lui parler seul à seul et montre-lui sa faute (Mt **18**, 15).

Apparemment, Jésus envisage ici le cas d'une faute grave d'un membre de la communauté puisqu'en définitive, le coupable risque l'exclusion. Chose intéressante, Jésus, qui parle si volontiers de pardon, ne prêche pas pour autant le laxisme. Bien au contraire, il recommande l'ingérence. C'est une sorte d'escalade : première étape, parler seul à seul avec le coupable ; dans le meilleur des cas, l'intéressé changera de conduite et ce sera joie pour tous : *S'il t'écoute, tu auras gagné ton frère*, dit Jésus (Mt **18**, 15). Mais si, par malheur, le fautif ne veut rien entendre, il faut reprendre l'affaire avec d'autres, puis plus largement avec l'ensemble de la communauté. Et si toutes ces interventions fraternelles ne suffisent pas, alors, le coupable sera exclu. *S'il refuse encore d'écouter l'Église,*

considère-le comme un païen et un publicain (Mt **18**, 17).
Il n'y a pas de mépris là-dedans, on sait trop bien comment Jésus respectait tout un chacun, fût-il pécheur, mais il y va du respect de la communauté tout autant que de la liberté du coupable. La conversion ne s'impose pas de l'extérieur.

Cette recommandation de correction fraternelle que nous donne ici Jésus condamne donc toute attitude de passivité devant certaines dérives des mœurs. Ce que nous prenons pour du respect de la liberté d'autrui ne serait-il pas tout simplement de l'indifférence ? Ou pire de la non-assistance à personne en danger ? *Ne gardez aucune dette envers personne, sauf la dette de l'amour mutuel*, écrivait Paul aux Romains (Rm **13**, 8). En voilà un cas d'application tout trouvé.

Soixante-dix fois sept fois

24ᵉ dimanche ordinaire, A
Combien de fois dois-je pardonner ?
*Jusqu'à sept fois ? (Mt **18**, 21).*

Jusqu'où faudra-t-il aller dans la miséricorde à l'égard de nos frères ? C'était le sens de la question de Pierre à Jésus. Après des siècles de révélation, le peuple d'Israël, et donc Pierre, savait que Dieu est amour fidèle et pardon. Alors, si l'on veut prendre au sérieux le fameux poème de la Création qui nous enseigne que nous avons été créés à son image, la conclusion coule toute seule : il faudra bien nous décider à pardonner à nos frères. L'exigence nous paraît rude, certains jours, et c'est pourquoi Pierre hasardait un chiffre qui lui paraissait déjà bien généreux mais qui donnait une limite, quand même. Jésus, lui, ne connaît pas les limites : *Je ne te dis pas jusqu'à sept fois, mais jusqu'à soixante-dix fois sept fois* (Mt **18**, 22), c'est-à-dire indéfiniment. Qui saurait compter jusque-là ?

Plus profondément, c'est un véritable appel que Jésus lance à Pierre et à nous tous, à travers lui : l'appel à nous laisser entraîner dans la spirale du pardon. Des siècles plus tôt, les auteurs bibliques avaient proposé aux fils d'Israël une méditation sur l'engrenage de la violence. On se souvient de la triste histoire de Caïn et Abel. Le premier, meurtrier de son frère, vivait dans la crainte d'une vengeance. Et il ne devait sa survie qu'à une surenchère terrible : *Si quelqu'un tue Caïn, Caïn sera vengé sept fois* (Gn **4**, 15). Les descendants de Caïn avaient été pires encore et à la cinquième génération, Lamek se vantait d'exercer la vengeance jusqu'à soixante-dix-sept fois (Gn **4**, 24, TOB). En proposant sa petite variation sur les mêmes chiffres, Jésus nous invite à surmonter la spirale de la violence par celle du pardon.

Le syndrome de Jonas

25ᵉ dimanche ordinaire, A
Tu les traites comme nous (Mt **20**, 12).

La parabole des ouvriers de la onzième heure n'est-elle pas en contradiction flagrante avec toutes les lois sociales ? Un patron embauche dès le matin pour un certain tarif (une pièce d'argent), et les ouvriers s'affairent aussitôt dans sa vigne. Lui continue à embaucher tout au long du jour : le soir venu, dans la file de ceux qui viennent chercher leur salaire, se côtoient des ouvriers qui ont travaillé plus ou moins longtemps : douze heures pour certains, sous la chaleur et le soleil ardent, d'autres neuf heures, ou six, ou trois, ou même une seule, en toute fin d'après-midi, entre dix-sept et dix-huit heures lorsque la chaleur baisse enfin. Tout ce petit monde ne peut pas, ne doit pas être rétribué de la même manière ! Cela nous paraîtrait gravement injuste.

Eh bien, décidément, les lois du royaume de Dieu ne sont pas les nôtres et le regard de Dieu n'est pas non plus le nôtre. Non seulement, le patron décide de donner la même chose à chacun, mais pire encore, il s'étonne des récriminations que son attitude suscite : *Ces derniers venus n'ont fait qu'une heure, et tu les traites comme nous, qui avons enduré le poids du jour et de la chaleur !* Son argument est imparable, il faut bien le dire : *N'ai-je pas le droit de faire ce que je veux de mon bien ?* (Mt **20**, 12.15). À coup sûr, et nous ne trouvons rien à répondre. Mais nous restons interloqués, tout de même, et fâchés de ce qui nous semble un déni de justice. Tout comme Jonas qui se fâchait de trouver Dieu bien trop indulgent envers ces mécréants de Ninivites. Pour nous apaiser, peut-être suffirait-il de reconnaître la pure vérité, à savoir que nous ne sommes tous que des « ouvriers de la onzième heure » !

Ézékiel et la justice de Dieu
26ᵉ dimanche ordinaire, A

Je vous jugerai chacun selon sa conduite (Éz **33**, 20).

Dans tous les pays du monde, et depuis toujours, les hommes se sont interrogés sur la conduite des divinités. Notre destinée est-elle liée à notre comportement ? Pouvons-nous espérer être récompensés de nos bonnes actions, par exemple ? Ou bien les dieux agissent-ils à notre égard dans la plus parfaite inégalité ?

Selon les époques, selon les pays, les réponses données ne furent pas les mêmes ; pour nous limiter aux peuples voisins d'Israël, on peut noter deux tendances fondamentales : ceux qui imaginent que la conduite des dieux est totalement arbitraire et ne répond à aucune règle et ceux qui, au contraire, imaginent une relation de cause à effet entre notre conduite morale et les biens ou les maux que les divinités nous envoient. Du côté des premiers, on retiendra cette phrase lapidaire retrouvée à Ougarit, en Syrie : « Selon le bon plaisir divin, les lots sont répartis » (XVIᵉ siècle avant J.C). Du côté des seconds, qui sont les plus nombreux, on parle de « logique de rétribution ». Ceux qui se conduisent bien ne reçoivent que du bonheur, ceux qui se conduisent mal récoltent du malheur ; ce n'est que justice et cela peut les amener à s'améliorer. Si tel est le cas, s'ils deviennent bons, le bonheur leur sera rendu.

Cette position fut longtemps la pensée dominante en Israël. C'est ainsi que les habitants de Jérusalem, éprouvés par l'exil à Babylone, en vinrent à imaginer que toutes leurs douleurs n'étaient que le châtiment mérité par les fautes des générations précédentes. Ce fut l'occasion pour le prophète Ézékiel d'une réflexion renouvelée sur ce problème de la justice de Dieu. Et sa grande trouvaille, c'est que personne ne paie jamais pour les fautes d'un autre !

●Bible et liturgie●

Pardonne-nous nos offenses comme nous pardonnons aussi

A l'époque de Jésus, cette phrase que nous disons dans le *Notre Père* faisait déjà partie des prières juives habituelles. L'expression « comme nous pardonnons » est donc très ancienne et Jésus n'a pas jugé utile de la transformer. Ce qui, évidemment, nous pose question : le pardon de Dieu serait-il limité à nos propres facultés de miséricorde ? Si Dieu ne nous pardonne nos offenses qu'à la mesure de nos étroitesses, nous avons de quoi nous inquiéter.

Jésus a pourtant inlassablement annoncé la miséricorde de son Père, une miséricorde sans condition et, lui-même a pratiqué le pardon jusqu'à l'extrême : il suffit de relire sa prière pour ses bourreaux (*Père, pardonne-leur : ils ne savent pas ce qu'ils font* [Lc **23**, 34]) et le pardon au bon larron (Lc **23**, 43).

« Comme » nous pardonnons n'est donc certainement pas l'annonce d'une limite de la part de Dieu : il s'agit plutôt d'une pédagogie. Une invitation à ne pas oser demander pour nous-mêmes le pardon que nous ne sommes pas prêts à accorder aux autres.

M.-N.T.

*Laïque et mère de famille, **Marie-Noëlle Thabut** est bibliste dans le diocèse de Versailles. Avec un grand sens pédagogique, elle fait partager sa passion pour la Bible à travers des formations, des conférences et des voyages. Elle collabore régulièrement à Panorama, à Radio Notre-Dame et à* Magnificat.)

Goûter la Parole

Méditation en forme de *lectio divina*

Lire Luc 5, 33-39

Vous trouverez le texte de Luc (**5,** 33-39), le vendredi 2 septembre, page 40.

Méditer : Le saint désir

Que les disciples de Jésus ne jeûnent pas à l'exemple de ceux de Jean Baptiste et des pharisiens surprend à juste titre. Le jeûne est, en effet, un acte religieux des plus universels, des plus immédiatement compréhensibles : ainsi l'homme pieux montre à Dieu qu'il veut se dépouiller de tous ses attachements désordonnés, qu'il a conscience de ne pas correspondre à l'Alliance… Mais, aujourd'hui, le Christ s'est assis à la table des pécheurs. Ce n'est plus le malade qui appelle le médecin, c'est Dieu-médecin qui appelle le malade-pécheur ! C'est l'heure, non pas du jeûne, mais du repas de noces. Certes, Jésus annonce qu'un temps vient, propice à un nouveau jeûne, mais à un jeûne transformé. En ces jours où il sera « élevé loin d'eux » (cette élévation annonce non seulement la mort de Jésus mais aussi sa glorification à la droite du Père), le renoncement, signe de la tristesse du pécheur, laissera place à la joyeuse ouverture au don plus grand que Dieu promet. « Toute la vie du chrétien est un saint désir. Supposons que tu veuilles remplir une sorte de poche […], tu sais l'importance de ce que tu vas y mettre, et tu vois que la poche est trop resserrée : en l'élargissant, tu augmentes sa capacité de recevoir […]. Le saint désir nous exerce d'autant plus que nous avons détaché nos désirs de l'amour du monde » (saint Augustin d'Hippone). Ce jeûne n'est donc plus mesuré par les pleurs de notre contrition mais par la joie du Père à faire miséricorde. Raison de plus, pour celui qui jeûne, de se parfumer la tête (cf. Mt **6**, 17).

Prier : Ivres de joie

Nous voici avec un désir creusé, élargi, avivé… Il nous reste à le présenter à Dieu, à le transformer en prière de demande : « Seigneur, je me suis fait capacité. Fais-toi torrent ! » L'Esprit Saint n'attend que ces mots pour répandre en nos cœurs l'amour de Dieu (Rm **5**, 5). Ainsi nous naissons à la vraie nouveauté : non seulement nous pouvons aimer plus ou mieux – ce qui revient encore à penser à mesure humaine –, mais nous aimons comme Dieu, totalement, parfaitement, puisqu'il vient aimer en nous, par nous.

Cela s'exprime dans un consentement à l'offrande de nous-mêmes « sans calcul, avec diligence, en rayonnant de joie » (cf. Rm **12**, 8, BJ). Nous pouvons être transportés par l'amour, vivre en amoureux. Ivres de joie, nous puisons aux sources du salut (cf. Is **12**, 3). Mais nous vivons aussi une sobriété nécessaire. En effet, nous percevons le danger que court notre amour, danger qui ne vient que de nous-mêmes, celui de l'inconstance, de la lassitude. Comme il est facile d'utiliser un adage œnologique pour cacher notre tiédeur. Reculer, tergiverser ne pourrait que nous écarteler au risque de contrister l'Esprit et de nous laisser dans la tristesse et l'amertume.

La loi nouvelle de l'Esprit qui donne vie est donc élan qui vient au plus intime de nous-mêmes, de plus profond que nous-mêmes, mais aussi commandement nouveau : « Aimez-vous les uns les autres comme je vous ai aimés ! » Saint Augustin liait ces deux facettes – don et commandement – par cette prière : « Seigneur donne-moi ce que tu commandes, et commande alors ce que tu voudras. »

Contempler : Amis de l'Époux

« Comme le jeune époux prend sa joie en sa jeune épouse, ainsi le Seigneur en toi ! » (saint Jean Chrysostome). Le Christ veut nous révéler la chaleur, l'authenticité, l'excès, le feu de son amour. *Tes amours sont plus délicieuses que le vin [...]. Nous célébrerons tes amours plus que le vin ; comme on a raison de t'aimer !* (Ct **1**, 2.4, BJ).

Nous sommes du côté de l'épouse, mais nous sommes aussi les « garçons de la noce » (traduction littérale), les « amis de l'époux » (cf. Jn **3**, 29). Si le titre d'invité est déjà doux, combien plus celui d'ami de l'époux. Dans la tradition juive, celui-ci a une fonction officielle : présenter l'épouse et la remettre à l'époux. Quelle belle mission que d'annoncer à la promise la venue du bien-aimé et, l'ayant présentée, d'entendre l'époux s'écrier : « Viens, ma toute belle, ma fiancée, viens ! » Notre joie participe de la joie même de l'époux et s'accomplit à l'écoute de sa voix. *Telle est ma joie, et elle est parfaite* (Jn **3**, 29, BJ), témoignait ainsi Jean le Baptiste.

Cette double facette de la joie nuptiale nous porte, sur le chemin de nos vies, de débordement en débordement. Il y a comme un crescendo dans le passage incessant de la joie de goûter le fait d'être aimé infiniment, à celle d'annoncer la venue de l'Époux, d'inviter à la salle des noces et d'y présenter nos frères à l'Époux divin.

■ **Père Hervé Guillez**

*(Le père **Hervé Guillez**, prêtre du diocèse de Paris, est curé de la paroisse Saint-Joseph-Artisan et enseignant pour la Formation continue de la foi.)*

Bénédiction de la table

« Au début et à la fin du repas, le chrétien, qu'il soit seul ou avec d'autres frères, rend grâce à Dieu pour la nourriture qu'il reçoit de sa bonté chaque jour. Il se souvient aussi que le Seigneur Jésus a lié le sacrement de l'eucharistie au rite du repas et qu'après sa résurrection il s'est manifesté à ses disciples dans la fraction du pain. »

(Rituel des bénédictions, n° 782)

Avant le repas

Sois béni, Dieu notre Père,
toi qui donnes le pain de chaque jour
à ceux qui le demandent humblement.
Accorde-nous de te rendre grâce
dans la joie et la confiance
par celui qui s'est livré pour nous,
Jésus, le Christ, notre Seigneur. Amen.

Ou bien :

℣ Goûtez et voyez : le Seigneur est bon !
℟ Heureux l'homme qui se confie en lui.

Bénis-nous, Seigneur, et bénis ces dons
que nous recevons de ta bonté pour nourriture.
Par Jésus, le Christ, notre Seigneur. Amen.

Après le repas

Rendons grâce à Dieu qui nous a révélé la joie du salut
et nous attire à lui.
Par Jésus, le Christ, notre Seigneur. Amen.

Ou bien :

Accorde à tous les hommes le pain nécessaire
pour refaire leurs forces afin qu'avec nous
ils te rendent grâce à jamais.
Par Jésus, le Christ, notre Seigneur. Amen.

Prière familiale du soir

par le père Hervé Destrès

« La famille chrétienne, telle une église domestique, est tenue de proclamer à haute voix devant les hommes le règne de Dieu dans le monde et l'espérance de la vie bienheureuse, en accomplissant la mission qu'elle a reçue de Dieu et en exerçant son apostolat. »

(*Rituel des bénédictions*, n° 40)

Quand la famille est rassemblée, après avoir allumé la bougie dans le coin préparé pour la prière, l'un des parents ouvre la prière.

Dans le mois de septembre, nous fêtons la Croix glorieuse, notre prière peut être centrée sur la croix de Jésus.

Une croix, que les enfants peuvent confectionner selon leur idée, domine le coin réservé à la prière.

Mettons-nous en présence de Dieu.

Au nom du Père, et du Fils, et du Saint-Esprit.

Amen.

On fait un beau signe de croix lent et appliqué.

Chant

Les enfants peuvent proposer un chant qu'ils aiment ou l'on peut chanter Tourne les yeux *G 250.*

Demande de pardon

Chacun pourra éventuellement exprimer une demande de pardon, puis, on prend le deuxième couplet du premier chant : « Je suis le chemin vers le Père, / Qui me suit ne marchera pas dans la nuit » (Tourne les yeux *G 250*).

PAROLE DE DIEU

Près de la croix de Jésus se trouvent Marie, Marie Madeleine et Jean. Jésus confie Marie à Jean et Jean à Marie. Près de la croix, Jésus nous invite aussi à prendre Marie avec nous (cf. Jn 19, 25-27).

PETITE INTERCESSION

On peut demander aux enfants de présenter au Seigneur ce qui fut beau dans leur journée. Puis, on peut prendre l'intercession du dimanche soir dans MAGNIFICAT, *ou faire nôtres les quelques invocations suivantes avec le refrain.*

℟   Sur les chemins de la vie,
      sois ma lumière, Seigneur.

Jésus, lumière dans notre nuit,
– aide-nous à suivre ta route.

Jésus, chemin vers le Père,
– dirige nos pas dans tes pas.

Jésus, vérité et amour de Dieu,
– fais-nous connaître ta volonté.

Jésus, notre résurrection et notre vie,
– reçois ceux qui ont déjà franchi la mort.

Rassemblés comme tes enfants, avec tous ceux qui prient dans le monde, nous voulons te redire dans la confiance :

Notre Père, qui es aux cieux…

BÉNÉDICTION

L'un des parents ou les deux ensemble disent la bénédiction en faisant une petite croix sur le front de chaque enfant.

Dieu qui habites une lumière inaccessible,
tu nous as aimés d'un si grand amour
que tu as voulu te rendre visible à nos yeux
dans le Christ.
Jette un regard de bonté sur tes serviteurs :
puisqu'ils vont vénérer la croix de ton Fils,
accorde-leur d'être eux-mêmes transformés en lui
qui règne pour les siècles des siècles.
Amen. (*Livre des bénédictions*, p. 313)

LITANIE DES SAINTS

*Puis on récite la litanie des saints de la famille. Chacun
dit le prénom de son saint patron ou un enfant énonce le
saint patron de chacun, les présents et les absents.*

Chacun répond : **Priez pour nous.**

CHANT FINAL

*On peut chanter ou réciter le cantique de Syméon (texte,
couverture D), puis* Je vous salue, Marie, *ou encore un
autre chant à la Vierge Marie connu de toute la famille
ou* Toi, Notre Dame *V 153.*

*Chaque famille choisira dans ce cadre ce qui convient à
l'âge des enfants et créera, selon les rites proposés, sa prière
liturgique.*

(*Le père* **Hervé Destrès** *est le curé doyen de la paroisse de Villedieu-
les-Poêles (diocèse de Coutances) et enseignant à l'École de la foi.*)

Complies
avant le repos de la nuit

*(On peut commencer par une révision de la journée,
ou par un acte pénitentiel dans la célébration commune.)*

*Dieu, viens à mon aide,
Seigneur, à notre secours.*

*Gloire au Père, et au Fils, et au Saint-Esprit,
au Dieu qui est, qui était, et qui vient,
pour les siècles des siècles. Amen. Alléluia.*

Hymne

Avant la fin de la lumière,
Nous te prions, Dieu créateur,
Pour que, fidèle à ta bonté,
Tu nous protèges, tu nous gardes.

Que loin de nous s'enfuient les songes,
Et les angoisses de la nuit.
Préserve-nous de l'ennemi :
Que ton amour sans fin nous garde.

Exauce-nous, Dieu notre Père,
Par Jésus Christ, notre Seigneur,
Dans l'unité du Saint-Esprit,
Régnant sans fin dans tous les siècles.

Psaume 90   Vienne la paix de Dieu

Quand je me tiens sous l'abri du Très-Haut
et repose à l'ombre du Puissant,
je dis au Seigneur : « Mon refuge,
mon rempart, mon Dieu, dont je suis sûr ! »

C'est lui qui te sauve des filets du chasseur
et de la peste maléfique ; *

il te couvre et te protège.
Tu trouves sous son aile un refuge :
sa fidélité est une armure, un bouclier.

Tu ne craindras ni les terreurs de la nuit,
ni la flèche qui vole au grand jour,
ni la peste qui rôde dans le noir,
ni le fléau qui frappe à midi.

Qu'il en tombe mille à tes côtés,
qu'il en tombe dix mille à ta droite, *
toi, tu restes hors d'atteinte.

Il suffit que tu ouvres les yeux,
tu verras le salaire du méchant.
Oui, le Seigneur est ton refuge ;
tu as fait du Très-Haut ta forteresse.

Le malheur ne pourra te toucher,
ni le danger, approcher de ta demeure :
il donne mission à ses anges
de te garder sur tous tes chemins.

Ils te porteront sur leurs mains
pour que ton pied ne heurte les pierres ;
tu marcheras sur la vipère et le scorpion,
tu écraseras le lion et le Dragon.

« Puisqu'il s'attache à moi, je le délivre ;
je le défends, car il connaît mon nom.
Il m'appelle et, moi, je lui réponds ;
je suis avec lui dans son épreuve.

« Je veux le libérer, le glorifier ;
de longs jours, je veux le rassasier, *
et je ferai qu'il voie mon salut. »

Gloire au Père, et au Fils, et au Saint-Esprit,
pour les siècles des siècles. Amen.

Ou bien :

Psaume 142   Plainte et prière dans l'angoisse

Seigneur, entends ma prière ;
dans ta justice écoute mes appels, *
dans ta fidélité réponds-moi.
N'entre pas en jugement avec ton serviteur :
aucun vivant n'est juste devant toi.

L'ennemi cherche ma perte,
il foule au sol ma vie ;
il me fait habiter les ténèbres
avec les morts de jadis.
Le souffle en moi s'épuise,
mon cœur au fond de moi s'épouvante.

Je me souviens des jours d'autrefois,
    je me redis toutes tes actions, *
sur l'œuvre de tes mains je médite.
Je tends les mains vers toi,
me voici devant toi comme une terre assoiffée.

Vite, réponds-moi, Seigneur :
je suis à bout de souffle !
Ne me cache pas ton visage :
je serais de ceux qui tombent dans la fosse.

Fais que j'entende au matin ton amour,
car je compte sur toi.
Montre-moi le chemin que je dois prendre :
vers toi, j'élève mon âme !

Délivre-moi de mes ennemis, Seigneur :
j'ai un abri auprès de toi.
Apprends-moi à faire ta volonté,
car tu es mon Dieu.
Ton souffle est bienfaisant :
qu'il me guide en un pays de plaines.

Pour l'honneur de ton nom,
  Seigneur, fais-moi vivre ;
à cause de ta justice, tire-moi de la détresse.

Gloire au Père, et au Fils, et au Saint-Esprit,
pour les siècles des siècles. Amen.

Parole de Dieu   Apocalypse 22, 4-5

L ES SERVITEURS de Dieu verront son visage, et son nom sera écrit sur leur front. La nuit n'existera plus, ils n'auront plus besoin de la lumière d'une lampe ni de la lumière du soleil, parce que le Seigneur Dieu les illuminera, et ils régneront pour les siècles des siècles.

Ou bien :

Parole de Dieu   1 Pierre 5, 8-9a

S OYEZ SOBRES, soyez vigilants ; votre adversaire, le démon, comme un lion qui rugit, va et vient, à la recherche de sa proie. Résistez-lui avec la force de la foi.

℟   *En tes mains, Seigneur, je remets mon esprit.*
℣   *Sur ton serviteur, que s'illumine ta face.* ℟
      Gloire au Père. ℟

CANTIQUE DE SYMÉON   (Texte, couverture D)

Sauve-nous, Seigneur, quand nous veillons ; garde-nous quand nous dormons : nous veillerons avec le Christ, et nous reposerons en paix.

PRIÈRE

Notre Seigneur et notre Dieu, tu nous as fait entendre ton amour au matin de la résurrection ; quand viendra pour nous le moment de mourir, que ton souffle de vie nous conduise en ta présence. Par Jésus, le Christ, notre Seigneur. Amen.

Bénédiction

Que le Seigneur nous bénisse et nous garde, le Père, le Fils, et le Saint-Esprit. Amen.

Antienne mariale

SUB túum præsídium confúgimus, * sáncta Déi Génitrix : nóstras depreca-ti-ónes ne despíci-as in ne-ces-si-tá-tibus : sed a per-í-cu-lis cúnctis líbe-ra nos sem-per, Vírgo glo-ri-ó-sa et be-ne-díc-ta.

Sous l'abri de ta miséricorde,
nous nous réfugions, Sainte Mère de Dieu.
Ne méprise pas nos prières
quand nous sommes dans l'épreuve,
mais de tous les dangers
délivre-nous toujours,
Vierge glorieuse, Vierge bienheureuse.

JEUDI 1ᵉʳ SEPTEMBRE

Prière du matin

À toi, la gloire, Roi d'éternité !

Gloire au Père, et au Fils, et au Saint-Esprit !

HYMNE

Roi suprême et Seigneur de toutes choses,
Roi qui veux conquérir l'univers,
À toi, je m'offre tout entier !

Pour toi, je veux perdre tous mes biens.

Devant ton infinie Bonté,
En présence de ta Mère Glorieuse
Et de tous les saints et saintes du ciel,
À toi, je m'offre tout entier !

Pour toi, je veux perdre tous mes biens
Et les regarder comme des balayures.

Pour ton plus grand service
    et ta plus grande louange,
Je désire d'un grand désir
T'imiter en subissant tous les outrages,
Tout opprobre et toute pauvreté,
À toi, je m'offre tout entier !

Pour toi, je veux perdre tous mes biens
Et les regarder comme des balayures,
Pour te gagner en communiant
    à tes souffrances.

Roi suprême et Seigneur de toutes choses,
Je ne m'appuie que sur ta grâce :

S'il plaît à ta Divine Majesté
De me choisir et de me recevoir
Pour que je te suive dans la peine,
À toi, je m'offre tout entier !

Pour toi, je veux perdre tous mes biens
Et les regarder comme des balayures,
Pour te gagner en communiant
    à tes souffrances
Et parvenir à la gloire avec toi !   (d'après Sᵗ Ignace)

PSAUME 80   Chant d'acclamation

Le Seigneur veille sur chacun de nos pas. Il a pris sur lui nos
fautes pour que nous marchions librement. Plus encore, il se
fait pain pour nous nourrir de sa vie.

Criez de joie pour Dieu, notre force,
acclamez le Dieu de Jacob.

Jouez, musiques, frappez le tambourin,
la harpe et la cithare mélodieuse.
Sonnez du cor pour le mois nouveau,
quand revient le jour de notre fête.

C'est là, pour Israël, une règle,
une ordonnance du Dieu de Jacob ;
il en fit, pour Joseph, une loi
quand il marcha contre la terre d'Égypte.

J'entends des mots qui m'étaient inconnus : ⁺
« J'ai ôté le poids qui chargeait ses épaules ;
ses mains ont déposé le fardeau.

« Quand tu étais sous l'oppression, je t'ai sauvé ; ⁺
je répondais, caché dans l'orage,
je t'éprouvais près des eaux de Mériba.

« Écoute, je t'adjure, ô mon peuple ;
vas-tu m'écouter, Israël ?

Tu n'auras pas chez toi d'autres dieux,
tu ne serviras aucun dieu étranger.

« C'est moi, le Seigneur ton Dieu, [+]
qui t'ai fait monter de la terre d'Égypte !
Ouvre ta bouche, moi, je l'emplirai.

« Mais mon peuple n'a pas écouté ma voix,
Israël n'a pas voulu de moi.
Je l'ai livré à son cœur endurci :
qu'il aille et suive ses vues !

« Ah ! Si mon peuple m'écoutait,
Israël, s'il allait sur mes chemins !
Aussitôt j'humilierais ses ennemis,
contre ses oppresseurs je tournerais ma main.

« Mes adversaires s'abaisseraient devant lui ;
tel serait leur sort à jamais !
Je le nourrirais de la fleur du froment,
je le rassasierais avec le miel du rocher ! »

Gloire au Père, et au Fils, et au Saint-Esprit…

Parole de Dieu   Romains 14, 17-19

L E ROYAUME DE DIEU ne consiste pas en des questions de nourriture ou de boisson ; il est justice, paix et joie dans l'Esprit Saint. Celui qui sert le Christ de cette manière-là plaît à Dieu, et il est approuvé par les hommes. Recherchons donc ce qui contribue à la paix, et ce qui nous associe les uns aux autres en vue de la même construction.

Seigneur, rassemble-nous
dans la paix de ton amour !

CANTIQUE DE ZACHARIE   (Texte, couverture B)

Pour tous nos frères, prions le Maître de la vie :

Ceux qui s'éveillent,
– qu'ils s'éveillent à toi.

Ceux qui vont au travail,
– qu'ils travaillent pour toi.

Ceux qui restent dans leur maison,
– qu'ils y restent avec toi.

Ceux qui rentrent du travail,
– qu'ils se reposent auprès de toi.

Ceux qui sont malades ou désespérés,
– qu'ils se tournent vers toi.

Ceux qui vont passer la mort,
– qu'ils meurent en toi.   Intentions libres

Nous te prions, Seigneur, toi qui es la vraie lumière et le créateur de la lumière : garde-nous attentifs à ta loi pour que nous vivions dans ta clarté. Par Jésus Christ, ton Fils.

La messe
Jeudi de la 22ᵉ semaine du temps ordinaire

(En ce jour, on peut choisir les oraisons, entre filets, de la messe du 22ᵉ dimanche du temps ordinaire.)

Prends pitié de moi, Seigneur, toi que je supplie tout le jour ; toi, tu es bon, tu pardonnes, tu es plein d'amour pour tous ceux qui t'appellent.

Prière. Dieu puissant, de qui vient tout don parfait, enracine en nos cœurs l'amour de ton nom ; resserre nos liens avec toi, pour développer ce qui est bon en nous ; veille sur nous avec sollicitude, pour protéger ce que tu as fait grandir. Par Jésus.

Lecture de la lettre
de saint Paul Apôtre aux Colossiens   1, 9-14

Frères, depuis le jour où nous avons entendu parler de votre vie dans le Christ, nous ne cessons pas de prier pour vous. Nous demandons à Dieu de vous combler de la vraie connaissance de sa volonté, en toute sagesse et intelligence spirituelle. Ainsi votre conduite sera digne du Seigneur, et capable de toujours lui plaire ; par tout ce que vous ferez de bien, vous porterez du fruit et vous progresserez dans la vraie connaissance de Dieu. Vous serez puissamment fortifiés par la puissance de sa gloire, qui vous donnera la persévérance et la patience. Avec joie, vous rendrez grâce à Dieu le Père, qui vous a rendus capables d'avoir part, dans la lumière, à l'héritage du peuple saint. Il nous a arrachés au pouvoir des ténèbres, il nous a fait entrer dans le royaume de son Fils bien-aimé, par qui nous sommes rachetés et par qui nos péchés sont pardonnés.

• PSAUME 97 •

Le Seigneur a fait connaître son salut.

Le Seigneur a fait connaître sa victoire
et révélé sa justice aux nations ;
il s'est rappelé sa fidélité, son amour,
en faveur de la maison d'Israël.

La terre tout entière a vu
la victoire de notre Dieu.
Acclamez le Seigneur, terre entière,
sonnez, chantez, jouez.

Jouez pour le Seigneur sur la cithare,
sur la cithare et tous les instruments ;
au son de la trompette et du cor,
acclamez votre roi, le Seigneur !

Alléluia. Alléluia. La voix du Seigneur appelle : « Venez, suivez-moi, je ferai de vous des pêcheurs d'hommes. » Alléluia.

Évangile de Jésus Christ selon saint Luc 5, 1-11

UN JOUR, Jésus se trouvait sur le bord du lac de Génésareth ; la foule se pressait autour de lui pour écouter la parole de Dieu. Il vit deux barques amarrées au bord du lac ; les pêcheurs en étaient descendus et lavaient leurs filets. Jésus monta dans une des barques, qui appartenait à Simon, et lui demanda de s'éloigner un peu du rivage. Puis il s'assit et, de la barque, il enseignait la foule. Quand il eut fini de parler, il dit à Simon : « Avance au large, et jetez les filets pour prendre du poisson. » Simon lui répondit : « Maître, nous avons peiné toute la nuit sans rien prendre ; mais, sur ton ordre, je vais jeter les filets. » Ils le firent, et ils prirent une telle quantité de poissons que leurs filets se déchiraient. Ils firent signe à leurs compagnons de l'autre barque de venir les aider. Ceux-ci vinrent, et ils remplirent les deux barques, à tel point qu'elles enfonçaient. À cette vue, Simon-Pierre tomba aux pieds de Jésus, en disant : « Seigneur, éloigne-toi de moi, car je suis un homme pécheur. » L'effroi, en effet, l'avait saisi, lui et ceux qui étaient avec lui, devant la quantité de poissons qu'ils avaient prise ; et de même Jacques et Jean, fils de Zébédée, ses compagnons. Jésus dit à Simon : « Sois sans crainte, désormais ce sont des hommes que tu prendras. » Alors ils ramenèrent les barques au rivage et, laissant tout, ils le suivirent.

PRIÈRE SUR LES OFFRANDES. Que l'offrande eucharistique, Seigneur, nous apporte toujours la grâce du salut ; que ta puissance accomplisse elle-même ce que nous célébrons dans cette liturgie. Par Jésus, le Christ, notre Seigneur.

Qu'elle est grande, Seigneur, ta bonté envers ceux qui t'adorent !

PRIÈRE APRÈS LA COMMUNION. Rassasiés par le pain de la vie, nous te prions, Seigneur : que cette nourriture fortifie l'amour en nos cœurs, et nous incite à te servir dans nos frères. Par Jésus.

MÉDITATION DU JOUR

Ose encore

Qu'est-ce qu'un charpentier savait du métier de pêcheur ? Or voici ce qui est surprenant : Jésus invite les pêcheurs à aller au large et à jeter leurs filets. Bien qu'ils aient dû se dire que cela n'avait pas de sens, qu'ils avaient déjà travaillé toute la nuit, sans rien prendre, que ce n'était certainement pas à l'aube que les poissons allaient soudain se mettre dans les filets, ils ont, malgré tout, cru en la parole de Dieu.

La scène de l'Évangile d'aujourd'hui peut nous aider en bien des circonstances. Qui n'a pas connu des moments où plus rien ne va, où tout semble sans issue ? On a tout essayé et rien ne semble réussir. Il peut en être ainsi dans nos relations personnelles ou professionnelles. Certaines paroisses font aujourd'hui ce genre d'expérience. Malgré tous les efforts que l'on peut faire, tout paraît de plus en plus difficile et voué à l'échec. C'est alors que Jésus nous dit à travers son Évangile ou par l'intermédiaire de personnes qui en font elles-mêmes l'expérience : « Ose encore une fois ! Aie confiance en moi et en mon soutien, car je suis à tes côtés dans la barque ! » CARD. CHRISTOPH SCHÖNBORN

Le cardinal Schönborn (né en 1945) est archevêque de Vienne, en Autriche, depuis 1995. Il est président de la Conférence des évêques d'Autriche et il a été l'un des maîtres d'œuvre du Catéchisme de l'Église catholique.

Prière du soir

Dieu, viens à mon aide,
Seigneur, à notre secours.

Gloire au Père, et au Fils, et au Saint-Esprit !

HYMNE

De tout mon cœur je crie vers Dieu !
Mon cri semble tomber à rien.
De tout mon cœur, le Seigneur crie vers Dieu :
Dieu l'entend, et il vient.
Le Seigneur est amour,
 nous faisons cœur à deux,
Dieu fait cœur avec lui,
Car le Seigneur est Dieu :
Voilà ce que fait un ami !

Le Seigneur a tout l'homme en amour,
Tout homme ne le sait pas.
Le Seigneur veut tout homme d'amour,
Il donne tout, pour qu'il le soit.
Il s'est fait corps au corps humain,
Mon sang peut passer par son cœur ;
Il lui donne sa force et sa fin :
Voilà ce que fait le Seigneur !

Dans sa nuit de confiance, il l'envoie
Porter à tout le corps son amour ;
Il le rappelle de sa voix
Pour le recharger en amour.
Tendrement il se fait des sujets,
Patiemment, il leur forme des yeux
Pour qu'ils témoignent de la vérité :
Voilà ce que fait notre Dieu !

Chant des Béatitudes

Jésus est venu nous annoncer la loi nouvelle des fils de Dieu.
Elle est justice, paix, joie et amour fraternel.

℟   Dans ton royaume,
     souviens-toi de nous, Seigneur,
     souviens-toi de nous.

Heureux les pauvres en esprit :
car le Royaume des cieux est à eux !

Heureux les doux :
car ils posséderont la terre !

Heureux les affligés :
car ils seront consolés !

Heureux ceux qui ont faim et soif de la justice :
car ils seront rassasiés !

Heureux les miséricordieux :
car ils obtiendront miséricorde !

Heureux les cœurs purs :
car ils verront Dieu !

Heureux les pacifiques :
car ils seront appelés fils de Dieu !

Heureux ceux qui sont persécutés pour la justice :
car le Royaume des cieux est à eux !

Heureux êtes-vous quand on vous insulte
et quand on vous calomnie à cause de moi.
Réjouissez-vous ! Exultez !
Car votre récompense est grande dans les cieux.

Parole de Dieu   Galates 5, 22… 25

Voici ce que produit l'Esprit : amour, joie, paix,
patience, bonté, bienveillance, foi, humilité et maîtrise de

soi. Puisque l'Esprit nous fait vivre, laissons-nous conduire par l'Esprit.

Viens, Esprit de Dieu ! Viens !

CANTIQUE DE MARIE   (Texte, couverture A)

INTERCESSION

Prions le Christ, lumière des nations et joie de tous les vivants :

℟   La nuit, pour toi, n'est pas ténèbre.

Lumière de lumière et Verbe de Dieu,
tu es venu sauver les hommes :
– conduis les catéchumènes à la connaissance
de la vérité.

Tu veux nous délivrer de la puissance des ténèbres :
– chasse l'obscurité de nos cœurs.

Tu veux que l'intelligence de l'homme
perce les secrets de la nature :
– fais que la science serve la vie pour l'éclat
de ta gloire.

Tu veux que nous rendions la terre habitable à tous :
– que ta parole éclaire ceux
qui travaillent à ta justice.

Toi qui ouvres aux croyants
les portes que nul ne peut fermer :
– mène nos frères défunts
sur le chemin de la lumière.   Intentions libres

Notre Père… Car c'est à toi qu'appartiennent…

SAINTS
D'HIER ET D'AUJOURD'HUI
Le martyrologe romain fait mémoire de SAINT VINCENT DE XAINTES

Parmi les innombrables bienfaits de Dieu, réjouissons-nous pour l'exemple des saints.

A Dax, dans l'église Saint-Vincent-de-Xaintes, le sarcophage de marbre blanc, qui sert de maître-autel, serait le tombeau de saint Vincent, mort avec son frère Laetus au IVe siècle. C'est une chance de le retrouver dans cette église rebâtie au XIXe siècle. En effet, on raconte que, après une période d'oubli de près de deux siècles, ces reliques ont été miraculeusement identifiées par la vierge Maxime et placées ensuite dans une nouvelle basilique – rasée depuis – bâtie dans ce dessein.

La vie, l'origine et l'apostolat de Vincent, premier évêque de Dax, restent méconnus. Selon un manuscrit datant du VIIIe siècle, il semble que, parti de Saintes, il débarqua à Saint-Jean-de-Luz et évangélisa la « Novempopulanie » (Gascogne). Après avoir converti le temple dédié à Lucine en oratoire chrétien, il fonda le siège épiscopal de Dax qui était alors une cité importante. Enfin, Vincent et son frère, ayant refusé de sacrifier aux idoles, furent martyrisés.

Bonne fête ! Gilles et Josué

VENDREDI 2 SEPTEMBRE
Bienheureux martyrs de la Révolution en France

Prière du matin

Béni sois-tu, Seigneur,
Dieu de tendresse et d'amour !

Gloire au Père, et au Fils, et au Saint-Esprit,
au Dieu qui est, qui était, et qui vient,
pour les siècles des siècles. Amen. Alléluia.

HYMNE

Le Fils bien-aimé,
L'Agneau sans péché,
Prend nos chemins :
Saurons-nous suivre le sien ?

Sa gloire humiliée,
Son cœur transpercé
Montrent la voie :
Saurons-nous prendre sa croix ?

Tandis qu'il passait,
La crainte en secret
Nous a saisis :
Saurons-nous perdre nos vies ?

Oh ! viens dans nos cœurs,
Esprit du Seigneur,
Don sans retour,
Pour qu'en nous règne l'amour !

PSAUME 147   Dieu, maître de la nature, bénit son peuple

Bénissons le Père qui a comblé l'Église de ses bénédictions pour
qu'elle porte au monde sa parole de vie.

Glorifie le Seigneur, Jérusalem !
Célèbre ton Dieu, ô Sion !

Il a consolidé les barres de tes portes,
dans tes murs il a béni tes enfants ;
il fait régner la paix à tes frontières,
et d'un pain de froment te rassasie.

Il envoie sa parole sur la terre :
rapide, son verbe la parcourt.
Il étale une toison de neige,
il sème une poussière de givre.

Il jette à poignées des glaçons ;
devant ce froid, qui pourrait tenir ?
Il envoie sa parole : survient le dégel ;
il répand son souffle : les eaux coulent.

Il révèle sa parole à Jacob,
ses volontés et ses lois à Israël.
Pas un peuple qu'il ait ainsi traité ;
nul autre n'a connu ses volontés.

Gloire au Père, et au Fils, et au Saint-Esprit,
pour les siècles des siècles. Amen.

Nous te glorifions, Seigneur, par ton Fils bien-aimé, Jésus,
la Parole vivante que tu nous as révélée. Avec lui, ton Église
est solide pour établir la paix, rompre le pain, communi-
quer ton Esprit. Bénis encore tes enfants, et traite-les avec
amour.

Parole de Dieu   2 Corinthiens 3, 16-18

Quand on se convertit au
Seigneur, le voile tombe.
Or, le Seigneur, c'est l'Esprit, et là où l'Esprit du Seigneur

est présent, là est la liberté. Et nous, les Apôtres, qui n'avons pas, comme Moïse, un voile sur le visage, nous reflétons tous la gloire du Seigneur, et nous sommes transfigurés en son image avec une gloire de plus en plus grande, par l'action du Seigneur qui est Esprit.

Viens, Esprit de lumière !

Cantique de Zacharie (Texte, couverture B)

Louange et intercession

Seigneur Jésus, nous étions dans les ténèbres :
– tu ouvres nos yeux à la lumière.

℟ Pour cette merveille : Alléluia !

Seigneur Jésus, nous avions blasphémé ton nom :
– tu as pardonné notre faute.

Seigneur Jésus, nous étions séparés de toi :
– tu nous rétablis dans ton alliance.

Seigneur Jésus, nous vivions désunis :
– tu nous rassembles dans ton Corps.

Seigneur Jésus, nous étions morts :
– par ta mort, tu nous rends la vie.

Intentions libres

Seigneur, tu nous fais maintenant la grâce de ta louange. Accorde-nous de pouvoir te chanter avec tous les saints, éternellement. Par Jésus Christ, ton Fils, notre Seigneur et notre Dieu, qui règne avec toi et le Saint-Esprit, maintenant et pour les siècles des siècles.

LA MESSE
Vendredi de la 22ᵉ semaine du temps ordinaire

BIENHEUREUX MARTYRS   *Mémoire à Paris*
DE LA RÉVOLUTION EN FRANCE (XVIIIᵉ S.)

● *Dans la foule des victimes massacrées à Paris en septembre 1792, l'Église a retenu les noms de trois évêques, cent quatre-vingt-un prêtres, deux diacres, un clerc et quatre laïcs, dont elle a reconnu qu'ils étaient morts en raison de leur fidélité au Siège apostolique.* ●

Sur terre, les martyrs ont versé leur sang pour le Christ ; aussi ont-ils reçu leur récompense dans le ciel.

PRIÈRE. En appelant, Seigneur, en ce jour, un grand nombre de prêtres de France au témoignage suprême du martyre, tu as manifesté que tu n'aimes rien tant que la liberté de ton Église. Par leur intercession, accorde à tous les baptisés de témoigner de toi sans entraves devant les hommes. Par Jésus Christ, ton Fils, notre Seigneur.

Lecture de la lettre
de saint Paul Apôtre aux Colossiens
1, 15-20

LE CHRIST est l'image du Dieu invisible, le premier-né par rapport à toute créature, car c'est en lui que tout a été créé dans les cieux et sur la terre, les êtres visibles et les puissances invisibles : tout est créé par lui et pour lui. Il est avant tous les êtres, et tout subsiste en lui. Il est aussi la tête du corps, c'est-à-dire de l'Église. Il est le commencement, le premier-né d'entre les morts, puisqu'il devait avoir en tout la primauté. Car Dieu a voulu que dans le Christ toute chose ait son accomplissement total. Il a voulu tout réconcilier par lui et pour lui, sur la terre et dans les cieux, en faisant la paix par le sang de sa croix.

—— • Psaume 99 • ——

**Allez vers le Seigneur
parmi les chants d'allégresse.**

Acclamez le Seigneur, terre entière,
servez le Seigneur dans l'allégresse,
venez à lui avec des chants de joie !

Reconnaissez que le Seigneur est Dieu :
il nous a faits, et nous sommes à lui,
nous, son peuple, son troupeau.

Venez dans sa maison lui rendre grâce,
dans sa demeure chanter ses louanges,
rendez-lui grâce et bénissez son nom !

Oui, le Seigneur est bon,
éternel est son amour,
sa fidélité demeure d'âge en âge.

Alléluia. Alléluia. Soyons dans la joie pour l'Alliance nouvelle : heureux les invités aux noces de l'Agneau ! Alléluia.

Évangile de Jésus Christ selon saint Luc   5, 33-39

O N DISAIT un jour à Jésus : « Les disciples de Jean jeûnent souvent et font des prières ; de même ceux des pharisiens. Au contraire, tes disciples mangent et boivent ! » Jésus leur dit : « Est-ce que vous pouvez faire jeûner les invités de la noce, pendant que l'Époux est avec eux ? Mais un temps viendra où l'Époux leur sera enlevé : ces jours-là, ils jeûneront. » Et il dit pour eux une parabole : « Personne ne déchire un morceau à un vêtement neuf pour le coudre sur un vieux vêtement. Autrement, on aura déchiré le neuf, et le morceau ajouté, qui vient du neuf, ne s'accordera pas avec le vieux. Et personne ne met du vin nouveau dans de vieilles outres ; autrement, le vin nouveau fera éclater les outres, il se répandra et les outres seront perdues. Mais il faut mettre le vin nouveau dans des outres neuves. Jamais celui qui a bu du vieux ne désire du nouveau. Car il dit : "C'est le vieux qui est bon." »

Prière sur les offrandes. Accepte, Seigneur, l'offrande que nous te présentons en faisant mémoire de tes saints martyrs ; et nous qui sommes tes serviteurs, rends-nous inébranlables dans la confession de ton nom. Par Jésus, le Christ.

À ceux qui ont tenu bon avec lui dans les épreuves, le Seigneur déclare : « Je dispose pour vous du Royaume : vous mangerez et boirez à ma table dans mon royaume. »

Prière après la communion. Tu as fait briller en tes martyrs, Seigneur, la splendeur du mystère de la croix ; maintenant que nous sommes fortifiés par ce sacrifice, accorde-nous, de rester toujours unis au Christ, et de travailler dans l'Église au salut de tous les hommes. Par Jésus, le Christ, notre Seigneur.

• —————————————————————————— •

MÉDITATION DU JOUR

• —————————————————————————— •

La remise en question de l'Évangile

Par ces vêtements à rafistoler et ces outres craquantes, il est bien évident que c'est nous-mêmes que le Seigneur veut désigner, selon nos dispositions spirituelles plus ou moins favorables à l'accueil du message de la Bonne Nouvelle. Quant à la pièce neuve ou au vin nouveau, ils désignent l'enseignement de Jésus, l'Évangile. Il faut une particulière « souplesse » spirituelle pour accueillir un tel précepte ! Pour beaucoup d'hommes et de femmes, c'est tout simplement imbuvable, et c'est pourquoi saint Luc ajoute que le consommateur de bon vin, vieilli et reposé, ne voudra pas facilement consommer un vin nouveau, souvent moins savoureux. Pour entrer dans l'esprit de l'Évangile, il faut accepter une remise en question de nos jugements, de nos comportements et parfois même de notre pratique religieuse : si on reste une « outre vieillie », l'Évangile fera tout craquer. Il faut se laisser renouveler par l'Esprit Saint, se convertir ! C'est parfois toute l'orientation d'une vie qui est remise en cause. Ce n'est pas l'Évangile qui doit s'adapter à notre goût personnel, à nos préférences, si légitimes qu'elles soient ; l'Évangile sera toujours le même. C'est le disciple du Christ qui doit se laisser transformer dans ses manières d'apprécier et d'agir. L'Église a mission de nous guider sur ce chemin, par le dynamisme de l'Esprit. Les circonstances et les personnes changent, le Christ, qui est la Vérité, ne change pas. Il sera le même pour l'éternité.

GUY FRÉNOD, O.S.B.

Le père Guy Frénod est moine bénédictin de l'abbaye de Solesmes où, après un passage au monastère de Keur Moussa, au Sénégal, il est revenu comme préfet des études.

Prière du soir

Seigneur, entends ma prière,
et que mon cri parvienne jusqu'à toi !

Gloire au Père, et au Fils, et au Saint-Esprit !

HYMNE

Pour ton corps d'innocent humilié,
   béni sois-tu !
pour ton corps couronné de chardons,

ton corps de Dieu où les pauvres sont rois,
ton corps de Dieu où les hommes sont Dieu,
pour ton corps méprisé comme un ver,
pour ton corps déchiré par les clous,
ton corps de Dieu où les faibles sont forts,
ton corps de Dieu accueillant l'étranger.

℟ Béni sois-tu pour ton sang
qui consacre le monde !

Pour ton corps sans éclat ni beauté,
  béni sois-tu !
pour ton corps qui n'est rien qu'une plaie,
ton corps de Dieu où chaque homme a son nom,
ton corps de Dieu où tout homme est aimé,
pour ton corps qui se livre à la terre,
pour ton corps prisonnier du tombeau,
ton corps de Dieu où se brise la haine,
ton corps de Dieu où l'amour est plus fort.

CANTIQUE DE L'APOCALYPSE (15)

Christ est roi pour toujours ! Christ a remporté la victoire ! Que
toutes les nations l'adorent et se prosternent devant lui.

Grandes, merveilleuses, tes œuvres,
Seigneur, Dieu de l'univers !

Ils sont justes, ils sont vrais, tes chemins,
Roi des nations.

Qui ne te craindrait, Seigneur ?
À ton nom, qui ne rendrait gloire ?

Oui, toi seul es saint ! +
Oui, toutes les nations viendront
  et se prosterneront devant toi ; *
oui, ils sont manifestés, tes jugements.

Parole de Dieu
2 Corinthiens 4, 10-11

PARTOUT et toujours, nous subissons dans notre corps la mort de Jésus, afin que la vie de Jésus, elle aussi, soit manifestée dans notre corps. En effet, nous, les vivants, nous sommes continuellement livrés à la mort à cause de Jésus, afin que la vie de Jésus, elle aussi, soit manifestée dans notre existence mortelle.

Gloire et louange à toi, Seigneur Jésus !

CANTIQUE DE MARIE
(Texte, couverture A)

INTERCESSION

Regardons celui que nous avons transpercé
et confessons notre foi :

℟ Vraiment, tu es le Fils de Dieu !

Béni sois-tu, Sauveur du genre humain,
pour ta Passion glorieuse :
– ton sang nous a rachetés.

De ton côté ouvert d'où jaillit l'eau vive,
– répands l'Esprit sur tous les hommes.

Tu envoies au monde des témoins de ta résurrection :
– qu'ils proclament ta croix victorieuse.

Christ en agonie jusqu'à la fin du monde,
– n'oublie pas les membres souffrants de ton Corps.

Toi qui es sorti vivant du tombeau,
– éveille ceux qui sont endormis dans la mort.

Intentions libres

Notre Père… Car c'est à toi qu'appartiennent…

SAINTS
D'HIER ET D'AUJOURD'HUI

Le martyrologe romain fait mémoire
de la BIENHEUREUSE INGRID DE SUÈDE

Tu nous réjouis, Seigneur, par la mémoire des saints,
et tu nous incites à progresser en les imitant.

En Suède, au XIIIᵉ siècle, Ingrid, de haute naissance, a rencontré des difficultés avant de trouver sa vocation.

Ingrid, dont la famille était apparentée au roi, reçut une éducation soignée dans la province d'Ostrogothie. Elle se maria pour obéir à ses parents mais se retrouva vite veuve. Donnant tous ses biens aux pauvres, elle entreprit un long pèlerinage en Terre sainte, puis elle se rendit à Rome et ensuite à Saint-Jacques-de-Compostelle. À Rome, elle obtint du pape l'autorisation de fonder un couvent de religieuses cloîtrées dans son pays. À son retour en Suède, malgré les calomnies, elle parvint à le fonder avec l'aide de bienfaiteurs et du dominicain Pierre de Dacie. Quelques années plus tard, en 1281, un couvent de religieuses dominicaines vit le jour à Skänninge, grâce au soutien financier du frère d'Ingrid, Jean Elovsson, chevalier teutonique. Elle mourut un an après.

Les reliques de la bienheureuse Ingrid reposent aujourd'hui encore à Vadstena, près de celles de sa petite-nièce sainte Brigitte.

Bonne fête ! Ingrid

SAMEDI 3 SEPTEMBRE
Saint Grégoire le Grand

Prière du matin

*Béni soit au nom du Seigneur
celui qui vient sauver son peuple !*

*Gloire au Père, et au Fils, et au Saint-Esprit,
au Dieu qui est, qui était, et qui vient,
pour les siècles des siècles. Amen. Alléluia.*

HYMNE

Nuée de feu
Sur ceux qui marchent dans la nuit,
Tu es venu
   pour montrer le chemin vers Dieu,
Et ton calvaire ouvrit le ciel.
Ô viens, Seigneur Jésus !
Présence de ton Père ;
Que nous chantions pour ton retour :

℟ Béni soit au nom du Seigneur
Celui qui vient sauver son peuple !

Royal époux
Promis aux noces de la croix,
Tu es venu
   réjouir les enfants de Dieu,
Et tu changeas notre eau en vin.
Ô viens, Seigneur Jésus !
Tendresse pour la terre ;
Que nous chantions pour ton retour :

Ô Fils de Dieu
Sur qui repose l'Esprit Saint,

Tu es venu
   comme un feu qui consume tout,
Et l'univers s'embrase en toi.
Ô viens, Seigneur Jésus !
Demeure de la Gloire ;
Que nous chantions pour ton retour :

PSAUME 60   De la plainte à la louange

Nous sommes en quête du bonheur qui nous semble lointain,
alors la plainte monte dans notre prière. La foi en la résurrection nous apprend à en faire une louange.

Dieu, entends ma plainte,
   exauce ma prière ; *
des terres lointaines je t'appelle
   quand le cœur me manque.

Jusqu'au rocher trop loin de moi
   tu me conduiras, *
car tu es pour moi un refuge,
   un bastion, face à l'ennemi.

Je veux être chez toi pour toujours,
me réfugier à l'abri de tes ailes.

Oui, mon Dieu, tu exauces mon vœu,
tu fais largesse à ceux qui craignent ton nom.

Accorde au roi des jours et des jours :
que ses années deviennent des siècles !

Qu'il trône à jamais devant la face de Dieu !
Assigne à sa garde Amour et Vérité.

Alors, je chanterai sans cesse ton nom,
j'accomplirai mon vœu jour après jour.

Gloire au Père, et au Fils, et au Saint-Esprit,
pour les siècles des siècles. Amen.

Est-ce toi, mon Dieu, qui t'éloignes de moi ? Est-ce moi qui suis trop loin de toi ? Me voici comme en exil, et toi seul es mon refuge ! Que l'amour et la vérité du Christ me conduisent jusqu'à toi, et ma plainte deviendra un chant de louange à ton nom.

Parole de Dieu   Romains 12, 14-16

BÉNISSEZ ceux qui vous persécutent ; souhaitez-leur du bien, et non pas du mal. Soyez joyeux avec ceux qui sont dans la joie, pleurez avec ceux qui pleurent. Soyez bien d'accord entre vous ; n'ayez pas le goût des grandeurs, mais laissez-vous attirer par ce qui est simple.

Seigneur, foyer d'amour,
fais-nous brûler de charité.

CANTIQUE DE ZACHARIE   (Texte, couverture B)

LOUANGE ET INTERCESSION

Pour qu'il fasse de nous des artisans de paix,
prions le Seigneur :

Quand domine la haine,
    que nous annoncions l'amour.

Quand blesse l'offense,
    que nous offrions le pardon.

Quand sévit la discorde,
    que nous bâtissions la paix.

Quand s'installe l'erreur,
    que nous proclamions la vérité.

Quand paralyse le doute,
    que nous réveillions la foi.

Quand pèse la détresse,
que nous ranimions l'espérance.

Quand s'épaississent les ténèbres,
que nous apportions la lumière.

Quand règne la tristesse,
que nous libérions la joie.

Intentions libres

Dieu qui prends soin de ton peuple et le gouvernes avec amour, écoute la prière du pape saint Grégoire ; accorde ton Esprit de sagesse aux hommes chargés de conduire l'Église : que les progrès de ton peuple saint fassent la joie éternelle de ses pasteurs. Par Jésus Christ, ton Fils, notre Seigneur.

La messe

Samedi de la 22ᵉ semaine du temps ordinaire

SAINT GRÉGOIRE LE GRAND (VIᵉ s.) *Mémoire*

● *Grégoire le Grand gouverna l'Église pendant quatorze ans. Malgré une santé délabrée, il accomplit une œuvre considérable. « Serviteur des serviteurs de Dieu », il devait pourvoir au ravitaillement de Rome, tandis qu'il enseignait le peuple et qu'il préparait l'évangélisation de l'Angleterre. Son action se nourrissait d'une contemplation assidue.* ●

Le Seigneur s'est choisi saint Grégoire comme prêtre, et, lui ouvrant ses trésors, il lui a donné de faire beaucoup de bien.

PRIÈRE ———————————————————— ci-dessus

Lecture de la lettre
de saint Paul Apôtre aux Colossiens   1, 21-23

Frères, vous étiez jadis étrangers à Dieu, vous étiez même ses ennemis, avec cette mentalité qui vous poussait à faire le mal. Et voilà que, maintenant, Dieu vous a réconciliés avec lui, grâce au corps humain du Christ et par sa mort, pour vous introduire en sa présence, saints, irréprochables et inattaquables. Mais il faut que, par la foi, vous teniez, solides et fermes ; ne vous laissez pas détourner de l'espérance que vous avez reçue en écoutant l'Évangile proclamé à toute créature sous le ciel, Évangile dont moi, Paul, je suis devenu ministre.

• Psaume 53 •

Oui, le Seigneur est mon appui.

Par ton nom, Dieu, sauve-moi,
par ta puissance rends-moi justice ;
Dieu, entends ma prière,
écoute les paroles de ma bouche.

Mais voici que Dieu vient à mon aide,
le Seigneur est mon appui entre tous.
De grand cœur, je t'offrirai le sacrifice,
je rendrai grâce à ton nom, car il est bon !

Alléluia. Alléluia. Tu es le chemin, la vérité et la vie, Jésus, Fils de Dieu. Celui qui croit en toi a reconnu le Père. Alléluia.

Évangile de Jésus Christ selon saint Luc   6, 1-5

Un jour de sabbat, Jésus traversait des champs de blé ; ses disciples arrachaient et mangeaient des épis, après les avoir froissés dans leurs mains. Des pharisiens lui dirent : « Pourquoi faites-vous ce qui n'est pas permis le jour du sabbat ? » Jésus leur répondit : « N'avez-vous pas lu ce que fit David un jour qu'il eut faim, lui et ses compagnons ? Il entra dans la maison de Dieu, prit les pains de l'offrande, en mangea, et en donna à ses compagnons, alors que les prêtres seuls ont la permission d'en manger. » Jésus leur disait encore : « Le Fils de l'homme est maître du sabbat. »

PRIÈRE SUR LES OFFRANDES. Exauce notre prière, Seigneur : permets qu'au jour où nous fêtons saint Grégoire ce sacrifice nous apporte le salut, puisque, dans cette immolation, tu as voulu que soient remis les péchés du monde entier. Par Jésus, le Christ.

Voici l'intendant fidèle et sensé que le maître a placé à la tête de ses serviteurs pour leur donner, en temps voulu, leur part de blé.

PRIÈRE APRÈS LA COMMUNION. Ceux que tu fortifies, Seigneur, par le pain vivant, forme-les aussi par l'enseignement du Christ, pour qu'à l'exemple de saint Grégoire, la connaissance de ta vérité les fasse vivre dans ton amour. Par Jésus, le Christ, notre Seigneur.

MÉDITATION DU JOUR

Maître, Père ou Époux

Dans l'Écriture sainte, le Seigneur se nomme tantôt Maître, tantôt Père, tantôt Époux. En effet, quand il veut qu'on le craigne, il se nomme Maître ; quand il veut qu'on l'honore, Père ; quand il veut qu'on l'aime, Époux.

Certes, il n'y a pas de moments différents en Dieu ; mais parce qu'il veut d'abord être craint pour qu'on lui rende honneur, et d'abord honoré pour qu'on accède à son amour, il se nomme aussi bien Maître pour qu'on le craigne, Père pour qu'on l'honore et Époux pour qu'on l'aime, ainsi, à travers la crainte, on en vient à l'honneur, et à travers l'honneur qu'on lui rend, on aboutit à l'amour. Autant l'honneur est chose plus digne que la crainte, autant Dieu se plaît davantage à être appelé Père plutôt que Maître ; et autant l'amour est chose plus chère que l'honneur, autant Dieu se plaît davantage à être appelé Époux plutôt que Père.

Quand il se nomme Maître, il veut dire que nous avons été créés ; quand il se nomme Père, il veut dire que nous avons été adoptés ; quand il se nomme Époux, il veut dire que nous lui avons été unis. Or le fait d'avoir été unis à Dieu est bien plus que d'avoir été créés et adoptés.

S. Grégoire le Grand

Saint Grégoire le Grand († 604), docteur de l'Église, fut préfet de Rome, moine et fondateur, diacre, légat, puis pape de 590 à 604.

Prière du soir
23ᵉ semaine du temps ordinaire

Que ma prière devant toi s'élève comme un encens,
et mes mains, comme l'offrande du soir.

Gloire au Père, et au Fils, et au Saint-Esprit,
au Dieu qui est, qui était, et qui vient,
pour les siècles des siècles. Amen. Alléluia.

Tropaire

Il est grand, celui qui donne la vie,   Stance
plus grand, celui qui pardonne ;

il est bon, celui qui aime ses amis,
meilleur, celui qui donne sa vie
pour l'homme qui le blesse.
Dieu blessé,
Jésus, tu nous pardonnes.

R/   Il n'est pas de plus grand amour
que de donner sa vie
pour ceux qu'on aime.

Vous serez mes amis
si vous faites ma volonté.

Moi, le Maître et Seigneur,
je vous ai donné l'exemple.

Heureux serez-vous, sachant cela,
si vous donnez votre vie.

PSAUME 115   En toute chose, rendre grâce à Dieu

Comment rendre au Seigneur tout le bien qu'il nous a fait dans
la résurrection de son Fils ? en offrant le sacrifice d'action de
grâce qui plaît à Dieu, un cœur humble et reconnaissant.

Je crois, et je parlerai,
moi qui ai beaucoup souffert,
moi qui ai dit dans mon trouble :
« L'homme n'est que mensonge. »

Comment rendrai-je au Seigneur
tout le bien qu'il m'a fait ?
J'élèverai la coupe du salut,
j'invoquerai le nom du Seigneur.
Je tiendrai mes promesses au Seigneur,
oui, devant tout son peuple !

Il en coûte au Seigneur
de voir mourir les siens !

Ne suis-je pas, Seigneur, ton serviteur,
   ton serviteur, le fils de ta servante, *
moi, dont tu brisas les chaînes ?

Je t'offrirai le sacrifice d'action de grâce,
j'invoquerai le nom du Seigneur.
Je tiendrai mes promesses au Seigneur,
oui, devant tout son peuple,
à l'entrée de la maison du Seigneur,
au milieu de Jérusalem !

Gloire au Père, et au Fils, et au Saint-Esprit,
pour les siècles des siècles. Amen.

*Dieu qui souffres de la mort des tiens et qui brises les chaînes
des malheureux, comment pourrions-nous te rendre tout
le bien que tu nous as fait ? Accepte que nous te présen-
tions, en sacrifice d'action de grâce, l'offrande de ton serviteur, le fils de ta servante.*

Parole de Dieu   1 Jean 4, 20-21

Si quelqu'un dit : « J'aime Dieu », alors qu'il a de la
haine contre son frère, c'est un menteur. En effet, celui
qui n'aime pas son frère, qu'il voit, est incapable d'aimer
Dieu, qu'il ne voit pas. Et voici le commandement que
nous avons reçu de lui : celui qui aime Dieu, qu'il aime
aussi son frère.

Pas de plus grand amour que de donner sa vie !

CANTIQUE DE MARIE   (Texte, couverture A)

INTERCESSION

Nous souvenant que le Christ eut pitié des foules, nous
le prions :

℟ Seigneur, montre-nous ton amour !

Nous tenons de ta bonté la joie de ce jour,
– qu'elle te revienne en action de grâce.

Toi, lumière et salut des nations,
– sois la force des témoins que tu as envoyés.

Toi qui entends le cri du malheureux,
– garde-nous d'être sourds aux appels de détresse.

Médecin des âmes et des corps,
– visite-nous et guéris-nous.

Souviens-toi des morts tombés dans l'oubli :
– que leur nom soit inscrit au Livre de vie.

Intentions libres

Notre Père…

Car c'est à toi qu'appartiennent
le règne, la puissance et la gloire,
pour les siècles des siècles !

Salut, Reine des cieux ! Salut, Reine des anges !
Salut, Tige féconde ! Salut, Porte du ciel !
Par toi, la lumière s'est levée sur le monde.

Réjouis-toi, Vierge glorieuse,
belle entre toutes les femmes !
Salut, Splendeur radieuse :
implore le Christ pour nous.

Saints
d'hier et d'aujourd'hui
Le martyrologe romain fait mémoire
des saints Jean Pak Hu-jae et cinq compagnes

Les saints attirent notre regard,
puissions-nous suivre leur exemple
par une vie de sainteté.

La Bonne Nouvelle s'est répandue en Corée vers la fin du XVIIIe siècle, grâce notamment aux livres catholiques rédigés en chinois. Les premiers missionnaires français ne sont arrivés qu'en 1836. Bien que surnommé le « pays du matin calme », ce petit pays d'Asie de l'est a connu de terribles vagues de persécutions. Ainsi, entre 1839 et 1866, huit à dix mille personnes ont été martyrisées au nom du Christ.

Le 6 mai 1984, Jean-Paul II a canonisé une centaine de martyrs à Séoul, parmi lesquels dix prêtres des Missions étrangères de Paris, vingt catéchistes coréens, des jeunes femmes coréennes et des jeunes, garçons et filles, de moins de vingt ans. Tous avaient enduré de terribles tortures et avaient été, à la fin, étranglés ou décapités. À l'instar des saints Jean Pak Hu-jae et de ses cinq compagnes, fêtés aujourd'hui, leur crime était de refuser le culte des ancêtres – rendu obligatoire par l'État –, qu'ils considéraient comme de l'idolâtrie, incompatible avec l'amour total dévolu au Christ.

Bonne fête ! Grégoire, Grégory et Graziella

Paroles de Dieu

■━━━━━━━━━━━━━━━━━━━━━━━━■

pour un dimanche

Serviteurs de la réconciliation

Imperceptiblement, la liturgie nous propose une rentrée studieuse ! Après le temps du repos et des vacances, nous retrouvons un à un les différents groupes humains qui habitent notre existence quotidienne. Et c'est au cœur de ces relations interpersonnelles que résonne l'appel évangélique de ce dimanche. *Lorsque tu entendras une parole de ma bouche, tu les avertiras de ma part* (Ez **33**, 7). Établis serviteurs de la parole de Dieu, nous sommes invités à l'annoncer à tous ceux qui vont croiser nos chemins de rentrée professionnelle, scolaire, associative, paroissiale. *Ne gardez aucune dette envers personne, sauf la dette de l'amour mutuel* (Rm **13**, 8). Car une exigence renouvelée se fait entendre : *Si ton frère a commis un péché, va lui parler seul à seul et montre-lui sa faute* (Mt **18**, 15). Servir la réconciliation demeure une des tâches les plus hautes de notre vie chrétienne, pas seulement pour nous-mêmes, mais pour ceux et celles qui font humanité avec nous. Le péché de mon prochain ne peut me laisser indifférent, car il fragilise ma relation avec Dieu et avec son peuple. *Fils d'homme, je fais de toi un guetteur pour la maison d'Israël* (Ez **33**, 7). Autrement dit, cette vigilance du pardon peut éclairer nos rentrées de l'éclat lumineux chanté par le psalmiste : *Venez, crions de joie pour le Seigneur, acclamons notre Rocher, notre salut !* (Ps **94**, 1).

En définitive, devenir serviteur de la réconciliation offre la possibilité à chacun de devenir membre du peuple de

Dieu, communauté de louange rendant grâce au Seigneur pour les merveilles de son amour. L'accomplissement de la parole de Jésus trouvera alors la plénitude de sa réalisation. *Quand deux ou trois sont réunis en mon nom, je suis là, au milieu d'eux* (Mt **18**, 20).

Père Olivier Praud

■ Les intentions dominicales ■

Ces intentions sont à adapter en fonction de l'actualité et de l'assemblée qui célèbre.

Aujourd'hui, nous avons écouté la parole de Dieu ; qu'elle nous inspire une prière qui plaise au Père.

L'Église avance au milieu du monde en cherchant à accomplir le commandement de l'amour ; pour qu'elle demeure fidèle, prions.

Les ministres ordonnés annoncent la parole de réconciliation ; pour qu'ils en témoignent par leur vie, prions.

Les chefs d'État sont au service de leur peuple ; afin qu'ils se concertent pour une juste répartition des biens de la terre, prions.

Les enfants rentrent à l'école ; pour qu'ils soient éduqués dans le respect de la différence et l'amour du prochain, prions.

Nous sommes rassemblés pour partager la parole et le pain de vie ; afin que nous devenions parole et pain pour nos frères, prions.

Dieu très bon qui nous as donné ta Parole pour que nous l'écoutions, réponds à nos justes demandes, aujourd'hui et toujours.

Bénédicte Ducatel

DIMANCHE 4 SEPTEMBRE
23ᵉ du temps ordinaire

Prière du matin

Venez, crions de joie pour Dieu, notre Sauveur.

Louez le Seigneur, tous les peuples ;   Ps 116
fêtez-le, tous les pays !

Son amour envers nous s'est montré le plus fort ;
éternelle est la fidélité du Seigneur !

Gloire au Père, et au Fils, et au Saint-Esprit,
pour les siècles des siècles. Amen.

Hymne

Dieu de majesté, nous te louons, Seigneur.
Toute la terre chante ta gloire,
Père très saint, Roi très grand !

℟ Dieu tout-puissant,
Gloire à ton nom, par ton Fils, dans l'Esprit Saint.

Toi, le Roi de gloire, ô Christ,
Toi, le Fils de Dieu,
né d'une Vierge Mère sans péché,
Toi qui as vaincu les Enfers et la Mort,
Tu as ouvert à ceux qui croient ton Royaume :
Ton sang versé nous rachète ;
Avec les saints
fais-nous vivre éternellement !

Viens transformer le monde, Souffle de Dieu,
Viens, mets en nos cœurs tes dons.
Au feu de l'amour brûle-nous
Pour que, libres du péché,

Tous les hommes soient unis
Et qu'au ciel ils chantent ta gloire immense,
   Dieu éternel !

Psaume 148   Hymne de toute la création

Chaque jour nous appelle à rendre grâce pour la création et
pour la vie nouvelle d'enfants de Dieu. Louez Dieu, aujourd'hui
et pour l'éternité !

Louez le Seigneur du haut des cieux,
louez-le dans les hauteurs.
Vous, tous ses anges, louez-le,
louez-le, tous les univers.

Louez-le, soleil et lune,
louez-le, tous les astres de lumière ;
vous, cieux des cieux, louez-le,
et les eaux des hauteurs des cieux.

Qu'ils louent le nom du Seigneur :
sur son ordre ils furent créés ;
c'est lui qui les posa pour toujours
sous une loi qui ne passera pas.

Louez le Seigneur depuis la terre,
monstres marins, tous les abîmes ;
feu et grêle, neige et brouillard,
vent d'ouragan qui accomplis sa parole ;

les montagnes et toutes les collines,
les arbres des vergers, tous les cèdres ;
les bêtes sauvages et tous les troupeaux,
le reptile et l'oiseau qui vole ;

les rois de la terre et tous les peuples,
les princes et tous les juges de la terre ;
tous les jeunes gens et jeunes filles,
les vieillards comme les enfants.

Qu'ils louent le nom du Seigneur,
le seul au-dessus de tout nom ;
sur le ciel et sur la terre, sa splendeur :
il accroît la vigueur de son peuple.

Louange de tous ses fidèles,
des fils d'Israël, le peuple de ses proches !

Gloire au Père, et au Fils, et au Saint-Esprit,
pour les siècles des siècles. Amen.

Dieu qui fais exister tout ce qui est, loué soit ton nom au-dessus de tout nom ! Oui, ton peuple te loue, Dieu Très-Haut, d'être proche de lui en Jésus, ton Fils bien-aimé.

Parole de Dieu   Romains 8, 15-16

L'ESPRIT que vous avez reçu ne fait pas de vous des esclaves, des gens qui ont encore peur ; c'est un Esprit qui fait de vous des fils ; poussés par cet Esprit, nous crions vers le Père en l'appelant : « *Abba !* » C'est donc l'Esprit Saint lui-même qui affirme à notre esprit que nous sommes enfants de Dieu.

Ô Seigneur, envoie ton Esprit,
qui renouvelle la face de la terre.

CANTIQUE DE ZACHARIE   (Texte, couverture B)

LOUANGE ET INTERCESSION

Dans l'action de grâce, prions le Christ, le Fils du Dieu vivant :

℟   Alléluia !

Seigneur Jésus, lumière de lumière,
éclaire-nous en ce jour qui commence.

Toi qui viens à notre rencontre,
sois de toutes nos rencontres aujourd'hui.

Toi qui nous accueilles quand nous te recevons,
rends-nous accueillants à tous ceux qui te cherchent.

Toi qui t'es fait nourriture et breuvage,
maintiens en nous l'énergie de l'eucharistie.

Seigneur Jésus, lumière sur la vie
et sur la mort des hommes,
éclaire à travers nous ceux qui sont heureux
et ceux qui souffrent.

Intentions libres

Dieu d'amour, Père de miséricorde, sans te lasser tu nous offres ton pardon. Accorde-nous la force de nous pardonner les uns aux autres. Nous t'en prions d'une même voix et d'un seul cœur. Par Jésus qui vit au milieu de nous, et nous rassemble dans la communion de l'Esprit Saint, pour les siècles des siècles.

LA MESSE
23ᵉ dimanche du temps ordinaire

Tu es juste, Seigneur, et tes jugements sont droits : agis pour ton serviteur selon ton amour, enseigne-moi tes volontés.

GLOIRE À DIEU ———————————————— page 203

PRIÈRE. Dieu qui as envoyé ton Fils pour nous sauver et pour faire de nous tes enfants d'adoption, regarde avec bonté ceux que tu aimes comme un père ; puisque nous croyons au Christ, accorde-nous la vraie liberté et la vie éternelle. Par Jésus Christ.

Lecture du livre d'Ézékiel   33, 7-9

L A PAROLE du Seigneur me fut adressée : « Fils d'homme, je fais de toi un guetteur pour la maison d'Israël. Lorsque tu entendras une parole de ma bouche, tu les avertiras de ma part. Si je dis au méchant : "Tu vas mourir", et que tu ne l'avertisses pas, si tu ne lui dis pas d'abandonner sa conduite mauvaise, lui, le méchant, mourra de son péché, mais à toi, je demanderai compte de son sang. Au contraire, si tu avertis le méchant d'abandonner sa conduite, et qu'il ne s'en détourne pas, lui mourra de son péché, mais toi, tu auras sauvé ta vie. »

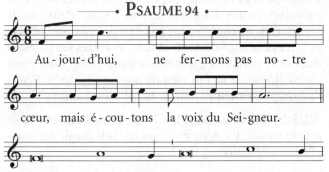

• Psaume 94 •

Au - jour - d'hui, ne fer-mons pas no - tre cœur, mais é - cou - tons la voix du Sei-gneur.

Ou bien :

Avant de parler à nos frères,
nous écoutons la parole de Dieu.

Venez, crions de joie pour le Seigneur,
acclamons notre Rocher, notre salut !
Allons jusqu'à lui en rendant grâce,
par nos hymnes de fête acclamons-le !

Entrez, inclinez-vous, prosternez-vous,
adorons le Seigneur qui nous a faits.
Oui, il est notre Dieu ;
nous sommes le peuple qu'il conduit.

Aujourd'hui écouterez-vous sa parole ?
« Ne fermez pas votre cœur comme au désert

où vos pères m'ont tenté et provoqué,
et pourtant ils avaient vu mon exploit. »

Lecture de la lettre
de saint Paul Apôtre aux Romains   13, 8-10

Fʀèʀᴇs, ne gardez aucune dette envers personne, sauf la dette de l'amour mutuel, car celui qui aime les autres a parfaitement accompli la Loi. Ce que dit la Loi : Tu ne commettras pas d'adultère, tu ne commettras pas de meurtre, tu ne commettras pas de vol, tu ne convoiteras rien ; ces commandements et tous les autres se résument dans cette parole : Tu aimeras ton prochain comme toi-même. L'amour ne fait rien de mal au prochain. Donc, l'accomplissement parfait de la Loi, c'est l'amour.

Alléluia. Alléluia. Dans le Christ, Dieu s'est réconcilié avec le monde. Il a déposé sur nos lèvres la parole de réconciliation. Alléluia.

Évangile de Jésus Christ
selon saint Matthieu   18, 15-20

Jᴇ́sus disait à ses disciples : « Si ton frère a commis un péché, va lui parler seul à seul et montre-lui sa faute. S'il t'écoute, tu auras gagné ton frère. S'il ne t'écoute pas, prends encore avec toi une ou deux personnes afin que toute l'affaire soit réglée sur la parole de deux ou trois témoins. S'il refuse de les écouter, dis-le à la communauté de l'Église ; s'il refuse encore d'écouter l'Église, considère-le comme un païen et un publicain. Amen, je vous le dis : tout ce que vous aurez lié sur la terre sera lié dans le ciel, et tout ce que vous aurez délié sur la terre sera délié dans le ciel. Encore une fois, je vous le dis : si deux d'entre vous sur la terre se mettent d'accord pour demander quelque chose, ils l'obtiendront de mon Père qui est aux cieux. Quand deux ou trois sont réunis en mon nom, je suis là, au milieu d'eux.

CREDO ———————————————————————————— page 205

PRIÈRE SUR LES OFFRANDES. Dieu qui donnes la grâce de te servir avec droiture et de chercher la paix, fais que cette offrande puisse te glorifier, et que notre participation à l'eucharistie renforce les liens de notre unité. Par Jésus, le Christ, notre Seigneur.

PRÉFACE ——————————————————————————— page 208

Comme une biche languit après l'eau vive, ainsi mon âme languit vers toi, mon Dieu. Mon âme a soif de Dieu, du Dieu vivant.

Ou bien :

« Je suis la lumière du monde, dit le Seigneur, celui qui me suit ne marchera pas dans les ténèbres : il aura la lumière de la vie. »

PRIÈRE APRÈS LA COMMUNION. Par ta parole et par ton pain, Seigneur, tu nourris et fortifies tes fidèles : accorde-nous de si bien profiter de ces dons que nous soyons associés pour toujours à la vie de ton Fils. Lui qui règne avec toi pour les siècles des siècles.

AU FIL DES JOURS

L'épreuve de vérité

Avec certaines âmes, je sens qu'il faut me faire toute petite, ne point craindre de m'humilier en avouant mes combats, mes défaites ; voyant que j'ai les mêmes faiblesses qu'elles, mes petites sœurs m'avouent à leur tour leurs fautes qu'elles se reprochent et se réjouissent que je les comprenne par expérience. Avec d'autres, j'ai vu qu'il faut au contraire pour leur faire du bien beaucoup de fermeté et ne jamais revenir sur une chose dite. S'abaisser ne serait point alors de l'humilité, mais de la faiblesse.

Quelquefois, je ne puis m'empêcher de sourire intérieurement en voyant quel changement s'opère du jour au lendemain, c'est féerique… On vient me dire : « Vous aviez raison hier d'être sévère, au commencement cela m'a révoltée, mais après je me suis souvenue de tout et j'ai vu que vous étiez très juste. » Moi je suis tout heureuse de pouvoir suivre le penchant de mon cœur, en ne servant aucun mets amer. Oui mais… je m'aperçois vite qu'il ne faut pas trop s'avancer, un mot pourrait détruire le bel édifice construit dans les larmes. Si j'ai le malheur de dire une parole qui semble atténuer ce que j'ai dit la veille, je vois ma petite sœur essayer de se raccrocher aux branches, alors je fais intérieurement une petite prière et la vérité triomphe toujours.

Ah ! c'est la prière, c'est le sacrifice qui font toute ma force, ce sont les armes invincibles que Jésus m'a données, elles peuvent bien plus que les paroles toucher les âmes, j'en ai fait bien souvent l'expérience.

S. Thérèse de l'Enfant-Jésus

Sainte Thérèse de l'Enfant-Jésus († 1897), docteur de l'Église, est très populaire par son exemple de sainteté et son message spirituel délivré dans ses écrits.

Prière du soir

Hymne

Nous t'adorons, Seigneur,
Ô Père tout-puissant,
Tu donnes vie à notre terre,
Nous t'adorons, Seigneur ! Nous t'adorons !

Honneur à toi, Jésus !
Ô Verbe du Seigneur,
Qui viens changer le cœur des hommes,
Honneur à toi, Jésus ! Honneur à toi !

Gloire à l'Esprit de Dieu !
Au souffle créateur
Qui vient pour transformer la terre,
Gloire à l'Esprit de Dieu ! Gloire à l'Esprit !

Louange au Dieu vivant !
Au Père par le Fils
En l'Esprit Saint qui nous rend frères,
Louange au Dieu vivant ! Louange à Dieu !

PSAUME 22   Dieu, pasteur de son peuple

Tout est grâce et bonheur auprès du Père. Tout est paix à la suite
du Christ. Tout est joie quand l'Esprit chante en nous.

Le Seigneur est mon berger :
 je ne manque de rien. *
Sur des prés d'herbe fraîche,
 il me fait reposer.

Il me mène vers les eaux tranquilles
 et me fait revivre ; *
il me conduit par le juste chemin
 pour l'honneur de son nom.

Si je traverse les ravins de la mort,
 je ne crains aucun mal, *
car tu es avec moi :
 ton bâton me guide et me rassure.

Tu prépares la table pour moi
 devant mes ennemis ; *

tu répands le parfum sur ma tête,
    ma coupe est débordante.

Grâce et bonheur m'accompagnent
    tous les jours de ma vie ; *
j'habiterai la maison du Seigneur
    pour la durée de mes jours.

Gloire au Père, et au Fils, et au Saint-Esprit,
pour les siècles des siècles. Amen.

Avec toi, Jésus, Pasteur éternel, ton Église ne manque de rien : tu nous fais revivre dans les eaux du baptême ; sur nous, tu répands ton Esprit Saint ; pour nous, tu prépares la table de ton corps ; tu nous mènes, au-delà de la mort, jusqu'à la maison de ton Père, où tout est grâce et bonheur !

Parole de Dieu   Romains 8, 22-23

N OUS LE SAVONS BIEN, la création tout entière crie sa souffrance, elle passe par les douleurs d'un enfantement qui dure encore. Et elle n'est pas seule. Nous aussi, nous crions en nous-mêmes notre souffrance ; nous avons commencé par recevoir le Saint-Esprit, mais nous attendons notre adoption et la délivrance de notre corps.

Viens, Esprit de sainteté !
Viens, Esprit de lumière !

Hymne de louange   (Texte, couverture C)

Intercession

Gloire au Christ, qui nous a donné son Esprit :

℟   Ô Christ ressuscité, exauce-nous !

Renouvelle ton Église
dans la grâce de l'Esprit Saint :
qu'il la purifie, la fortifie
et lui donne de grandir en toi.

À ceux qui annoncent ta parole
et dispensent tes sacrements,
accorde de trouver leur joie dans ce ministère.

À ceux qui remplissent
une charge politique ou sociale,
inspire de se dévouer au service du bien commun.

Révèle à ceux qui peinent dans l'existence
la tendresse et la force de l'Esprit Saint.

Intentions libres

Notre Père…

Car c'est à toi qu'appartiennent
le règne, la puissance et la gloire,
pour les siècles des siècles !

Allez, vous aussi, à ma vigne

A chaque heure du jour, le maître de la vigne descend sur la place et regarde les hommes qui s'ennuient, s'inquiètent ou désespèrent, et il les appelle : « Allez, vous aussi, à ma vigne. » Le jour, c'est le temps de l'Église, jour inauguré dans le retournement pascal, jour qui s'achèvera au soir du monde. L'heure, c'est celle où le Maître frappe à notre porte et attend notre réponse. Il cherche des ouvriers. Étrangement, il ne précise pas quel type d'ouvrier il emploie. Doit-il être bon ou mauvais, qualifié ou sans expérience, ardent à la tâche ou laxiste ? Pas de réponse à cette question. Le Maître, ici, ne s'intéresse pas aux qualités de l'ouvrier, mais à sa présence dans sa vigne.

La vigne nous attend

Ce n'est pas la saison des vendanges qui motive le choix des lectures de la messe, mais il y a un certain humour de l'Esprit à recevoir cette parabole le troisième dimanche de ce mois de septembre. Nous n'habitons pas tous des régions de vigne, mais nous savons que, pour porter les beaux fruits que nous aimons, elle réclame une attention quotidienne, quelle que soit la saison. Ainsi en est-il de cette vigne aimée du Seigneur qu'est l'Église.

Dites « oui » !

Si par hasard, dans votre paroisse, vous avez dit la messe « pour commencer une année[1] », vous avez prié pour qu'elle soit « un temps de fidélité à l'Évangile ». C'est bien de cela qu'il s'agit quand la vie quotidienne reprend ses droits, être fidèle à travailler dans la vigne.

Cette fidélité repose sur un amour premier, celui de Dieu qui nous cherche inlassablement. Il nous appelle parce qu'il sait qu'en dehors de lui, nous ne pouvons pas être heureux. Il arrive que nous traînions sur la place, errants et désœuvrés, face à un horizon sans espérance.

L'appel à aller à la vigne est plein de promesses, d'abord celle d'une dignité retrouvée, nous n'allons plus sans but, et puis celle d'un travail assuré, sans condition, jusqu'au soir. Aussi tard que nous rejoignions la vigne, le travail nous tiendra debout jusqu'au soir de ce monde.

Allez

En ce début d'année, il peut être bon de renouveler notre engagement à travailler dans la vigne. Si certains y sont résolument attachés, d'autres sont peut-être comme ce fils qui dit « oui » et va voir ailleurs. La prière, la vie fraternelle, le souci des autres, la vie sacramentelle sont autant de manières d'être ouvrier dans la vigne. Il semble que beaucoup sont encore sur la place dans l'angoisse du lendemain. Ne devons-nous pas leur dire qu'on embauche dans la vigne, que le Maître est là et qu'il appelle ? Il est de notre responsabilité de guider nos frères vers le Christ, qui les attend.

Une des bénédictions solennelles offertes par le *Missel romain* formule ce souhait : « Riches de foi, d'espérance et de charité, travaillez en bons ouvriers du Royaume[2]. » Le Maître n'attend pas que nous soyons parfaits ; il nous veut avec lui pour nous apprendre à travailler comme lui. N'hésitons pas ! L'embauche est permanente, le salaire est à la mesure de l'amour sans mesure.

■ **Bénédicte Ducatel**

---

1. MAGNIFICAT propose, le mercredi 7 septembre, les oraisons de cette messe, p. 96 et 98-99.
2. Bénédiction solennelle, temps ordinaire IV.

LUNDI 5 SEPTEMBRE

Prière du matin

Seigneur, ouvre mes lèvres,
et ma bouche publiera ta louange.

Gloire au Père, et au Fils, et au Saint-Esprit,
au Dieu qui est, qui était, et qui vient,
pour les siècles des siècles. Amen. Alléluia.

HYMNE

Esprit, toi qui guides tous les hommes,
Garde-les pour la gloire du Père ;
Unis-les dans ton peuple de la terre,
Conduis-les par la route qui mène au Royaume.

℟   Guide-nous sur les routes de la terre,
Conduis-nous vers les hommes, nos frères.

Esprit, toi qui souffles sur le monde,
Brûle-nous de ta flamme si claire.
Purifie tous nos gestes de misère,
Conduis-nous où la grâce du Christ surabonde.

Esprit, toi qui donnes la justice,
Donne-nous de combattre la haine ;
Force-nous à défendre ceux qui peinent,
Conduis-nous vers les pauvres qui sont ton Église.

PSAUME 95   Hymne à Dieu, roi et juge de l'univers

Toute la création chante la gloire de Dieu. Unissons nos voix
pour l'acclamer. Bientôt, devant le trône de sa gloire, nous chan-
terons le chant nouveau de sa victoire.

Chantez au Seigneur un chant nouveau,
chantez au Seigneur, terre entière,
chantez au Seigneur et bénissez son nom !   chantez

De jour en jour, proclamez son salut,
racontez à tous les peuples sa gloire,   proclamez
à toutes les nations ses merveilles !   racontez

Il est grand, le Seigneur, hautement loué,
redoutable, au-dessus de tous les dieux :
néant, tous les dieux des nations !

Lui, le Seigneur, a fait les cieux :
devant lui, splendeur et majesté,
dans son sanctuaire, puissance et beauté.

Rendez au Seigneur, familles des peuples,   rendez gloire
rendez au Seigneur la gloire et la puissance,
rendez au Seigneur la gloire de son nom.

Apportez votre offrande, entrez dans ses parvis,
adorez le Seigneur, éblouissant de sainteté :   entrez
tremblez devant lui, terre entière.   adorez

Allez dire aux nations : « Le Seigneur est roi ! »
Le monde, inébranlable tient bon.
Il gouverne les peuples avec droiture.   allez dire

Joie au ciel ! Exulte la terre !
Les masses de la mer mugissent,
la campagne tout entière est en fête.   joie !

Les arbres des forêts dansent de joie
devant la face du Seigneur, car il vient,   joie !
car il vient pour juger la terre.   il vient

Il jugera le monde avec justice *
et les peuples selon sa vérité !

Gloire au Père, et au Fils, et au Saint-Esprit…

Parole de Dieu   2 Corinthiens 13, 11

Frères, soyez dans la joie, cherchez la perfection, encouragez-vous, soyez d'accord entre vous, vivez en paix, et le Dieu d'amour et de paix sera avec vous.

La joie du Seigneur est notre rempart !

Cantique de Zacharie   (Texte, couverture B)

Louange et intercession
(d'après la prière du pape saint Clément)

Dieu notre Maître, nous te supplions :

℟   Que brille sur nous ton visage !

Ouvre les yeux de notre cœur,
que nous puissions te connaître.

Délivre-nous du péché par ta puissance.

Garde-nous de craindre ceux qui nous haïssent.

Fais-nous vivre dans la concorde et la paix,
ainsi que tous les habitants de la terre.

Accorde à tes enfants la joie et le bonheur.

Intentions libres

Dieu, notre Créateur et notre Roi, quand le ciel se réjouit de ta gloire et que la mer gronde et mugit, quand la campagne et les forêts de la terre exultent à cause de ton règne qui vient, serons-nous les seuls de tes créatures à ne pas raconter la merveille tu accomplis dans ton Fils ? les seuls à ne pas dire au monde qu'il est sauvé, à ne pas danser de joie devant ta face ?

À toi, le règne,
à toi, la puissance et la gloire,
pour les siècles des siècles !

La messe
Lundi de la 23ᵉ semaine du temps ordinaire

(En lien avec l'Évangile, on peut choisir les oraisons, entre filets, de la messe pour les malades ou les infirmes, Missel romain n° III.37.)

Le Seigneur a porté nos souffrances, il s'est chargé de nos douleurs.

PRIÈRE. Dieu qui veux être la vie de tout homme, Dieu qui n'abandonnes aucun de tes enfants, accorde à nos frères malades la force de lutter pour guérir : qu'ils découvrent dans leur épreuve combien tu peux être proche d'eux, par des frères qui soutiennent leur courage, par l'espérance que tu leur donnes en Jésus Christ. Lui qui règne avec toi et le Saint-Esprit.

Lecture de la lettre de saint Paul Apôtre aux Colossiens
1, 24 à 2, 3

FRÈRES, je trouve la joie dans les souffrances que je supporte pour vous, car ce qu'il reste à souffrir des épreuves du Christ, je l'accomplis dans ma propre chair, pour son corps qui est l'Église. De cette Église, je suis devenu ministre, et la charge que Dieu m'a confiée, c'est d'accomplir pour vous sa parole, le mystère qui était caché depuis toujours à toutes les générations, mais qui maintenant a été manifesté aux membres de son peuple saint. Car Dieu a bien voulu leur faire connaître en quoi consiste, au milieu des nations païennes, la gloire sans prix de ce mystère : le Christ est au milieu de vous, lui, l'espérance de la gloire ! Ce Christ, nous l'annonçons : nous avertissons tout homme, nous instruisons tout homme avec sagesse afin d'amener tout homme à sa perfection dans le Christ. C'est pour cela que je m'épuise à combattre,

avec toute la force du Christ dont la puissance agit en moi.
Je veux en effet que vous sachiez quel dur combat je mène
pour vous, et aussi pour les fidèles de Laodicée et pour
tant d'autres qui ne m'ont jamais rencontré personnelle-
ment. Je combats pour que leurs cœurs soient remplis de
courage et qu'ils soient rassemblés dans l'amour, afin d'acquérir toute la richesse de l'intelligence parfaite, et la vraie
connaissance du mystère de Dieu. Ce mystère, c'est le
Christ, en qui se trouvent cachés tous les trésors de la
sagesse et de la connaissance.

• PSAUME 61 •

En Dieu, mon salut et ma gloire !

Je n'ai mon repos qu'en Dieu seul ;
oui, mon espoir vient de lui.
Lui seul est mon rocher, mon salut,
ma citadelle : je reste inébranlable.

Comptez sur lui en tous temps,
vous le peuple.
Devant lui épanchez votre cœur :
Dieu est pour nous un refuge.

Alléluia. Alléluia. Je veux louer le Seigneur tant que je
vis : il redresse les accablés, il égare les pas des méchants.
Alléluia.

Évangile de Jésus Christ selon saint Luc   6, 6-11

UN AUTRE JOUR de sabbat,
Jésus était entré dans la
synagogue et enseignait. Il y avait là un homme dont la
main droite était paralysée. Les scribes et les pharisiens
observaient Jésus afin de voir s'il ferait une guérison le
jour du sabbat ; ils auraient ainsi un motif pour l'accu-
ser. Mais il connaissait leurs pensées, et il dit à l'homme

qui avait la main paralysée : « Lève-toi, et reste debout devant tout le monde. » L'homme se leva et se tint debout. Jésus leur dit : « Je vous le demande : Est-il permis, le jour du sabbat, de faire le bien, ou de faire le mal ? de sauver une vie, ou de la perdre ? » Alors, promenant son regard sur eux tous, il dit à l'homme : « Étends ta main. » Il le fit, et sa main redevint normale. Quant à eux, ils furent remplis de fureur et ils discutaient entre eux sur ce qu'ils allaient faire à Jésus.

PRIÈRE SUR LES OFFRANDES. Accueille, Seigneur, l'offrande et la prière que nous te présentons pour les malades : en s'unissant au Christ immolé pour les hommes, qu'ils reçoivent de croire que tu les aimes en lui ; qu'ils soient aux yeux des bien-portants les signes que l'Esprit travaille ce monde. Par Jésus, le Christ.

Ce qu'il reste à souffrir des épreuves du Christ, je l'accomplis dans ma propre chair pour son corps qui est l'Église.

PRIÈRE APRÈS LA COMMUNION. Dieu qui prends soin de nous en nous donnant le pain qui fait vivre, daigne prendre soin de nos malades : que cette eucharistie suscite parmi nous des frères qui les entourent de ta tendresse et les aident à guérir en soutenant leur patience. Par Jésus, le Christ, notre Seigneur.

MÉDITATION DU JOUR

Je n'avais pas prié…

Il fut un temps où je n'étais pas, et tu m'as créé.
Je n'avais pas prié, et toi, tu m'as fait.
Je n'étais pas encore venu à la lumière, et tu m'as vu.
Je n'avais pas paru, et tu as eu pitié de moi.
Je n'avais pas invoqué, et tu as pris soin de moi.
Je n'avais pas fait un signe de la main, et tu m'as
    regardé.

Je n'avais pas supplié, et tu m'as fait miséricorde.
Je n'avais pas articulé un son, et tu m'as entendu.
Je n'avais pas soupiré, et tu as prêté l'oreille.
Voici que je te présente le bras desséché de mon âme ;
en ton nom, ô Puissant, rends-le sain comme autrefois, lorsque dans le jardin de délices je cueillais le fruit
de vie.

S. GRÉGOIRE DE NAREK

Saint Grégoire († 1010) était moine à Narek, en Arménie.

Prière du soir

HYMNE

Pour accomplir les œuvres du Père
en croyant à Celui qui a sauvé le monde ;
pour témoigner que Dieu est tendresse,
et qu'il aime la vie et qu'il nous fait confiance ;
pour exposer ce temps à la grâce
et tenir l'univers dans la clarté pascale,

℟ L'Esprit nous appelle à vivre aujourd'hui,
à vivre de la vie de Dieu ;
l'Esprit nous appelle à croire aujourd'hui,
à croire au bel amour de Dieu !

Pour découvrir les forces nouvelles
que l'Esprit fait lever en travaillant cet âge ;
pour nous ouvrir à toute rencontre
et trouver Jésus Christ en accueillant ses frères ;
pour être enfin le sel, la lumière
dans la joie de servir le serviteur de l'homme,

Pour inventer la terre promise
où le pain se partage, où la parole est libre ;
pour que s'engendre un peuple sans haine

où la force et l'argent ne seront plus les maîtres ;
pour annoncer le Jour du Royaume,
sa justice et sa paix qui briseront les guerres,

Pour épouser la plainte des autres
en berçant le silence au plus secret de l'âme ;
pour assembler les pierres vivantes
sur la pierre angulaire où se construit l'Église ;
pour entonner un chant d'espérance
dans ce monde sauvé et qui attend sa gloire.

PSAUME 39 (I)   Prière d'action de grâce

Plus que tous les sacrifices, Dieu désire notre amour. Lui qui
nous a aimés le premier attend notre réponse, un simple « Voici,
je viens ».

D'un grand espoir
      j'espérais le Seigneur : *
Il s'est penché vers moi
      pour entendre mon cri.

Il m'a tiré de l'horreur du gouffre,
      de la vase et de la boue ; *
il m'a fait reprendre pied sur le roc,
      il a raffermi mes pas.

Dans ma bouche, il a mis un chant nouveau,
      une louange à notre Dieu. *
Beaucoup d'hommes verront, ils craindront,
      ils auront foi dans le Seigneur.

Heureux est l'homme
      qui met sa foi dans le Seigneur *
et ne va pas du côté des violents,
      dans le parti des traîtres.

Tu as fait pour nous tant de choses,
      toi, Seigneur mon Dieu ! *

Tant de projets et de merveilles !
    non, tu n'as point d'égal !

Je les dis, je les redis encore ; *
    mais leur nombre est trop grand !

Tu ne voulais ni offrande ni sacrifice,
    tu as ouvert mes oreilles ; *
tu ne demandais ni holocauste ni victime,
    alors j'ai dit : « Voici je viens.

« Dans le livre, est écrit pour moi
    ce que tu veux que je fasse. *
Mon Dieu, voilà ce que j'aime :
    ta loi me tient aux entrailles. »

Gloire au Père, et au Fils, et au Saint-Esprit,
pour les siècles des siècles. Amen.

Parole de Dieu   Colossiens 1, 21-23a

VOUS ÉTIEZ JADIS étrangers à Dieu, vous étiez même ses ennemis, avec cette mentalité qui vous poussait à faire le mal. Et voilà que, maintenant, Dieu vous a réconciliés avec lui, grâce au corps humain du Christ et par sa mort, pour vous introduire en sa présence, saints, irréprochables et inattaquables. Mais il faut que, par la foi, vous teniez, solides et fermes.

Gloire et louange à toi, Seigneur Jésus !

CANTIQUE DE MARIE   (Texte, couverture A)

INTERCESSION

Dieu des pauvres et des malheureux,
nous te rendons grâce :

Tu n'as pas demandé d'autre sacrifice que celui de Jésus, venu parmi nous faire ta volonté.

Tu l'as tiré du gouffre de la mort et tu as mis en sa bouche le chant pascal qui retentit dans l'assemblée des croyants.

Tu l'as élevé dans la gloire, d'où il nous a envoyé l'Esprit, qui chante sur nos lèvres l'amour dont tu nous aimes.

Donne-nous d'aimer comme lui ta loi, fais pour nous ce que tu as fait pour lui, et nous annoncerons ton amour et ta vérité.

Intentions libres

Notre Père…

> Car c'est à toi qu'appartiennent
> le règne, la puissance et la gloire,
> pour les siècles des siècles !

Que le Dieu de l'espérance
nous remplisse de toute joie et de toute paix
dans la foi. Amen.

SAINTS
D'HIER ET D'AUJOURD'HUI
Le martyrologe romain fait mémoire
des SAINTS URBAIN, THÉODORE, MÉNÉDÈME
ET LEURS COMPAGNONS

Louons notre Dieu, qui nous donne sa joie
lorsque nous célébrons la mémoire des saints.

Au lendemain de la célèbre bataille du pont Milvius, l'empereur romain Constantin Ier, avec l'empereur Licinius, décida de rétablir la liberté religieuse. Avec l'édit de Milan, promulgué en l'an 313, il mit un terme à plusieurs siècles de persécutions contre les chrétiens. Désormais tolérés, ces derniers purent récupérer leurs lieux de culte et leurs biens confisqués durant les années précédentes. Parmi les successeurs de Constantin Ier, l'empereur Valens, converti à l'arianisme, menaça à nouveau les chrétiens, et les persécutions reprirent durant son règne, de 364 à 378. C'est ainsi qu'en Bithynie (dans l'actuelle Turquie), en l'an 370, un groupe de quatre-vingts prêtres et clercs fut mené au port et embarqué sur un navire qui devait, selon un ordre impérial, être enflammé en pleine mer. Urbain, Théodore, Ménédème et leurs compagnons, honorés ce jour, périrent ainsi dans les flammes au nom de Jésus Christ.

Bonne fête ! Raïssa

MARDI 6 SEPTEMBRE

Prière du matin

Le Seigneur est roi,
venez, adorons-le.

Gloire au Père, et au Fils, et au Saint-Esprit !

HYMNE

Prenons la main que Dieu nous tend,
Voici le temps où Dieu fait grâce à notre terre.
Jésus est mort un jour du temps,
Voici le temps de rendre grâce à notre Père.
L'unique Esprit bénit ce temps.
Prenons le temps de vivre en grâce avec nos frères.

Prenons les mots que dit l'Amour,
Voici le temps où Dieu fait grâce à notre terre.
Jésus est mort, le Livre est lu,
Voici le temps de rendre grâce à notre Père.
Un même Esprit nous parle au cœur,
Prenons le temps de vivre en grâce avec nos frères.

PSAUME 39 (II)   Dieu, viens à mon aide

Quelle joie d'annoncer l'œuvre de Dieu ! Quel débordement de
joie dans le cœur des pauvres que Dieu a libérés ! Le Seigneur
vient à notre secours, toujours.

J'annonce la justice
        dans la grande assemblée ; *
vois, je ne retiens pas mes lèvres,
        Seigneur, tu le sais.

Je n'ai pas enfoui ta justice au fond de mon cœur, +
        je n'ai pas caché ta fidélité, ton salut ; *

j'ai dit ton amour et ta vérité
  à la grande assemblée.

Toi, Seigneur,
  ne retiens pas loin de moi ta tendresse ; *
que ton amour et ta vérité
  sans cesse me gardent !

Les malheurs m'ont assailli : *
  leur nombre m'échappe !

Mes péchés m'ont accablé :
  ils m'enlèvent la vue ! *
Plus nombreux que les cheveux de ma tête,
  ils me font perdre cœur.

Daigne, Seigneur, me délivrer ;
  Seigneur, viens vite à mon secours ! *

Mais tu seras l'allégresse et la joie
  de tous ceux qui te cherchent ; *
toujours ils rediront : « Le Seigneur est grand ! »
  ceux qui aiment ton salut.

Je suis pauvre et malheureux,
  mais le Seigneur pense à moi. *
Tu es mon secours, mon libérateur :
  mon Dieu, ne tarde pas !

Gloire au Père, et au Fils, et au Saint-Esprit,
pour les siècles des siècles. Amen.

Parole de Dieu   Deutéronome 15, 7-8

S'IL Y A chez toi un pauvre,
l'un de tes frères, dans l'une
de tes villes, dans le pays que le Seigneur ton Dieu te
donne, tu n'endurciras pas ton cœur et tu ne fermeras pas
ta main à ton frère pauvre, mais tu lui ouvriras ta main

toute grande et tu lui consentiras tout ce dont il pourra avoir besoin.

Il délivrera le pauvre qui appelle.

CANTIQUE DE ZACHARIE (Texte, couverture B)

LOUANGE ET INTERCESSION

Au matin de ce nouveau jour,
prions le Christ Seigneur :

℟ Exauce-nous, Seigneur.

Jésus Christ, Premier-né avant toute créature,
– éveille nos sens à la beauté de ton œuvre.

Jésus Christ, Lumière qui se lève sur le monde,
– découvre à notre esprit tes volontés.

Jésus Christ, Fils bien-aimé du Père,
– inspire-nous l'amour filial et fraternel.

Jésus Christ, Source jaillissante de vie,
– féconde le travail de ce jour.

Jésus Christ, Ami des pauvres et des petits,
– rends-nous attentifs à leur appel.

Intentions libres

Dieu qui ne cesses de créer l'univers, tu as voulu associer l'homme à ton ouvrage ; regarde le travail que nous avons à faire ; qu'il nous permette de gagner notre vie, qu'il soit utile à ceux dont nous avons la charge et serve à l'avènement de ton royaume. Par Jésus Christ, ton Fils, notre Seigneur et notre Dieu, qui règne avec toi et le Saint-Esprit, maintenant et pour les siècles des siècles.

La messe
Mardi de la 23ᵉ semaine du temps ordinaire

(En lien avec l'Évangile, on peut choisir les oraisons, entre filets, de la messe en l'honneur de tous les Apôtres, Missel romain n° 11.)

« Ce n'est pas vous qui m'avez choisi, dit le Seigneur, c'est moi qui vous ai choisis, afin que vous partiez, que vous donniez du fruit et que votre fruit demeure. »

Prière. Seigneur, que ton Église trouve sa joie à honorer fidèlement les saints Apôtres ; qu'elle avance sous leur conduite, en bénéficiant tout à la fois de leurs mérites et de leur enseignement. Par Jésus Christ, ton Fils, notre Seigneur.

Lecture de la lettre
de saint Paul Apôtre aux Colossiens   2, 6-15

Frères, continuez à vivre dans le Christ Jésus, le Seigneur, tel que nous vous l'avons transmis. Soyez enracinés en lui, construisez votre vie sur lui ; restez fermes dans la foi telle qu'on vous l'a enseignée, soyez débordants d'action de grâce. Prenez garde à ceux qui veulent faire de vous leur proie par leur philosophie trompeuse et vide fondée sur la tradition des hommes, sur les forces qui régissent le monde, et non pas sur le Christ. Car en lui, dans son propre corps, habite la plénitude de la divinité. En lui vous avez tout reçu en plénitude, car il domine toutes les puissances de l'univers. C'est en lui que vous avez reçu la vraie circoncision, non pas celle que pratiquent les hommes, mais celle qui enlève les tendances égoïstes de la chair ; telle est la circoncision qui vient du Christ. Par le baptême, vous avez été mis au tombeau avec lui, avec lui vous avez été ressuscités, parce que vous avez cru en la force de Dieu qui a ressuscité le Christ d'entre les morts. Vous étiez des morts, parce que vous aviez péché et que vous n'aviez pas reçu de circoncision. Mais Dieu vous a donné la vie avec le Christ : il nous a pardonné tous nos péchés. Il a supprimé le billet de la dette qui nous accablait depuis que les commandements pesaient sur nous : il l'a annulé en le clouant à la croix du Christ. Ainsi, Dieu a dépouillé les puissances de l'univers ; il les a publiquement données en spectacle et les a traînées dans le cortège triomphal de la croix.

• Psaume 144 •

La bonté du Seigneur est pour tous.

Je t'exalterai, mon Dieu, mon Roi,
je bénirai ton nom toujours et à jamais !
Chaque jour, je te bénirai,
je louerai ton nom toujours et à jamais.

Le Seigneur est tendresse et pitié,
lent à la colère et plein d'amour ;
la bonté du Seigneur est pour tous,
sa tendresse, pour toutes ses œuvres.

Que tes œuvres, Seigneur, te rendent grâce
et que tes fidèles te bénissent !
Ils diront la gloire de ton règne,
ils parleront de tes exploits.

Alléluia. Alléluia. Le Seigneur les a choisis du milieu du monde, pour qu'ils portent du fruit, un fruit qui demeure. Alléluia.

Évangile de Jésus Christ selon saint Luc   6, 12-19

E‍N CES JOURS-LÀ, Jésus s'en alla dans la montagne pour prier, et il passa la nuit à prier Dieu. Le jour venu, il appela ses disciples, en choisit douze, et leur donna le nom d'Apôtres : Simon, auquel il donna le nom de Pierre, André son frère, Jacques, Jean, Philippe, Barthélemy, Matthieu, Thomas, Jacques fils d'Alphée, Simon appelé le Zélote, Jude fils de Jacques, et Judas Iscariote, celui qui fut le traître. Jésus descendit de la montagne avec les douze Apôtres et s'arrêta dans la plaine. Il y avait là un grand nombre de ses disciples, et une foule de gens venus de toute la Judée, de Jérusalem, et du littoral de Tyr et de Sidon, qui étaient venus l'entendre et se faire guérir de leurs maladies. Ceux qui étaient tourmentés par des esprits mauvais en étaient délivrés. Et toute la foule cherchait à le toucher, parce qu'une force sortait de lui et les guérissait tous.

PRIÈRE SUR LES OFFRANDES. Répands sur nous, Seigneur, cet Esprit Saint que tu as répandu abondamment sur tes Apôtres, nous aurons alors une meilleure connaissance de la vérité qu'ils nous ont transmise, et nous serons moins indignes de t'offrir le sacrifice qui te rend gloire. Par Jésus, le Christ, notre Seigneur.

« Vous qui m'avez suivi, dit le Seigneur à ses Apôtres, vous siégerez sur douze trônes comme chefs des douze tribus d'Israël. »

PRIÈRE APRÈS LA COMMUNION. Accorde-nous, Seigneur, ce que tu accordais aux premiers chrétiens, garde-nous fidèles à l'enseignement des Apôtres, donne-nous de pouvoir toujours nous rassembler, dans la joie et la simplicité du cœur, pour la prière et la fraction du pain. Par Jésus, le Christ, notre Seigneur.

MÉDITATION DU JOUR

Repartir du Christ

L'effort de notre foi sera avant tout dirigé dans le sens d'une rencontre très personnelle avec le Christ,

sûrs que nous sommes de ne pas nous égarer en adhé-
rant à lui de tout notre être, et en lui livrant notre vie,
à lui qui est la Voie, la Vérité et la Vie. C'est pourquoi
notre vie doit tendre à se simplifier dans une union
avec Jésus vivant, trouvé dans la foi, l'eucharistie,
l'Évangile et nos frères. C'est en ces « lieux » qu'il réside.
Nous serons tout donnés aux hommes, à cause de lui ;
et si nous voulons partager avec eux, et spécialement
avec les plus pauvres, les plus opprimés, les plus injus-
tement traités, tout ce que nous pourrons de leurs soucis, de leurs fatigues et de leur travail, c'est parce que
Jésus les aime, c'est à cause de ce qu'il a dit dans son
Évangile, c'est parce que nous le voyons, lui, le Fils de
l'homme, l'Homme par excellence, et l'Homme des
douleurs, devant nous, partout présent en eux et au
milieu d'eux. C'est toujours lui que nous cherchons,
que nous aimons, avec lequel nous voulons peiner et
souffrir.   *RENÉ VOILLAUME*

*René Voillaume († 2003) fonda en 1933 la première fraternité
des Petits Frères de Jésus, dans l'esprit du père de Foucauld. Il
avait le don de découvrir le Christ souffrant dans les êtres les
plus pauvres.*

Prière du soir

Dieu, viens à mon aide,
Seigneur, à notre secours.

Gloire au Père, et au Fils, et au Saint-Esprit !

HYMNE

Prenons la paix qui vient de Dieu,
Voici le temps où Dieu fait grâce à notre terre.
Jésus est mort pour notre vie,
Voici le temps de rendre grâce à notre Père.

Son règne est là ! le feu a pris,
Prenons le temps de vivre en grâce avec nos frères.

Prenons le pain qui donne tout,
Voici le temps où Dieu fait grâce à notre terre.
Jésus est mort, Jésus nous vient.
Voici le temps de rendre grâce à notre Père.
Soyons du corps où tout se tient,
Prenons le temps de vivre en grâce avec nos frères.

CANTIQUE DE L'APOCALYPSE (4)

Christ est ressuscité, il a fait de nous un peuple de saints.
Rendons-lui gloire à jamais !

Tu es digne, Seigneur notre Dieu, *
de recevoir
  l'honneur, la gloire et la puissance.

C'est toi qui créas l'univers ; *
tu as voulu qu'il soit :
  il fut créé.

Tu es digne, Christ et Seigneur, *
de prendre le Livre
  et d'en ouvrir les sceaux.

Car tu fus immolé, +
rachetant pour Dieu, au prix de ton sang, *
des hommes de toute tribu,
  langue, peuple et nation.

Tu as fait de nous, pour notre Dieu,
  un royaume et des prêtres, *
et nous régnerons sur la terre.

Il est digne, l'Agneau immolé, +
de recevoir puissance et richesse,
  sagesse et force, *
honneur, gloire et louange.

Parole de Dieu

Romains 6, 22-23

MAINTENANT que vous avez été libérés du péché et que vous êtes devenus les esclaves de Dieu, vous y récoltez la sainteté, et cela aboutit à la vie éternelle. Car le salaire du péché, c'est la mort ; mais le don gratuit de Dieu, c'est la vie éternelle dans le Christ Jésus, notre Seigneur.

Gloire et louange à toi, Seigneur Jésus !

CANTIQUE DE MARIE
(Texte, couverture A)

INTERCESSION

Bénissons le Seigneur du ciel et de la terre, qui révèle aux petits les merveilles de son amour :

℟ Tu es l'espérance des hommes.

Par Jésus Christ, tu es venu jusqu'à nous ;
– qu'il nous conduise à toi, son Père et notre Père.

Le pouvoir des puissants est dans ta main ;
– dirige ceux qui nous gouvernent.

Chacune des créatures est un reflet de ta splendeur ;
– inspire ceux qui cherchent des images de ta gloire.

Tu ne veux pas que nous soyons tentés
au-delà de nos forces ;
– fais que nous tenions dans les épreuves.

Tu as promis de ressusciter les hommes
au dernier jour ;
– souviens-toi de ceux qui sont morts aujourd'hui.

Intentions libres

Notre Père… Car c'est à toi qu'appartiennent…

SAINTS
D'HIER ET D'AUJOURD'HUI
Le martyrologe romain fait mémoire de SAINT MAGNE

*Que la prière des saints nous aide à progresser
sur le chemin de la vie éternelle.*

Saint Magne (ou Magnus) est connu comme le premier abbé du monastère bénédictin de Füssen, en Bavière, au VIIe siècle. Le monastère existe encore mais il abrite le musée de la ville. À l'époque, il s'agissait d'un petit cloître qui servait de refuge pour les pèlerins qui tentaient de gagner une veille route transalpine pour rejoindre Rome. Pour Magne, à qui l'on doit d'avoir rechristianisé cette région à cheval entre l'Autriche, la Suisse et l'Allemagne actuelle, c'était un lieu de passage propre à l'annonce de la Bonne Nouvelle.

La légende, qui est parvenue jusqu'à nous, présente Magne comme un disciple de saint Colomban (540-615), moine irlandais venu de Luxeuil, qui avait évangélisé les populations campagnardes de Gaule, d'Allemagne, de Suisse et d'Italie. On dit de saint Magne qu'il fit des miracles, dompta des dragons et vécut près d'un siècle et demi. Vrai ou faux, cela prouve combien l'« apôtre de l'Allgäu » garda une place particulière dans le cœur des habitants de la région.

Bonne fête ! Bertrand, Évelyne et Éva

MERCREDI 7 SEPTEMBRE

Prière du matin

Adorons le Seigneur,
c'est lui qui nous a faits.

Gloire au Père, et au Fils, et au Saint-Esprit,
au Dieu qui est, qui était, et qui vient,
pour les siècles des siècles. Amen. Alléluia.

HYMNE

Peuple d'un Dieu qui est justice
En prenant soin des plus petits,
Ta seule gloire est le service,
L'amour de ceux que l'on oublie.
Le Fils de l'homme est plein de grâce
Quand il descend chez les pécheurs.
Fais comme lui et prends ta place
Sous la livrée du serviteur.

Peuple d'un Dieu qui est tendresse
Et qui te dit son amitié,
Ne sois pas sourd à la détresse,
Reçois de lui d'avoir pitié.
Rappelle-toi : c'est au calvaire
Qu'il s'est montré le Tout-Puissant.
Pour triompher de l'Adversaire,
Sois fils de Dieu en pardonnant.

Peuple d'un Dieu qui est lumière,
Qui fait lever le jour nouveau,
Tu es lumière pour la terre :
Ne reste pas sous le boisseau !
Va témoigner de l'espérance,

En recherchant partout la paix ;
Deviens le signe de l'Alliance
Et du bonheur que Dieu promet.

Peuple d'un Dieu qui fait renaître
Et qui t'engendre pour son corps,
Tu es vivant de ton baptême :
Déjà tu as passé la mort !
Ouvre ton cœur à rendre grâce
Dans l'univers où Dieu t'envoie :
Église heureuse de ta Pâque,
Tu as la charge de sa joie !

Psaume 97   Dieu vainqueur et juge

Jésus, le vainqueur de tout mal, nous apprend le chant de la joie
éternelle. Devant tous les peuples, chantons, chantons sans fin
les merveilles de Dieu.

Chantez au Seigneur un chant nouveau,
car il a fait des merveilles ;
par son bras très saint, par sa main puissante,
il s'est assuré la victoire.

Le Seigneur a fait connaître sa victoire
et révélé sa justice aux nations ;
il s'est rappelé sa fidélité, son amour,
en faveur de la maison d'Israël ;
la terre tout entière a vu
la victoire de notre Dieu.

Acclamez le Seigneur, terre entière,
sonnez, chantez, jouez ;
jouez pour le Seigneur sur la cithare,
sur la cithare et tous les instruments ;
au son de la trompette et du cor,
acclamez votre roi, le Seigneur !

Que résonnent la mer et sa richesse,
le monde et tous ses habitants ;
que les fleuves battent des mains,
que les montagnes chantent leur joie,
à la face du Seigneur, car il vient
     pour gouverner la terre, *
pour gouverner le monde avec justice
     et les peuples avec droiture !

Gloire au Père, et au Fils, et au Saint-Esprit,
pour les siècles des siècles. Amen.

Tu t'es rappelé, Seigneur, ta fidélité quand tu as fait venir ton Fils en ce monde et assuré sa victoire sur la mort. Fais connaître aux hommes de ce temps son règne de justice, pour que la terre entière, à la vue de tes merveilles, chante le chant toujours nouveau de la reconnaissance.

Parole de Dieu   1 Corinthiens 13, 8-9.13

L'AMOUR ne passera jamais. Un jour, les prophéties disparaîtront, le don des langues cessera, la connaissance que nous avons de Dieu disparaîtra. En effet, notre connaissance est partielle, nos prophéties sont partielles. Ce qui demeure aujourd'hui, c'est la foi, l'espérance et la charité ; mais la plus grande des trois, c'est la charité.

Que ton amour, Seigneur, soit sur nous !

CANTIQUE DE ZACHARIE   (Texte, couverture B)

LOUANGE ET INTERCESSION

Bénissons le Christ qui aime l'Église
et s'est livré pour elle :

℟ Regarde ton peuple, Seigneur.

Béni sois-tu, Pasteur de ton Église,
pour la vie que tu lui donnes :
– que cette grâce soit notre joie.

Béni sois-tu, Gardien du troupeau :
– garde tes disciples dans la fidélité à ton nom.

Béni sois-tu, Chef du peuple choisi :
– entraîne-le dans l'amour de ta loi.

Béni sois-tu, Pain de la vie :
– rends-nous forts pour accomplir l'œuvre du Père.

Intentions libres

Seigneur, répands ta lumière dans nos esprits, pour que nous soyons toujours fidèles à te servir, puisque c'est toi qui nous as créés dans ta sagesse et qui nous diriges avec amour. Par Jésus Christ, ton Fils, notre Seigneur.

LA MESSE

Mercredi de la 23e semaine du temps ordinaire

(En ce jour, on peut choisir les oraisons, entre filets, de la messe pour commencer une année, Missel romain n° II.26.)

Tu couronnes toute une année de bienfaits, l'abondance ruisselle sur ton passage.

PRIÈRE. Dieu qui es la vie sans commencement ni fin, nous te confions cette année nouvelle ; demeure auprès de nous jusqu'à son terme : qu'elle nous soit, par ta grâce, un temps de bonheur et, plus encore, un temps de fidélité à l'Évangile. Par Jésus Christ.

Lecture de la lettre
de saint Paul Apôtre aux Colossiens   3, 1-11

FRÈRES, vous êtes ressuscités avec le Christ. Recherchez

donc les réalités d'en haut : c'est là qu'est le Christ, assis à la droite de Dieu. Tendez vers les réalités d'en haut, et non pas vers celles de la terre. En effet, vous êtes morts avec le Christ, et votre vie reste cachée avec lui en Dieu. Quand paraîtra le Christ, votre vie, alors vous aussi, vous paraîtrez avec lui en pleine gloire. Faites donc mourir en vous ce qui appartient encore à la terre : débauche, impureté, passions, désirs mauvais, et cet appétit de jouissance qui est un culte rendu aux idoles. Voilà ce qui provoque la colère de Dieu, voilà quelle était votre conduite autrefois lorsque vous viviez dans ces désordres. Mais maintenant, débarrassez-vous de tout cela : colère, emportement, méchanceté, insultes, propos grossiers. Plus de mensonge entre vous ; débarrassez-vous des agissements de l'homme ancien qui est en vous, et revêtez l'homme nouveau, celui que le Créateur refait toujours neuf à son image pour le conduire à la vraie connaissance. Alors, il n'y a plus de Grec et de Juif, d'Israélite et de païen, il n'y a pas de barbare, de sauvage, d'esclave, d'homme libre, il n'y a que le Christ : en tous, il est tout.

----- • Psaume 144 • -----

La bonté du Seigneur est pour tous.

Chaque jour je te bénirai,
je louerai ton nom toujours et à jamais.
Il est grand, le Seigneur, hautement loué ;
à sa grandeur, il n'est pas de limite.

Que tes œuvres, Seigneur, te rendent grâce
et que tes fidèles te bénissent !
Ils diront la gloire de ton règne,
ils parleront de tes exploits.

Ils annonceront aux hommes tes exploits,
la gloire et l'éclat de ton règne :

ton règne, un règne éternel,
ton empire, pour les âges des âges.

Alléluia. Alléluia. Réjouissez-vous, soyez dans l'allégresse, car votre récompense sera grande dans les cieux ! Alléluia.

Évangile de Jésus Christ selon saint Luc   6, 20-26

Jésus s'était arrêté dans la plaine, et la foule l'entourait. Regardant alors ses disciples, Jésus dit : « Heureux, vous les pauvres : le royaume de Dieu est à vous ! Heureux, vous qui avez faim maintenant : vous serez rassasiés ! Heureux, vous qui pleurez maintenant : vous rirez ! Heureux êtes-vous quand les hommes vous haïssent et vous repoussent, quand ils insultent et rejettent votre nom comme méprisable, à cause du Fils de l'homme. Ce jour-là, soyez heureux et sautez de joie, car votre récompense est grande dans le ciel : c'est ainsi que leurs pères traitaient les prophètes. Mais malheureux, vous les riches : vous avez votre consolation ! Malheureux, vous qui êtes repus maintenant : vous aurez faim ! Malheureux, vous qui riez maintenant : vous serez dans le deuil et vous pleurerez ! Malheureux êtes-vous quand tous les hommes disent du bien de vous : c'est ainsi que leurs pères traitaient les faux prophètes. »

Prière sur les offrandes. Accueille avec bonté, Seigneur, le sacrifice que nous te présentons au seuil d'une année nouvelle. Tu nous donnes la joie de l'inaugurer par cette offrande, aide-nous à la passer tout entière en nous offrant nous-mêmes à ton amour. Par Jésus, le Christ, notre Seigneur.

Jésus Christ est le même hier, aujourd'hui et pour les siècles.

PRIÈRE APRÈS LA COMMUNION. Viens en aide, Seigneur, à ceux qui sont entrés plus avant par cette communion dans le mystère du Christ mort et ressuscité. Que cette année nouvelle soit, avec ta grâce, pour tous ceux qui comptent sur toi, une année de paix. Par Jésus, le Christ, notre Seigneur.

* * *

MÉDITATION DU JOUR

La charte du Royaume des cieux

Les Béatitudes évangéliques constituent la charte du Royaume des cieux. La première d'entre elles donne le ton et fait le lien entre elles toutes : *Heureux ceux qui ont une âme de pauvre* (Mt 5, 3 ; cf. Lc 6, 20). Celui qui a une *âme de pauvre* ne se met pas en avant ; il ne cherche ni le pouvoir, ni les richesses, ni les honneurs ; il n'ambitionne pas de s'élever au-dessus des autres et de les dominer, mais bien plutôt de les servir. Il reconnaît sa petitesse et sa fragilité devant Dieu et attend tout de sa bienveillance et de sa grâce. Il est ouvert au don de Dieu.

Si nous voulons savoir plus précisément ce qu'est une âme de pauvre, selon l'Évangile, c'est Jésus lui-même qu'il faut regarder. Il est, par excellence, le « pauvre de Yahvé », à la fois « doux et humble », compatissant et miséricordieux, ne recherchant nullement le succès, les honneurs, la richesse, acceptant l'humiliation, la persécution, l'échec, bref la croix, et continuant malgré cela à faire le bien, à aimer ses ennemis et à leur pardonner.

Les Béatitudes proclament l'absolue gratuité du Royaume. On se tromperait sur leur sens, si on les considérait comme une sorte de programme à réaliser pour conquérir le royaume de Dieu. On ne conquiert pas le Royaume. On l'accueille. Il est un pur don de Dieu. Les Béatitudes nous disent seulement comment l'accueillir ; elles nous font connaître les grandes dispositions d'accueil, qui nous ouvrent à la grâce du Royaume. Et elles célèbrent cette grâce et le bonheur de ceux et celles qui l'accueillent.

Éloi Leclerc, o.f.m.

Après l'épreuve de la guerre et de la déportation, Éloi Leclerc, franciscain, né en 1921, enseigne la philosophie puis écrit Sagesse d'un pauvre *et* Exil et tendresse. *Il a publié ensuite de nombreux ouvrages de spiritualité.*

Prière du soir

Tropaire

O uvriers de la paix,   Stance
la moisson vous attend.
À ceux qui vous accueillent,
comme à ceux qui vous chassent,
annoncez la nouvelle :

℟ Le Royaume de Dieu est là,
tout près de vous.

Vous allez recevoir une force :
l'Esprit Saint viendra sur vous.

Alors vous serez mes témoins
jusqu'aux extrémités de la terre.

Psaume 102   Hymne à la miséricorde

C'est l'œuvre de toute une vie de contempler la tendresse du Seigneur, notre Dieu. C'est la joie de chaque jour de découvrir l'étendue de son amour et de son pardon.

Bénis le Seigneur, ô mon âme,
bénis son nom très saint, tout mon être !
Bénis le Seigneur, ô mon âme,
n'oublie aucun de ses bienfaits !

Car il pardonne toutes tes offenses
et te guérit de toute maladie ;
il réclame ta vie à la tombe
et te couronne d'amour et de tendresse ;
il comble de biens tes vieux jours ;
tu renouvelles, comme l'aigle, ta jeunesse.

Le Seigneur fait œuvre de justice,
il défend le droit des opprimés.
Il révèle ses desseins à Moïse,
aux enfants d'Israël ses hauts faits.

Le Seigneur est tendresse et pitié,
lent à la colère et plein d'amour ;
il n'est pas pour toujours en procès,
ne maintient pas sans fin ses reproches ;
il n'agit pas envers nous selon nos fautes,
ne nous rend pas selon nos offenses.

Comme le ciel domine la terre,
fort est son amour pour qui le craint ;
aussi loin qu'est l'orient de l'occident,
il met loin de nous nos péchés ;
comme la tendresse du père pour ses fils,
la tendresse du Seigneur pour qui le craint !

Il sait de quoi nous sommes pétris,
il se souvient que nous sommes poussière.
L'homme ! ses jours sont comme l'herbe ;
comme la fleur des champs, il fleurit :
dès que souffle le vent, il n'est plus,
même la place où il était l'ignore.

Mais l'amour du Seigneur, sur ceux qui le craignent,
    est de toujours à toujours, *
et sa justice pour les enfants de leurs enfants,
pour ceux qui gardent son alliance
et se souviennent d'accomplir ses volontés.
Le Seigneur a son trône dans les cieux :
sa royauté s'étend sur l'univers.

Messagers du Seigneur, bénissez-le,
    invincibles porteurs de ses ordres, *
attentifs au son de sa parole !
Bénissez-le, armées du Seigneur,
serviteurs qui exécutez ses désirs !
Toutes les œuvres du Seigneur, bénissez-le,
sur toute l'étendue de son empire !

Bénis le Seigneur, ô mon âme !

Gloire au Père, et au Fils, et au Saint-Esprit,
pour les siècles des siècles. Amen.

Dieu de tendresse, notre Père, toi qui veux la vie de tes enfants, tu nous as révélé dans le Christ la hauteur, la largeur et la profondeur de ton amour. En lui, renouvelle la jeunesse de ton Église ; par lui, garde-la fidèle à ton alliance, pour qu'avec lui elle ne cesse de te bénir.

Parole de Dieu   Colossiens 3, 14-15

Dans votre vie, mettez l'amour au-dessus de tout ; c'est lui qui fait l'unité dans la perfection. Et que, dans vos cœurs, règne la paix du Christ à laquelle vous avez été appelés pour former en lui un seul corps. Vivez dans l'action de grâce.

Dieu est amour, Dieu est lumière,
Dieu, notre Père !

Cantique de Marie (Texte, couverture A)

Intercession

En proclamant Jésus « Seigneur »,
adressons-lui nos demandes :

Ô Christ,
tu nous appelles à combattre pour ton règne,
– arme-nous de patience et de douceur,

℟ Par la force de ton Esprit.

Tu envoies les disciples préparer la route devant toi ;
– donne-leur d'annoncer l'Évangile avec assurance,

Toi qui inspires à tant d'hommes et de femmes
de te consacrer leur vie,
– accorde-leur de te suivre jusqu'au bout,

Maître et Seigneur,
tu as lavé les pieds de tes disciples ;
– révèle-toi en ceux qui servent leurs frères,

Fils du Dieu vivant, nous confions à ta miséricorde
ceux que nous pleurons,
– toi qui as fait sortir Lazare de son tombeau.

Intentions libres

Notre Père…

> Car c'est à toi qu'appartiennent
> le règne, la puissance et la gloire,
> pour les siècles des siècles !

Saints
D'hier et d'aujourd'hui
**Le martyrologe romain fait mémoire
du bienheureux Ignace Klopotowski**

*Que la joie nous habite
lorsque nous faisons mémoire des saints
qui ont suivi l'Agneau de Dieu.*

Depuis la défaite de Napoléon, la Pologne vit sous domination russe. Patriote, mais refusant la voie de la violence, le père Ignace Klopotowski (1866-1931) lui préfère celle de la culture. Il enseigne pendant quatorze ans au grand séminaire de Lublin. Convaincu que des enfants instruits et bien élevés sont le plus grand trésor de la nation, il est vite placé en résidence surveillée par les autorités tsaristes. En 1908, il s'installe à Varsovie. Conscient de la misère matérielle et morale de ses compatriotes, il fonde un bureau de l'emploi, une maison pour les jeunes filles de la rue et les prostituées, une école professionnelle et des écoles rurales. En 1920, pour l'aider dans ses œuvres, la congrégation des sœurs de la Bienheureuse-Vierge-Marie-de-Lorette voit le jour. Il fonde également un magazine, *La Pologne catholique*, et des périodiques. Pour lui, ces moyens de communication sont les « chaires des temps d'aujourd'hui ». Il meurt à 65 ans, laissant à sa congrégation le soin de continuer son œuvre.

Bonne fête ! Régine, Reine et Réjane

JEUDI 8 SEPTEMBRE
Nativité de la Vierge Marie

Prière du matin

Célébrons la Vierge Marie,
adorons Jésus, son enfant.

Gloire au Père, et au Fils, et au Saint-Esprit,
au Dieu qui est, qui était, et qui vient,
pour les siècles des siècles. Amen. Alléluia.

HYMNE

Voici l'aurore avant le jour,
Voici la mère virginale,
La femme promise au début des âges,
Elle a bâti sa demeure
Dans les vouloirs du Père.

Aucune peur, aucun refus,
Ne vient troubler l'œuvre de grâce,
Son cœur est rempli d'ineffable attente,
Elle offre à Dieu le silence
Où la Parole habite.

Sous le regard qui lui répond,
Les temps nouveaux tressaillent en elle,
L'avent mystérieux du Royaume à naître.
L'Esprit la prend sous son ombre
Et doucement la garde.

Voici l'épouse inépousée,
Marie, servante et souveraine,
Qui porte en secret le salut du monde,
Le sang du Christ la rachète
Mais elle en est la source.

Cantique d'Isaïe (40)

Avec Marie, admirons les voies du Seigneur, qui nous dépassent et reconnaissons le berger qui nous mène au repos dans son royaume.

Voici votre Dieu !
Voici le Seigneur Dieu !

Il vient avec puissance ;
son bras lui soumet tout.
Avec lui, le fruit de son travail ;
et devant lui, son ouvrage.

Comme un berger, il fait paître son troupeau :
son bras le rassemble.
Il porte ses agneaux sur son cœur,
il mène au repos les brebis.

Qui a mesuré dans sa main les eaux des mers,
jaugé de ses doigts les cieux,
évalué en boisseaux la poussière de la terre,
pesé les montagnes à la balance
     et les collines sur un crochet ?

Qui a jaugé l'esprit du Seigneur ?
Quel conseiller peut l'instruire ?

A-t-il pris conseil de quelqu'un pour discerner, +
pour apprendre les chemins du jugement, *
pour acquérir le savoir
     et s'instruire des voies de la sagesse ?

Voici les nations,
     comme la goutte au bord d'un seau, *
le grain de sable sur un plateau de balance !
Voici les îles, *
comme une poussière qu'il soulève !

Le Liban ne pourrait suffire au feu,
ni ses animaux, suffire à l'holocauste.

Toutes les nations, devant lui, sont comme rien,
vide et néant pour lui.

Gloire au Père, et au Fils, et au Saint-Esprit…

Parole de Dieu   Judith 13, 18… 20

BÉNIE SOIS-TU par le Dieu
Très-Haut, entre toutes les
femmes de la terre ; et béni soit le Seigneur Dieu, Créateur
du ciel et de la terre. Jamais l'espérance dont tu as fait
preuve ne s'effacera du souvenir des hommes […]. Que
Dieu t'exalte pour toujours, et qu'il te récompense.

Tu es la joie, tu es la gloire de notre peuple,
Vierge Marie !

CANTIQUE DE ZACHARIE   (Texte, couverture B)

LOUANGE ET INTERCESSION

Prions notre Sauveur qui a voulu naître de la Vierge
Marie, et disons avec elle :

℟ Notre âme exalte le Seigneur.

Fils du Dieu vivant,
par ta Passion, tu as préservé ta mère de toute souillure :
– garde-nous du péché.

Rédempteur des hommes,
tu t'es incarné dans le sein de la Vierge Marie :
– fais de nous le temple de l'Esprit Saint.

Maître des intelligences,
tes paroles et tes gestes pénétraient le cœur de ta mère :
– apprends-nous à garder en nos cœurs ta parole.

Sauveur du monde,
tu as voulu que Marie soit au pied de la croix :
– accorde-nous la force au milieu des épreuves.

Jésus ressuscité, qui règnes à la droite du Père,
tu as glorifié Marie dans son âme et dans son corps :
– oriente nos désirs vers le ciel.   Intentions libres

Ouvre à tes serviteurs, Dieu très bon, tes richesses de
grâce ; puisque la maternité de la Vierge Marie fut pour
nous le commencement du salut, que la fête de sa nativité nous apporte un surcroît de paix. Par Jésus Christ.

La messe
Fête de la nativité de la Vierge Marie

● *Depuis le début du VIᵉ siècle, on vénère à Jérusalem, près de la piscine de Bézatha, le lieu où serait
née la Vierge Marie. C'est dans la basilique de la
Nativité-de-Marie, devenue au XIIᵉ siècle l'église
Sainte-Anne, que saint Jean de Damas a célébré le
mystère de ce jour : « Venez, tous : avec allégresse
fêtons la naissance de l'allégresse du monde entier !
Aujourd'hui, à partir de la nature terrestre, un ciel
a été formé sur la terre. Aujourd'hui est pour le monde
le commencement du salut. » La liturgie fait écho à
ces paroles. Si « le commencement du salut » tient,
en propres termes, à la maternité de Marie (p. d'ouverture), on peut dire que la naissance de l'imma-
culée Mère de Dieu a fait « lever sur le monde
l'espérance et l'aurore du salut » (p. après la communion). Dès son apparition sur terre, Marie occupe
une place privilégiée dans le dessein de Dieu : elle est
« la Vierge qui enfantera un fils » (a. de la communion), celle par qui doit venir « le Soleil de justice, le
Christ notre Dieu » (a. d'ouverture). C'est pourquoi
« nous célébrons sa naissance dans la joie » (a. d'ouverture) et en attendons pour le monde « un surcroît
de paix » (p. d'ouverture). Les Églises d'Orient chantent pareillement : « Ce jour est le prélude de la joie*

universelle. En ce jour se sont mis à souffler les vents annonciateurs du salut » (liturgie byzantine). ●

Célébrons dans la joie la naissance de la Vierge Marie : par elle nous est venu le Soleil de justice, le Christ notre Dieu.

GLOIRE À DIEU ———————————————— page 203

PRIÈRE——————————————————— page précédente

Lecture du livre de Michée

5, 1-4a

PAROLE DU SEIGNEUR. Toi, Bethléem Ephrata, le plus petit des clans de Juda, c'est de toi que je ferai sortir celui qui doit gouverner Israël. Ses origines remontent aux temps anciens, à l'aube des siècles. Après un temps de délaissement, viendra un jour où enfantera celle qui doit enfanter, et ceux de ses frères qui resteront rejoindront les enfants d'Israël. Il se dressera et il sera leur berger par la puissance du Seigneur, par la majesté du nom de son Dieu. Ils vivront en sécurité, car désormais sa puissance s'étendra jusqu'aux extrémités de la terre, et lui-même, il sera la paix !

Ou bien :

Lecture de la lettre
de saint Paul Apôtre aux Romains

8, 28-30

FRÈRES, nous le savons, quand les hommes aiment Dieu, lui-même fait tout contribuer à leur bien, puisqu'ils sont appelés selon le dessein de son amour. Ceux qu'il connaissait par avance, il les a aussi destinés à être l'image de son Fils, pour faire de ce Fils l'aîné d'une multitude de frères. Ceux qu'il destinait à cette ressemblance, il les a aussi appelés ; ceux qu'il a appelés, il en a fait des justes ; et ceux qu'il a justifiés, il leur a donné sa gloire.

• Cantique (Isaïe 61-62) •

J'exulterai de joie en Dieu, mon Seigneur.

Je tressaille, je tressaille à cause du Seigneur !
Mon âme exulte à cause de mon Dieu !
Car il m'a vêtue des vêtements du salut,
il m'a couverte du manteau de la justice.

Comme la terre fait éclore son germe,
et le jardin, germer ses semences,
le Seigneur Dieu fera germer la justice
et la louange devant toutes les nations.

Pour la cause de Sion, je ne me tairai pas,
et pour Jérusalem, je n'aurai de cesse
que son juste ne monte comme l'aurore,
que son Sauveur ne brille comme la flamme.

Et les nations verront ta justice ;
tous les rois verront ta gloire.
On te nommera d'un nom nouveau
que la bouche du Seigneur dictera.

Tu seras une couronne brillante
dans la main du Seigneur,
un diadème royal
entre les doigts de ton Dieu.

Alléluia. Alléluia. Célébrons la naissance de la Vierge
Marie : en elle, le rameau de Jessé a fleuri, par elle, Dieu,
notre Dieu, nous bénit. Alléluia.

**Commencement de l'Évangile de Jésus Christ
selon saint Matthieu**   1, 1-16.18-23

(Lecture brève : 1, 18-23)

V OICI LA TABLE des origines
de Jésus Christ, fils de
David, fils d'Abraham : Abraham engendra Isaac, Isaac

engendra Jacob, Jacob engendra Juda et ses frères, Juda, de son union avec Thamar, engendra Pharès et Zara, Pharès engendra Esrom, Esrom engendra Aram, Aram engendra Aminadab, Aminadab engendra Naassone, Naassone engendra Salmone, Salmone, de son union avec Rahab, engendra Booz, Booz, de son union avec Ruth, engendra Jobed, Jobed engendra Jessé, Jessé engendra le roi David. David, de son union avec la femme d'Ourias, engendra Salomon, Salomon engendra Roboam, Roboam engendra Abia, Abia engendra Asa, Asa engendra Josaphat, Josaphat engendra Joram, Joram engendra Ozias, Ozias engendra Joatham, Joatham engendra Acaz, Acaz engendra Ézékias, Ézékias engendra Manassé, Manassé engendra Amone, Amone engendra Josias, Josias engendra Jékonias et ses frères à l'époque de l'exil à Babylone.

Après l'exil à Babylone, Jékonias engendra Salathiel, Salathiel engendra Zorobabel, Zorobabel engendra Abioud, Abioud engendra Éliakim, Éliakim engendra Azor, Azor engendra Sadok, Sadok engendra Akim, Akim engendra Élioud, Élioud engendra Éléazar, Éléazar engendra Mattane, Mattane engendra Jacob, Jacob engendra Joseph, l'époux de Marie, de laquelle fut engendré Jésus, que l'on appelle Christ (ou Messie).

(Début de la lecture brève)

Voici quelle fut l'origine de Jésus Christ. Marie, la mère de Jésus, avait été accordée en mariage à Joseph ; or, avant qu'ils aient habité ensemble, elle fut enceinte par l'action de l'Esprit Saint. Joseph, son époux, qui était un homme juste, ne voulait pas la dénoncer publiquement ; il décida de la répudier en secret. Il avait formé ce projet, lorsque l'ange du Seigneur lui apparut en songe et lui dit : « Joseph, fils de David, ne crains pas de prendre chez toi Marie, ton épouse : l'enfant qui est engendré en elle vient de l'Esprit Saint ; elle mettra au monde un fils, auquel tu donneras le nom de Jésus (c'est-à-dire : "Le-Seigneur-sauve"), car c'est lui qui sauvera son peuple de ses péchés. »

Tout cela arriva pour que s'accomplît la parole du Seigneur prononcée par le prophète : Voici que la Vierge concevra et elle mettra au monde un fils, auquel on donnera le nom d'Emmanuel, qui se traduit : « Dieu-avec-nous ».

PRIÈRE SUR LES OFFRANDES. Dans son amour pour les hommes, que ton Fils unique vienne à notre secours, Seigneur ; puisque sa naissance n'a pas altéré mais a consacré la virginité de sa mère, qu'il nous délivre aujourd'hui de nos péchés et te rende agréable cette offrande. Lui qui règne avec toi pour les siècles des siècles.

PRÉFACE DE LA VIERGE MARIE I OU II ———— pages 208 et 209

PRIÈRE EUCHARISTIQUE I, II OU III ———— pages 210 à 217

Voici que la Vierge enfantera un fils ; c'est lui qui sauvera son peuple de ses péchés.

PRIÈRE APRÈS LA COMMUNION. Par cette communion, Seigneur, tu refais les forces de ton Église ; donne-lui d'exulter de joie, heureuse de la nativité de la Vierge Marie qui fit lever sur le monde l'espérance et l'aurore du salut. Par Jésus, le Christ.

• ———————————————————— •

MÉDITATION DU JOUR

• ———————————————————— •

Si tu n'avais été la première...

Saint Germain s'adresse ainsi à Marie.

Si tu n'avais été la première, personne ne serait devenu spirituel, personne n'aurait pu adorer Dieu en esprit. L'homme est devenu spirituel lorsque toi, Mère de Dieu, tu es devenue demeure de l'Esprit. Personne ne serait rempli de la connaissance de Dieu, sinon grâce à toi, Toute Sainte. Personne ne serait sauvé, sinon grâce à toi, Mère de Dieu. Personne ne serait libre du danger, sinon grâce à toi, Vierge mère. Personne ne serait racheté, sinon grâce à toi qui as enfanté Dieu. Personne n'aurait reçu le don de la miséricorde, sinon grâce à toi qui as contenu Dieu.

Qui se bat à ce point pour les pécheurs ? Qui prend la défense des gens incorrigibles autant que toi ? Aussi est-ce avec raison que l'affligé se réfugie vers toi, que le malade s'attache à toi, que l'agressé te prend pour arme contre ses ennemis.

S. GERMAIN DE CONSTANTINOPLE

Saint Germain († 733), patriarche de Constantinople, est mort en exil après avoir défendu la vénération des icônes.

Prière du soir

Béni sois-tu, Seigneur,
en l'honneur de la Vierge Marie !

TROPAIRE   (CD Magnificat, *Hymnes mariales*)

La terre desséchée   Stance
tressaille de joie :
une source jaillit,
transparence nouvelle
où notre humanité
retrouve son visage.

R/ Source pure, Vierge Marie,
    avec toi l'espérance renaît.

Ton chant d'humilité
annonce le Serviteur.

Ta fraîcheur nous laisse pressentir
les fleuves d'eau vive.

Ta course nous entraîne
vers l'océan de la vie.

Psaume 126   Dieu, notre espérance

Comme Marie, recevons notre vie du Père qui nous aime.

Si le Seigneur ne bâtit la maison,
  les bâtisseurs travaillent en vain ; *
si le Seigneur ne garde la ville,
  c'est en vain que veillent les gardes.   il donne la paix

En vain tu devances le jour,
  tu retardes le moment de ton repos, +   le repos
tu manges un pain de douleur : *
  Dieu comble son bien-aimé quand il dort.

Des fils, voilà ce que donne le Seigneur,
  des enfants, la récompense qu'il accorde ; *
comme des flèches aux mains d'un guerrier,
  ainsi les fils de la jeunesse.   une famille

Heureux l'homme vaillant
  qui a garni son carquois de telles armes ! *   la victoire
S'ils affrontent leurs ennemis sur la place,
  ils ne seront pas humiliés.

Gloire au Père, et au Fils, et au Saint-Esprit,
pour les siècles des siècles. Amen.

Parole de Dieu   Romains 9, 4-5

Les fils d'Israël ont pour eux l'adoration, la gloire, les alliances, la Loi, le culte, les promesses de Dieu ; ils ont les patriarches, et c'est de leur race que le Christ est né, lui qui est au-dessus de tout, Dieu béni éternellement. Amen.

Tu es la joie, tu es la gloire de notre peuple,
Vierge Marie !

Cantique de Marie   (Texte, couverture A)

INTERCESSION

Bénissons notre Dieu : il a voulu que toutes les générations proclament bienheureuse la mère de son Fils.

℟   Béni sois-tu, Seigneur !

Pour ton humble servante, attentive à ta parole,
modèle du cœur qui écoute.

Pour celle qui a mis ton Fils au monde,
la mère de l'Homme nouveau.

Pour celle qui a veillé sur la croissance de Jésus,
présence maternelle dans l'Église.

Pour celle qui s'est tenue debout au pied de la croix,
force des accablés.

Pour celle que tu as remplie de joie
au matin de Pâques,
espérance des vivants.

Pour celle que tu as fait monter au ciel,
près de ton Fils, secours des mourants.

Intentions libres

Notre Père...

Car c'est à toi qu'appartiennent
le règne, la puissance et la gloire,
pour les siècles des siècles !

Heureuse es-tu, Vierge Marie !
Par toi, le salut est entré dans le monde.
Comblée de gloire, tu te réjouis devant le Seigneur,
tu cries de joie à l'ombre de ses ailes.
Sainte Mère de Dieu,
prie pour nous, pauvres pécheurs.

VENDREDI 9 SEPTEMBRE
Saint Pierre Claver

Prière du matin

Rendons grâce à Dieu,
éternel est son amour.

Gloire au Père, et au Fils, et au Saint-Esprit,
au Dieu qui est, qui était, et qui vient,
pour les siècles des siècles. Amen. Alléluia.

HYMNE

Sur les chemins où nous peinons,
comme il est bon, Seigneur,
de rencontrer ta croix !

Sur les sommets que nous cherchons,
nous le savons, Seigneur,
nous trouverons ta croix !

Et lorsqu'enfin nous te verrons,
dans ta clarté, Seigneur,
nous comprendrons ta croix.

PSAUME 21 (I-II)   Prière du serviteur souffrant

Pourquoi tant de solitude ? En criant vers le Père, au cœur de
sa souffrance, Jésus nous a donné les mots qui ouvrent à l'espérance.

Mon Dieu, mon Dieu,
    pourquoi m'as-tu abandonné ? *
Le salut est loin de moi,
    loin des mots que je rugis.

Mon Dieu, j'appelle tout le jour,
    et tu ne réponds pas ; *

même la nuit,
   je n'ai pas de repos.

Toi, pourtant, tu es saint,
toi qui habites les hymnes d'Israël !
C'est en toi que nos pères espéraient,
ils espéraient et tu les délivrais.
Quand ils criaient vers toi, ils échappaient ;
en toi ils espéraient et n'étaient pas déçus.

Et moi, je suis un ver, pas un homme,
raillé par les gens, rejeté par le peuple.
Tous ceux qui me voient me bafouent,
ils ricanent et hochent la tête :
« Il comptait sur le Seigneur : qu'il le délivre !
Qu'il le sauve, puisqu'il est son ami ! »

C'est toi qui m'as tiré du ventre de ma mère,
qui m'as mis en sûreté entre ses bras.
À toi je fus confié dès ma naissance ;
dès le ventre de ma mère, tu es mon Dieu.

Ne sois pas loin : l'angoisse est proche,
je n'ai personne pour m'aider.
Des fauves nombreux me cernent,
des taureaux de Basan m'encerclent.
Des lions qui déchirent et rugissent
ouvrent leur gueule contre moi.

Je suis comme l'eau qui se répand,
tous mes membres se disloquent.
Mon cœur est comme la cire,
il fond au milieu de mes entrailles.
Ma vigueur a séché comme l'argile,
ma langue colle à mon palais.

Tu me mènes à la poussière de la mort. [+]

Oui, des chiens me cernent,
une bande de vauriens m'entoure.
Ils me percent les mains et les pieds ;
je peux compter tous mes os.

Ces gens me voient, ils me regardent. [+]
Ils partagent entre eux mes habits
et tirent au sort mon vêtement.

Mais toi, Seigneur, ne sois pas loin :
ô ma force, viens vite à mon aide !
Préserve ma vie de l'épée,
arrache-moi aux griffes du chien ;
sauve-moi de la gueule du lion
et de la corne des buffles.

Gloire au Père, et au Fils, et au Saint-Esprit,
pour les siècles des siècles. Amen.

Parole de Dieu Éphésiens 2, 8-9a

C'EST BIEN par la grâce que vous êtes sauvés, à cause de votre foi. Cela ne vient pas de vous, c'est le don de Dieu. Cela ne vient pas de vos actes, il n'y a pas à en tirer orgueil.

Toi seul es saint ! Toi seul, Seigneur !
À la gloire de Dieu le Père !

CANTIQUE DE ZACHARIE (Texte, couverture B)

LOUANGE ET INTERCESSION

Supplions le Christ qui nous a aimés jusqu'à la mort :

℟   Sauve-nous par ton amour.

Jésus, que l'on a bafoué sans raison,
– prends pitié de ceux dont l'amour est trahi.

Jésus, que l'amour du Royaume a perdu,
– prends pitié de ceux que l'on met en prison.

Jésus, qui n'as pas trouvé de consolateur,
– prends pitié de ceux qui sont affligés.

Jésus, que l'on abreuva de vinaigre,
– prends pitié de ceux qui souffrent pour la justice.

Jésus, humilié par les hommes, sauvé par Dieu,
– sois la joie et la fête des pauvres.

Intentions libres

Seigneur, Père très saint, tu as voulu que ton propre Fils soit la rançon de notre salut ; accorde-nous de vivre avec lui si bien que notre communion à ses souffrances nous fasse ressentir les effets de sa résurrection. Lui qui règne avec toi et le Saint-Esprit, maintenant et pour les siècles des siècles.

La messe
Vendredi de la 23ᵉ semaine du temps ordinaire

Saint Pierre Claver (1580-1654)   *Mémoire facultative*

● *Pierre Claver naît près de Barcelone, il entre à 20 ans au noviciat de la Compagnie de Jésus. En 1610, au terme d'un long voyage, il parvient en Colombie, où il devient prêtre. Pierre se consacre entièrement à l'apostolat auprès des esclaves. Quarante années de dévouement, marquées par de nombreuses conversions, s'achèvent en 1654, où il meurt d'épuisement.* ●

À ceux qui l'ont servi dans leurs frères, le Seigneur dit : « Venez les bénis de mon Père. J'étais malade et vous m'avez visité… Vraiment je vous le dis, chaque fois que vous l'avez fait à l'un de ces petits qui sont mes frères, c'est à moi que vous l'avez fait. »

Prière. Par amour pour toi, Seigneur, saint Pierre Claver s'est fait pour toujours l'esclave des esclaves. Accorde-nous, par son intercession, de reconnaître en tous les hommes leur dignité d'enfants de Dieu et de nous dépenser généreusement pour leur salut. Par Jésus Christ, ton Fils, notre Seigneur.

Commencement de la première lettre de saint Paul Apôtre à Timothée
1, 1-2.12-14

MOI, Paul, qui suis Apôtre du Christ Jésus par ordre de Dieu notre Sauveur et du Christ Jésus notre espérance, je te souhaite à toi, Timothée, mon véritable enfant dans la foi, grâce, miséricorde et paix de la part de Dieu le Père et du Christ Jésus notre Seigneur. Je suis plein de reconnaissance pour celui qui me donne la force, Jésus Christ notre Seigneur, car il m'a fait confiance en me chargeant du ministère, moi qui autrefois ne savais que blasphémer, persécuter, insulter. Mais le Christ m'a pardonné : ce que je faisais, c'était par ignorance, car je n'avais pas la foi ; mais la grâce de notre Seigneur a été encore plus forte, avec la foi et l'amour dans le Christ Jésus.

• Psaume 15 •

Dieu, mon bonheur et ma joie !

Garde-moi, mon Dieu : j'ai fait de toi mon refuge.
J'ai dit au Seigneur : « Tu es mon Dieu !
Seigneur, mon partage et ma coupe :
de toi dépend mon sort. »

Je bénis le Seigneur qui me conseille :
même la nuit mon cœur m'avertit.
Je garde le Seigneur devant moi sans relâche ;
il est à ma droite : je suis inébranlable.

Je n'ai pas d'autre bonheur que toi.
Tu m'apprends le chemin de la vie :
devant ta face, débordement de joie !
À ta droite, éternité de délices !

Alléluia. Alléluia. Ta parole, Seigneur, est vérité ; dans cette vérité, consacre-nous. Alléluia.

Évangile de Jésus Christ selon saint Luc 6, 39-42

JÉSUS s'adressait à ses disciples en paraboles : « Un aveugle peut-il guider un autre aveugle ? Ne tomberont-ils pas tous deux dans un trou ? Le disciple n'est pas au-dessus du maître ; mais celui qui est bien formé sera comme son maître. Qu'as-tu à regarder la paille dans l'œil de ton frère, alors que la poutre qui est dans ton œil à toi, tu ne la remarques pas ? Comment peux-tu dire à ton frère : "Frère, laisse-moi retirer la paille qui est dans ton œil", alors que tu ne vois pas la poutre qui est dans le tien ? Esprit faux ! enlève d'abord la poutre de ton œil ; alors tu verras clair pour retirer la paille qui est dans l'œil de ton frère. »

PRIÈRE SUR LES OFFRANDES. Seigneur, accepte cette offrande qui va être sanctifiée par l'Esprit Saint ; nous te la présentons pour le salut des peuples auprès desquels saint Pierre Claver s'est fait le serviteur de Jésus Christ, ton Verbe, notre Seigneur. Lui qui.

« Il n'y a pas de plus grand amour que de donner sa vie pour ses amis », dit le Seigneur.

PRIÈRE APRÈS LA COMMUNION. Nous avons puisé la force dans le sacrifice de ton Fils qui a pris sur lui notre faiblesse ; Seigneur, mets en nous le feu de ton amour, pour que, devenus faibles avec les faibles, nous puissions les gagner au Christ, notre Seigneur. Lui qui règne avec toi pour les siècles des siècles.

• ─────────────────────────────────────── •

MÉDITATION DU JOUR

• ─────────────────────────────────────── •

Fils et frère

Oublier ma qualité de fils, la refuser, prétendre que la source de ma vie est en moi, c'est m'enfermer en moi-même, c'est briser la relation avec les autres, porter atteinte aux relations fraternelles, sombrer dans l'égocentrisme, ne me préoccuper que de moi-même, ne m'intéresser à l'autre que dans la mesure où il m'est utile. Si les autres adoptent la même attitude, nous sommes dans un monde privé de relations humaines, dans un monde d'exclusion réciproque, de violence. « L'enfer, c'est les autres. » Cette phrase bien connue vient en droite ligne de la rupture du lien fraternel provoquée par Caïn.

En même temps m'est toujours offerte la possibilité de renaître à cette condition de fils, donc de frère, en reconnaissant que je suis donné à moi-même comme l'autre est donné à lui-même. Nous reconnaissant l'un et l'autre comme donnés à nous-mêmes, nous pouvons renouer les vraies relations qui existent entre fils, donc entre frères. Là est le rôle indispensable d'hommes et de femmes dont la mission est d'aider les ennemis à renaître à la vie fraternelle au sein du couple, de la famille, des institutions, de la société, des relations entre les peuples. Les réalisations, même minimes, de la fraternité humaine sont pour nous, chrétiens, des signes manifestant le dessein de Dieu d'engendrer une humanité filiale et fraternelle.

RAYMOND BOUCHEX

Mgr Raymond Bouchex († 2010), docteur en théologie, a été ordonné évêque auxiliaire d'Aix-en-Provence en 1972 avant d'être archevêque d'Avignon de 1978 à 2002. Il est l'auteur d'ouvrages de théologie et de spiritualité.

Prière du soir

Ta croix, Seigneur, nous l'adorons,
ta sainte résurrection, nous la chantons.

PSAUME 21 (III)   Prière du serviteur souffrant

Dieu n'abandonne jamais ses enfants. Qu'ils exultent de joie
ceux qui ont remis leur vie entre ses mains ! Qu'ils proclament
son œuvre !

Tu m'as répondu ! +
Et je proclame ton nom devant mes frères,
je te loue en pleine assemblée.

Vous qui le craignez, louez le Seigneur, +
glorifiez-le, vous tous, descendants de Jacob,
vous tous, redoutez-le, descendants d'Israël.

Car il n'a pas rejeté,
il n'a pas réprouvé le malheureux dans sa misère ;
il ne s'est pas voilé la face devant lui,
mais il entend sa plainte.

Tu seras ma louange dans la grande assemblée ;
devant ceux qui te craignent, je tiendrai
        mes promesses.
Les pauvres mangeront : ils seront rassasiés ;
ils loueront le Seigneur, ceux qui le cherchent :
    « À vous, toujours, la vie et la joie ! »

La terre entière se souviendra
        et reviendra vers le Seigneur,
chaque famille de nations se prosternera devant lui :
« Oui, au Seigneur la royauté,
le pouvoir sur les nations ! »

Tous ceux qui festoyaient s'inclinent ;
promis à la mort, ils plient en sa présence.

Et moi, je vis pour lui : ma descendance le servira ;
on annoncera le Seigneur aux générations à venir.
On proclamera sa justice au peuple qui va naître :
Voilà son œuvre !

Gloire au Père, et au Fils, et au Saint-Esprit,
pour les siècles des siècles. Amen.

Pourquoi nous abandonner, ô notre Dieu, si tu n'aban-
donnes jamais ? Pourquoi ne pas répondre, toi qui suscites
la prière ? Pourquoi rester si loin, quand tu as notre
confiance ? Laisse-nous t'interroger comme le Christ sur
la croix. Comme tu l'as sauvé, sauve-nous. Mets sur nos
lèvres son action de grâce pour annoncer au monde ton
œuvre de salut.

Parole de Dieu
1 Pierre 1, 18-21

V OUS LE SAVEZ : ce qui vous
a libérés de la vie sans but
que vous meniez à la suite de vos pères, ce n'est pas l'or
et l'argent, car ils seront détruits ; c'est le sang précieux
du Christ, l'Agneau sans défaut et sans tache. Dieu l'avait
choisi dès avant la création du monde, et il l'a manifesté
à cause de vous, en ces temps qui sont les derniers. C'est
par lui que vous croyez en Dieu, qui l'a ressuscité d'entre
les morts et lui a donné la gloire ; ainsi vous mettez votre
foi et votre espérance en Dieu.

Agneau de Dieu,
tu enlèves le péché du monde.

CANTIQUE DE MARIE   (Texte, couverture A)

INTERCESSION

En contemplant la Passion de Jésus, notre Sauveur,
nous supplions :

℟   Ô Jésus, notre Sauveur !

Pour ceux que la tristesse accable,
– souviens-toi de ton agonie.

Pour ceux qui sont blessés dans leur chair,
– souviens-toi de tes tortures.

Pour ceux qui souffrent la dérision,
– souviens-toi de la couronne d'épines.

Pour ceux qui désespèrent de la vie,
– souviens-toi de ton cri vers le Père.

Pour ceux qui meurent aujourd'hui,
– souviens-toi de ta mort sur la croix.

Pour ceux qui espèrent contre toute espérance,
– que resplendisse ta résurrection.

Intentions libres

Notre Père…

  Car c'est à toi qu'appartiennent
  le règne, la puissance et la gloire,
  pour les siècles des siècles !

Saints
D'HIER ET D'AUJOURD'HUI
Le martyrologe romain fait mémoire de la BIENHEUREUSE MARIE TORIBIA

*Rendons grâce à Dieu
en célébrant la victoire des saints
et, avec eux, chantons ses louanges.*

En Espagne, au XIIe siècle, la bienheureuse Marie Toribia, avec saint Isidore, son époux, atteste que la sainteté peut grandir dans les humbles tâches quotidiennes et par une vie de couple vécue dans l'amour de Dieu. Dans la région de Madrid, Marie Toribia et Isidore travaillèrent toute leur vie comme domestiques de ferme. Humble et travailleuse, Marie aimait se rendre à l'ermitage de la Mère de Dieu pour faire le ménage et prier. Des gens malveillants la calomnièrent auprès d'Isidore à propos de ses fréquentes absences. Un jour, il la vit traverser la rivière en crue sur son manteau pour se rendre à l'ermitage. Il vit là le jugement de Dieu, qui l'innocentait. Du mariage d'Isidore et Marie naquit Illán, qui, enfant, tomba dans un puits. Les prières des parents furent entendues et, par miracle, l'eau du puits remonta et rendit ainsi l'enfant à ses parents. Marie survécut à son époux et fut enterrée dans l'ermitage de Torrelaguna.

Quelques siècles plus tard, les reliques de la tête de la bienheureuse Marie Toribia ont été transférée à Madrid et déposées auprès de celles de saint Isidore.

Bonne fête ! Alain et Omer

SAMEDI 10 SEPTEMBRE

Prière du matin

Seigneur, ouvre mes lèvres,
et ma bouche publiera ta louange.

Gloire au Père, et au Fils, et au Saint-Esprit !

HYMNE

Comme elle est heureuse et bénie
La femme qui langea de ses mains
Celui qui revêt pour manteau la lumière !

℟   Mais plus heureuse es-tu, Marie,
D'avoir su veiller dans ton cœur
Sur la Parole du Seigneur.

Comme elle est heureuse et bénie
La femme qui nourrit de son lait
Celui dont l'amour a créé toute chose !

Comme elle est heureuse et bénie
La femme qui berça dans ses bras
Celui qui commande aux puissances du monde !

Comme elle est heureuse et bénie
La femme qui nomma par son Nom
Celui que nul mot ni pensée ne peut dire !

CANTIQUE DE LA SAGESSE   (9)

Du trône de sa gloire, le Père envoie sa Sagesse, Jésus Christ.
Accueillons-le, il connaît ce qui plaît à Dieu et nous l'enseigne.

Dieu de mes pères et Seigneur de tendresse,
par ta parole tu fis l'univers,

tu formas l'homme par ta Sagesse
pour qu'il domine sur tes créatures,
qu'il gouverne le monde avec justice et sainteté,
qu'il rende, avec droiture, ses jugements.

℟ Donne-moi la Sagesse,
    assise près de toi.

Ne me retranche pas du nombre de tes fils :
je suis ton serviteur, le fils de ta servante,
un homme frêle et qui dure peu,
trop faible pour comprendre les préceptes et les lois.
Le plus accompli des enfants des hommes, *
s'il lui manque la Sagesse que tu donnes,
    sera compté pour rien.

Or la Sagesse est avec toi,
elle qui sait tes œuvres ;
elle était là quand tu fis l'univers, *
elle connaît ce qui plaît à tes yeux,
    ce qui est conforme à tes décrets.
Des cieux très saints, daigne l'envoyer,
fais-la descendre du trône de ta gloire.

Qu'elle travaille à mes côtés
et m'apprenne ce qui te plaît.
Car elle sait tout, comprend tout, *
guidera mes actes avec prudence,
    me gardera par sa gloire.

Gloire au Père, et au Fils, et au Saint-Esprit,
pour les siècles des siècles. Amen.

Parole de Dieu   1 Corinthiens 15, 57-58

Rendons grâce à Dieu qui nous donne la victoire par Jésus Christ, notre Seigneur. Ainsi, mes frères bien-aimés, soyez fermes, soyez inébranlables, prenez une part toujours plus active à l'œuvre du Seigneur, car vous savez que, dans le Seigneur, la peine que vous vous donnez ne sera pas stérile.

Gloire et louange à toi,
Seigneur Jésus !

CANTIQUE DE ZACHARIE   (Texte, couverture B)

LOUANGE ET INTERCESSION

Bénissons le Seigneur,
en mémoire de son humble servante :

℟   Béni soit Dieu !

Seigneur Jésus, annoncé par les prophètes,
tu es né d'une Vierge.
– En mémoire de Marie à Bethléem,

À la prière de ta mère,
tu as changé l'eau en vin.
– En mémoire de Marie à Cana,

À l'heure de ta mort,
tu nous as confié ta mère.
– En mémoire de Marie au pied de la croix,

Quand l'Esprit descendit sur les Apôtres,
ta mère priait au milieu d'eux.
– En mémoire de Marie au Cénacle,

Intentions libres

Sois attentif, Seigneur, à la louange et à la prière que nous te présentons aujourd'hui en faisant mémoire de la Vierge Marie : rends-nous capables d'accueillir comme elle le mystère de notre rédemption. Par Jésus Christ, ton Fils, notre Seigneur.

LA MESSE
Samedi de la 23ᵉ semaine du temps ordinaire

(En ce jour, on peut choisir les oraisons, entre filets, de la messe en l'honneur de la Vierge Marie, rempart de la foi, n° 35.)

Tu es pour nous, Vierge Marie, comme la colonne de lumière qui jour et nuit marchait devant le peuple du désert, pour lui montrer le chemin.

PRIÈRE. Dieu éternel et tout-puissant, tu as donné la Vierge Marie, mère de ton Fils, pour protection à tous ceux qui l'invoquent ; accorde-nous, par son intercession, de demeurer forts dans la foi, fermes dans l'espérance, persévérants dans la charité. Par Jésus Christ, ton Fils, notre Seigneur.

Lecture de la première lettre de saint Paul Apôtre à Timothée
1, 15-17

Voici une parole sûre, et qui mérite d'être accueillie sans réserve : le Christ Jésus est venu dans le monde pour sauver les pécheurs ; et moi le premier, je suis pécheur, mais si le Christ Jésus m'a pardonné, c'est pour que je sois le premier en qui toute sa générosité se manifesterait ; je devais être le premier exemple de ceux qui croiraient en lui pour la vie éternelle. Honneur et gloire au roi des siècles, au Dieu unique, invisible et immortel, pour les siècles des siècles. Amen.

• PSAUME 112 •

Béni soit le nom du Seigneur, maintenant et à jamais !
Ou bien : **Alléluia !**

Louez, serviteurs du Seigneur,
louez le nom du Seigneur !
Béni soit le nom du Seigneur,
maintenant et pour les siècles des siècles !

Du levant au couchant du soleil,
loué soit le nom du Seigneur !
Le Seigneur domine tous les peuples,
sa gloire domine les cieux.

Qui est semblable au Seigneur notre Dieu ?
Il abaisse son regard vers le ciel et vers la terre.
De la poussière il relève le faible,
il retire le pauvre de la cendre.

Alléluia. Alléluia. Heureux qui se plaît dans ta loi, Seigneur : il donne du fruit en son temps. Alléluia.

Évangile de Jésus Christ selon saint Luc   6, 43-49

JÉSUS disait à ses disciples : « Jamais un bon arbre ne donne de mauvais fruits ; jamais non plus un arbre mauvais ne donne de bons fruits. Chaque arbre se reconnaît à son fruit : on ne cueille pas des figues sur des épines ; on ne vendange pas non plus du raisin sur des ronces. L'homme bon tire le bien du trésor de son cœur qui est bon ; et l'homme mauvais tire le mal de son cœur qui est mauvais : car ce que dit la bouche, c'est ce qui déborde du cœur. Pourquoi m'appelez-vous en disant : "Seigneur ! Seigneur !" et ne faites-vous pas ce que je dis ? Tout homme qui vient à moi, qui écoute mes paroles et qui les met en pratique, je vais vous montrer à qui il ressemble. Il ressemble à un homme qui bâtit une maison. Il a creusé très profond, et il a posé les fondations sur le roc. Quand est venue l'inondation, le torrent s'est précipité sur cette maison, mais il n'a pas pu l'ébranler parce qu'elle était bien bâtie. Mais celui qui a écouté sans mettre en pratique ressemble à l'homme qui a bâti sa maison à même le sol, sans fondations. Le torrent s'est précipité sur elle, et aussitôt elle s'est effondrée ; la destruction de cette maison a été complète. »

PRIÈRE SUR LES OFFRANDES. Seigneur, Père très saint, toi qui as fait briller en nos cœurs la lumière de la foi, permets que cette offrande que nous te présentons avec nos prières, par l'intercession de la mère du Rédempteur, nous garde dans une foi sans défaillance et une charité inventive. Par Jésus, le Christ.

Tous les âges te diront bienheureuse, Vierge Marie, le Puissant a fait pour toi des merveilles.

PRIÈRE APRÈS LA COMMUNION. Dieu qui ne cesses d'être présent à ton Église, nous te rendons grâce pour cette eucharistie et nous te supplions encore. Assure-nous le secours de la Vierge Marie, pour qu'en suivant ici-bas la règle de la foi, nous parvenions à contempler ta gloire dans le ciel. Par Jésus, le Christ.

• ———————————————————— •

MÉDITATION   DU   JOUR

• ———————————————————— •

Du visible à l'invisible

Le Christ n'est pas un poète en quête de belles formules évocatrices, ni un naturaliste en chasse d'observations à consigner. Il est l'enfant de Dieu, joyeux d'admirer l'œuvre de son Père. Il est le Verbe, la Parole de Dieu, qui exprime quelque chose de la joie créatrice : *Et Dieu vit que cela était bon* (Gn 1, 10). Il est le Prophète qui découvre dans la nature de merveilleuses analogies avec la condition spirituelle. Certes, l'Évangile n'est pas naturiste, mais la nature peut devenir évangélique pour qui prend le regard de Dieu.

De l'observation de la nature, Jésus passe tout spontanément à l'observation des manifestations de Dieu. Son regard est aussi habile à lire les arbres et les oiseaux qu'à lire le dessein de Dieu. La nature lui est tantôt occasion d'admirer, de rendre grâces et de dire une parole sur Dieu, tantôt de réfléchir, de prendre un point de comparaison et de dégager une parole de Dieu. On a l'impression, à lire l'Évangile, que Jésus pense selon cette structure si profondément humaine : passer du sensible au spirituel, du visible à l'invisible. Il sait si bien regarder le visible qu'il n'a pas besoin d'inventer un vocabulaire abstrait pour exprimer l'invisible. La nature lui fournit abondamment le mode d'expression des plus hautes réalités.

Xavier de Chalendar

Xavier de Chalendar, prêtre à Paris, anime des groupes d'étude sur la Bible.

Prière du soir
24ᵉ semaine du temps ordinaire

Que ma prière devant toi s'élève comme un encens, et mes mains, comme l'offrande du soir.

Gloire au Père, et au Fils, et au Saint-Esprit !

Hymne

Si l'espérance t'a fait marcher
plus loin que ta peur,
Tu auras les yeux levés.
Alors, tu pourras tenir
Jusqu'au soleil de Dieu.

Si la colère t'a fait crier
Justice pour tous,
Tu auras le cœur blessé.
Alors tu pourras lutter
Avec les opprimés.

Si la misère t'a fait chercher
Aux nuits de la faim,
Tu auras le cœur ouvert.

Alors tu pourras donner
Le pain de pauvreté.

Si la souffrance t'a fait pleurer
Des larmes de sang,
Tu auras les yeux lavés.
Alors tu pourras prier
Avec ton frère en croix.

Si l'abondance t'a fait mendier
Un peu d'amitié,
Tu auras les mains tendues.
Alors tu pourras brûler
L'argent de tes prisons.

Si la faiblesse t'a fait tomber
Au bord du chemin,
Tu sauras ouvrir tes bras.
Alors tu pourras danser
Au rythme du pardon.

Si la tristesse t'a fait douter
Au soir d'abandon,
Tu sauras porter ta croix.
Alors tu pourras mourir
Au pas de l'homme-Dieu.

Si l'espérance t'a fait marcher
Plus loin que ta peur,
Tu auras les yeux levés.
Alors tu pourras tenir
Jusqu'au soleil de Dieu.

CANTIQUE AUX PHILIPPIENS (2)

Suivre le Christ jusqu'en son abaissement, c'est recevoir du Père
la grâce de la vie nouvelle et éternelle.

Le Christ Jésus, +
ayant la condition de Dieu, *

ne retint pas jalousement
le rang qui l'égalait à Dieu.
Mais il s'est anéanti, *
prenant la condition de serviteur.

Devenu semblable aux hommes, +
reconnu homme à son aspect, *
il s'est abaissé,
devenant obéissant jusqu'à la mort, *
et la mort de la croix.

C'est pourquoi Dieu l'a exalté *
il l'a doté du Nom
qui est au-dessus de tout nom,

afin qu'au nom de Jésus
tout genou fléchisse *
au ciel, sur terre et aux enfers,

et que toute langue proclame :
« Jésus Christ est Seigneur » *
à la gloire de Dieu le Père.

Parole de Dieu   2 Pierre 1, 19-21

VOUS AVEZ RAISON de fixer votre attention sur la parole des prophètes, comme sur une lampe brillant dans l'obscurité jusqu'à ce que paraisse le jour et que l'étoile du matin se lève dans vos cœurs. Car vous savez cette chose essentielle : aucune prophétie de l'Écriture ne vient d'une intuition personnelle. En effet, ce n'est jamais la volonté d'un homme qui a porté une prophétie : c'est portés par l'Esprit que des hommes ont parlé de la part de Dieu.

Ouvre mon cœur, Seigneur,
à ta parole de lumière.

Cantique de Marie (Texte, couverture A)

Intercession

Prions le Christ, source de joie pour qui espère en lui.

℟   Regarde-nous, Seigneur, exauce-nous.

Témoin fidèle et premier-né d'entre les morts,
tu nous as sauvés par l'eau et le sang,
– réjouis-nous au souvenir de tes merveilles.

Tu envoies tes disciples
annoncer l'Évangile au monde,
– donne-leur courage et fidélité.

Par ta croix, tu as brisé le mur de la haine :
– accorde aux gouvernants ton Esprit de paix.

Tu es venu porter le feu sur la terre :
– donne-nous de combattre toute injustice.

Accueille auprès de ta mère et de tous les saints
– ceux que ta résurrection a libérés de la mort.

Intentions libres

Apprends-nous toi-même à prier !

Notre Père… Car c'est à toi qu'appartiennent…

Sainte Mère de notre Rédempteur,
Porte du ciel, toujours ouverte,
Étoile de la mer,
Viens au secours du peuple qui tombe
et qui cherche à se relever.
Tu as enfanté, ô merveille !
celui qui t'a créée,
et tu demeures toujours vierge.
Accueille le salut de l'ange Gabriel
et prends pitié de nous, pécheurs.

SAINTS
D'HIER ET D'AUJOURD'HUI

Le martyrologe romain fait mémoire de SAINT SALVI

Chaque jour, nous célébrons l'anniversaire des saints ; que leur exemple nous encourage et nous fortifie.

Dans la région d'Albi, nombre d'églises sont dédiées à saint Salvi (ou Salvy), évêque qui vécut au VIe siècle.

Salvi était un personnage important de la cité quand il entendit l'appel à la vie monastique. Renonçant à sa carrière d'avocat, il s'installa dans un ermitage aux environs de la ville. D'après son contemporain et ami saint Grégoire de Tours, Salvi alla si loin dans la voie de l'ascèse qu'au cours d'une expérience mystique il entrevit le ciel. Revenant à lui, il reprit sa charge d'abbé, bien que celle-ci l'empêchât de s'adonner à l'oraison autant qu'il le désirait. Il fut appelé au siège épiscopal d'Albi en 574. « C'est bien malgré lui qu'il fut ordonné », souligne Grégoire de Tours dans son hagiographie. Quand survint une épidémie de peste, Salvi, en bon pasteur, ne voulut pas quitter ses ouailles en s'éloignant de la ville, et il prescrivit des prières publiques et organisa les secours. Il fut lui-même atteint par la maladie et mourut après dix ans d'épiscopat.

Bonne fête ! Aubert et Inès

Paroles de Dieu

■━━━━━━━━━━━━━━━━━━━━━━━━━━━■

pour un dimanche

Multiplication sans fin

Combien de fois dois-je lui pardonner ? Jusqu'à sept fois ? (Mt **18**, 21).
Calculateur ? ! Ne le sommes-nous pas tous un peu, et surtout à l'endroit du pardon ? Déjà, dimanche dernier, l'invitation à servir la réconciliation entre frères résonnait comme un appel à contretemps de notre inclination première. Aujourd'hui, plus encore, il nous faut quitter toute logique de calcul pour entrer dans la logique de la grâce. *Je ne te dis pas jusqu'à sept fois, mais jusqu'à soixante-dix fois sept fois* (Mt **18**, 22). Le Seigneur ne connaît que la multiplication ! Il ne fait ni soustraction ni addition, ni division non plus. Il multiplie son amour à l'infini, pour l'emporter à jamais sur toute tentative de réduire son salut à un simple marchandage.

Ainsi, le psalmiste peut chanter, sans l'ombre d'une hésitation, que le Seigneur pardonne en abondance, car sa logique est tout entière logique de vie. *Il réclame ta vie à la tombe* (Ps **102**, 4). Le pardon se dévoile alors comme le lieu de cette rencontre en proximité avec le Seigneur. Ce n'est pas nous que le Seigneur met loin de lui, mais nos péchés ! *Il met loin de nous nos péchés* (v. 12). Cette présence bienfaisante du Seigneur ouvre alors un avenir devant le pécheur en repentir.

Cependant demeure toujours le risque de se méprendre sur un tel rapprochement. Nous pourrions, comme le serviteur de la parabole, calculer l'étendue de notre pardon à la mesure du désir de conversion. Le pardon, don au-delà de toute attente, se dispense sans mesure sinon celle du cœur même de Dieu. Alors, ne craignons pas cette nouvelle mathématique où l'amour le plus gratuit se multiplie sans fin.

O.P.

■ Les intentions dominicales ■

Ces intentions sont à adapter en fonction de l'actualité et de l'assemblée qui célèbre.

Avec confiance, unissons nos voix à celles des priants qui dans le monde se rassemblent en ce dimanche.

Prions pour l'Église qui annonce inlassablement la miséricorde du Père.

Prions pour les prêtres qui offrent le pardon de Dieu à ceux qui le cherchent.

Prions pour les nations qui se déchirent sans possibilité de pardon immédiat.

Prions pour les jeunes qui apprennent la richesse du pardon.

Prions pour nous-mêmes qui avons parfois du mal à pardonner.

Dieu qui pardonnes toutes nos offenses, écoute nos prières et daigne les exaucer par Jésus le Christ, notre Seigneur.

B.D.

DIMANCHE 11 SEPTEMBRE
24e du temps ordinaire

Prière du matin

Rendez grâce au Seigneur : Il est bon !
Éternel est son amour !

Louez le Seigneur, tous les peuples ;   Ps 116
fêtez-le, tous les pays !

Son amour envers nous s'est montré le plus fort ;
éternelle est la fidélité du Seigneur !

Gloire au Père, et au Fils, et au Saint-Esprit,
pour les siècles des siècles. Amen.

Hymne

℟   Des quatre coins du monde,
Peuples, venez, peuples, chantez :
Le Seigneur est là, le Seigneur vous attend.

Comme la pluie sur le regain,
Comme la bruine mouillant la terre,
Il viendra.
Son règne s'étendra sur chaque continent,
Son règne durera, siècle après siècle, sans fin.

Quand il viendra, Justice fleurira,
Jusqu'à la fin des fins la paix
Nous reviendra.
Le pauvre qui appelle, il le délivrera ;
Le faible et le petit sans appui, il les sauvera.

Qu'à jamais son Nom soit béni,
Qu'en lui soient bénis tous les peuples,
Et qu'ils chantent son Nom !

Béni soit le Seigneur
    qui seul accomplit des merveilles,
Que toute la terre soit remplie de sa gloire,
Dans les siècles des siècles !

PSAUME 150   Louange

Remplis de l'Esprit Saint, proclamons, par toute la terre, les merveilles de Dieu pour que tout être vivant chante louange au Seigneur !

Louez Dieu dans son temple saint,
louez-le au ciel de sa puissance ;
louez-le pour ses actions éclatantes,
louez-le selon sa grandeur !

Louez-le en sonnant du cor,
louez-le sur la harpe et la cithare ;
louez-le par les cordes et les flûtes,
louez-le par la danse et le tambour !

Louez-le par les cymbales sonores,
louez-le par les cymbales triomphantes !
Et que tout être vivant
chante louange au Seigneur !

Gloire au Père, et au Fils, et au Saint-Esprit,
pour les siècles des siècles. Amen.

Pour tout ce que tu fais, avec tout ce qui te chante, par tout ce que nous sommes, louange à toi, ô notre Dieu, Père très saint, Fils bien-aimé, Esprit d'amour !

Parole de Dieu   Cantique des cantiques 8, 6b-7a

L'AMOUR EST FORT comme la mort, la passion est implacable comme l'abîme. Ses flammes sont des flammes brûlantes, c'est un feu divin ! Les torrents ne peuvent éteindre l'amour, les fleuves ne l'emporteront pas.

Je t'aime, Seigneur, ma force.

CANTIQUE DE ZACHARIE   (Texte, couverture B)

LOUANGE ET INTERCESSION

Nous levons nos mains et nos cœurs vers notre Dieu, Seigneur du ciel et de la terre :

℟   Dans le jour que tu as fait, béni sois-tu !

Père de l'univers,
tu es Souverain de tout ce qui existe ;
– aujourd'hui ton peuple se rassemble
pour reconnaître tes bienfaits.

Dieu sauveur,
tu as envoyé ton Fils relever l'homme déchu ;
– aujourd'hui ton peuple se rassemble
pour faire mémoire de sa résurrection.

Père du Fils unique,
tu appelles tous les hommes
à renaître en lui ;
– aujourd'hui ton peuple se rassemble
pour se nourrir de sa vie.

Toi qui habites la louange de ton peuple,
– aujourd'hui ton Église se rassemble
pour te rendre grâce.   Intentions libres

Ta miséricorde est inépuisable, Seigneur notre Dieu ; prends patience envers nous. Que s'effacent nos rancunes et nos colères, au souffle de ton Esprit d'amour. Nous te le demandons par Jésus, notre frère, le Seigneur du Royaume pour les siècles des siècles.

LA MESSE
24e dimanche du temps ordinaire

Donne la paix, Seigneur, à ceux qui t'espèrent : ne fais pas mentir les paroles de tes prophètes ; exauce la prière de ton peuple.

GLOIRE À DIEU ———————————————— page 203

PRIÈRE. Dieu créateur et maître de toutes choses, regarde-nous, et, pour que nous ressentions l'effet de ton amour, accorde-nous de te servir avec un cœur sans partage. Par Jésus Christ, ton Fils.

Lecture du livre de Ben Sirac le Sage   27, 30 à 28, 7

RANCUNE ET COLÈRE, voilà des choses abominables où le pécheur s'obstine. L'homme qui se venge éprouvera la vengeance du Seigneur ; celui-ci tiendra un compte rigoureux de ses péchés. Pardonne à ton prochain le tort qu'il t'a fait ; alors, à ta prière, tes péchés seront remis. Si un homme nourrit de la colère contre un autre homme, comment peut-il demander à Dieu la guérison ? S'il n'a pas de pitié pour un homme, son semblable, comment peut-il supplier pour ses propres fautes ? Lui qui est un pauvre mortel, il garde rancune ; qui donc lui pardonnera ses péchés ? Pense à ton sort final et renonce à toute haine, pense à ton déclin et à ta mort, et demeure fidèle aux commandements. Pense aux commandements et ne garde pas de rancune envers ton prochain, pense à l'Alliance du Très-Haut et oublie l'erreur de ton prochain.

• PSAUME 102 •

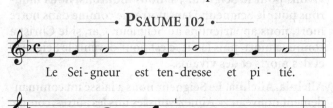

Le Sei-gneur est ten-dresse et pi-tié.

Ou bien :

Tu nous as pardonné, Seigneur ; nous pardonnons.

Bénis le Seigneur, ô mon âme,
bénis son nom très saint, tout mon être !
Bénis le Seigneur, ô mon âme,
n'oublie aucun de ses bienfaits !

Car il pardonne toutes tes offenses
et te guérit de toute maladie ;
il réclame ta vie à la tombe
et te couronne d'amour et de tendresse.

Il n'est pas toujours en procès,
ne maintient pas sans fin ses reproches ;
il n'agit pas envers nous selon nos fautes,
ne nous rend pas selon nos offenses.

Comme le ciel domine la terre,
fort est son amour pour qui le craint ;
aussi loin qu'est l'orient de l'occident,
il met loin de nous nos péchés.

**Lecture de la lettre
de saint Paul Apôtre aux Romains** 14, 7-9

Frères, aucun d'entre nous ne vit pour soi-même, et aucun ne meurt pour soi-même : si nous vivons, nous vivons pour le Seigneur ; si nous mourons, nous mourons pour le Seigneur. Dans notre vie comme dans notre mort, nous appartenons au Seigneur. Car, si le Christ a connu la mort, puis la vie, c'est pour devenir le Seigneur et des morts et des vivants.

Alléluia. Alléluia. Le Seigneur nous a laissé un commandement nouveau : « Aimez-vous les uns les autres, comme je vous ai aimés. » Alléluia.

Évangile de Jésus Christ selon saint Matthieu

18, 21-35

Pierre s'approcha de Jésus pour lui demander : « Seigneur, quand mon frère commettra des fautes contre moi, combien de fois dois-je lui pardonner ? Jusqu'à sept fois ? » Jésus lui répondit : « Je ne te dis pas jusqu'à sept fois, mais jusqu'à soixante-dix fois sept fois. En effet, le Royaume des cieux est comparable à un roi qui voulut régler ses comptes avec ses serviteurs. Il commençait, quand on lui amena quelqu'un qui lui devait dix mille talents (c'est-à-dire soixante millions de pièces d'argent). Comme cet homme n'avait pas de quoi rembourser, le maître ordonna de le vendre, avec sa femme, ses enfants et tous ses biens, en remboursement de sa dette. Alors, tombant à ses pieds, le serviteur demeurait prosterné et disait : "Prends patience envers moi, et je te rembourserai tout." Saisi de pitié, le maître de ce serviteur le laissa partir et lui remit sa dette. Mais, en sortant, le serviteur trouva un de ses compagnons qui lui devait cent pièces d'argent. Il se jeta sur lui pour l'étrangler, en disant : "Rembourse ta dette !" Alors, tombant à ses pieds, son compagnon le suppliait : "Prends patience envers moi, et je te rembourserai." Mais l'autre refusa et le fit jeter en prison jusqu'à ce qu'il ait remboursé. Ses compagnons, en voyant cela, furent profondément attristés et allèrent tout raconter à leur maître. Alors celui-ci le fit appeler et lui dit : "Serviteur mauvais ! je t'avais remis toute cette dette parce que tu m'avais supplié. Ne devais-tu pas, à ton tour, avoir pitié de ton compagnon, comme moi-même j'avais eu pitié de toi ?" Dans sa colère, son maître le livra aux bourreaux jusqu'à ce qu'il eût tout remboursé. C'est ainsi que mon Père du ciel vous traitera, si chacun de vous ne pardonne pas à son frère de tout son cœur. »

CREDO ——————————————————— page 205

PRIÈRE SUR LES OFFRANDES. Sois favorable à nos prières, Seigneur, et reçois avec bonté nos offrandes : que les dons apportés par chacun à la gloire de ton nom servent au salut de tous. Par Jésus, le Christ, notre Seigneur.

PRÉFACE ——————————————————— page 208

Qu'il est précieux, ton amour, ô mon Dieu ! En lui s'abritent les hommes.

Ou bien :

La coupe de bénédiction pour laquelle nous rendons grâce nous fait communier au sang du Christ ; et le pain que nous rompons nous fait communier au corps du Christ.

PRIÈRE APRÈS LA COMMUNION. Que la grâce de cette communion, Seigneur, saisisse nos esprits et nos corps, afin que son influence, et non pas notre sentiment, domine toujours en nous. Par Jésus, le Christ, notre Seigneur.

- ———————————————————— -

A U   F I L   D E S   J O U R S

- ———————————————————— -

Un avenir ouvert par le pardon

Dieu s'est réconcilié le monde en son Fils sur la croix pour que nous puissions nous réconcilier avec nous-mêmes et avec les autres. L'expérience du pardon est au cœur de l'audition de la Parole tant sur le plan de sa réception personnelle que sur le plan de sa communication aux autres. Notre nouvelle naissance est recréation dans l'innocence de Dieu. Il ne devrait y avoir là nulle mièvrerie ni complaisance infantile en un amour narcissique, mais libération de la faute d'exister et désir de vivre pour autrui. Le pardon est foi en l'innocence première de tout être humain sans négation de l'histoire, de la responsabilité et du mal, parce qu'il est foi en la fidélité de Dieu et confiance dans la réussite finale de son œuvre créatrice. Aussi vient-il de Dieu et de lui seul non comme restauration d'un passé déchu, mais comme ouverture à un avenir inespéré. Tel est le pardon que nous sommes appelés à vivre et à transmettre dans la Pâque de Jésus. OLIVIER ROUSSEAU

Le père Olivier Rousseau est le provincial des carmes déchaux de la province de Paris.

Prière du soir

Dieu, viens à mon aide,
Seigneur, à notre secours.

Gloire au Père, et au Fils, et au Saint-Esprit,
au Dieu qui est, qui était, et qui vient,
pour les siècles des siècles. Amen. Alléluia.

HYMNE

Nous te louons, Seigneur,
Pour l'œuvre de tes mains
Qui parle de ta bienveillance
Nous te louons, Seigneur ! Nous te louons !

Nous te chantons, Jésus !
Ta croix nous a sauvés,
Ta mort, Seigneur, nous justifie ;
Nous te chantons, Jésus ! Nous te chantons !

Gloire à l'Esprit vainqueur !
Il chante par nos voix
Une hymne de louange au Père,
Gloire à l'Esprit de Dieu ! Gloire à l'Esprit !

Louange au Dieu vivant !
Au Père par le Fils
En l'Esprit Saint qui nous rend frères,
Louange au Dieu vivant ! Louange à Dieu !

Psaume 90   Mon Dieu, dont je suis sûr

« Je ne vous promets pas de vous rendre heureuse en ce monde »,
disait Marie à Bernadette. Ainsi la vie n'est pas exempte
d'épreuves, mais Dieu veille sur chacun de nos pas.

Quand je me tiens sous l'abri du Très-Haut
et repose à l'ombre du Puissant,
je dis au Seigneur : « Mon refuge,
mon rempart, mon Dieu, dont je suis sûr ! »

C'est lui qui te sauve des filets du chasseur
    et de la peste maléfique ; *
il te couvre et te protège.
Tu trouves sous son aile un refuge :
sa fidélité est une armure, un bouclier.

Tu ne craindras ni les terreurs de la nuit,
ni la flèche qui vole au grand jour,
ni la peste qui rôde dans le noir,
ni le fléau qui frappe à midi.

Qu'il en tombe mille à tes côtés, +
qu'il en tombe dix mille à ta droite, *
toi, tu restes hors d'atteinte.

Il suffit que tu ouvres les yeux,
tu verras le salaire du méchant.
Oui, le Seigneur est ton refuge ;
tu as fait du Très-Haut ta forteresse.

Le malheur ne pourra te toucher,
ni le danger, approcher de ta demeure :

il donne mission à ses anges
de te garder sur tous tes chemins.

Ils te porteront sur leurs mains
pour que ton pied ne heurte les pierres ;
tu marcheras sur la vipère et le scorpion,
tu écraseras le lion et le Dragon.

« Puisqu'il s'attache à moi, je le délivre ;
je le défends, car il connaît mon nom.
Il m'appelle et, moi, je lui réponds ;
je suis avec lui dans son épreuve.

« Je veux le libérer, le glorifier ; +
de longs jours, je veux le rassasier, *
et je ferai qu'il voie mon salut. »

Rendons gloire au Père tout-puissant,
à son Fils, Jésus Christ, le Seigneur,
à l'Esprit qui habite en nos cœurs,
pour les siècles des siècles. Amen.

Dieu Très-Haut, Dieu Puissant, tu as pris sous ta protection ton serviteur, tu l'as gardé sur tous ses chemins d'homme et tu as été avec lui dans son épreuve. Tiens-nous, comme lui, dans la confiance malgré les terreurs de la nuit. Défends-nous au moment du combat : que nous soyons glorifiés avec lui !

Parole de Dieu   1 Corinthiens 6, 19-20

NE LE SAVEZ-VOUS PAS ? Votre corps est le temple de l'Esprit Saint, qui est en vous et que vous avez reçu de Dieu ; vous ne vous appartenez plus à vous-mêmes, car le Seigneur a payé le prix de votre rachat. Rendez gloire à Dieu dans votre corps.

Gloire à Dieu dans le ciel ! Grande paix sur la terre !

Hymne de louange (Texte, couverture C)

Intercession

Dans la joie du Seigneur, source de tout bien,
en ce dimanche soir, prions d'un cœur confiant :

℟   Seigneur Dieu, exauce nos prières.

Père de Jésus Christ, pour que ton nom soit glorifié
en tout lieu, tu as envoyé l'Esprit Saint :
– qu'il confirme ton Église au milieu des nations.

Tu nous rassembles aujourd'hui pour que nous
fassions mémoire de la résurrection de ton Fils :
– que la foi de tes Églises en soit renouvelée.

Souviens-toi des croyants persécutés
qui n'ont pas la liberté de se rassembler en ton nom :
– resserre le lien visible de leur communion.

Nous t'avons rendu grâce par le Christ,
pain rompu pour la vie du monde :
– livre-nous en partage à ceux qui ont faim.

Comble l'espérance de ceux qui sont morts :
– par le baptême de l'eau et du feu,
qu'ils parviennent aux rives de la vraie vie.

Intentions libres

Notre Père…

Car c'est à toi qu'appartiennent
le règne, la puissance et la gloire,
pour les siècles des siècles !

LUNDI 12 SEPTEMBRE
Le Saint Nom de Marie

Prière du matin

*Au son de la joie et de la fête,
allons à la rencontre du Seigneur !*

PSAUME 94

« Écoute, Israël ! » Voilà le premier commandement. Écouter, c'est s'arrêter pour ouvrir son cœur à la parole de vie. Ainsi, prier, c'est écouter le Seigneur qui parle.

Venez, crions de joie pour le Seigneur,
acclamons notre Rocher, notre salut !
Allons jusqu'à lui en rendant grâce,
par nos hymnes de fête acclamons-le !

Oui, le grand Dieu, c'est le Seigneur,
le grand roi au-dessus de tous les dieux :
il tient en main les profondeurs de la terre,
et les sommets des montagnes sont à lui ;
à lui la mer, c'est lui qui l'a faite,
et les terres, car ses mains les ont pétries.

Entrez, inclinez-vous, prosternez-vous,
adorons le Seigneur qui nous a faits.
Oui, il est notre Dieu ; +
nous sommes le peuple qu'il conduit,
le troupeau guidé par sa main.

Aujourd'hui écouterez-vous sa parole ? +
« Ne fermez pas votre cœur comme au désert,
comme au jour de tentation et de défi,
où vos pères m'ont tenté et provoqué,
et pourtant ils avaient vu mon exploit.

« Quarante ans leur génération m'a déçu, †
et j'ai dit : Ce peuple a le cœur égaré,
il n'a pas connu mes chemins.
Dans ma colère, j'en ai fait le serment :
Jamais ils n'entreront dans mon repos. »

Gloire au Père, et au Fils, et au Saint-Esprit,
pour les siècles des siècles. Amen.

Dieu qui nous as faits et qui as fait le monde, nous venons te rendre grâce pour tout ce que ta main nous donne, car ton Christ est le rocher qui nous sauve, et nous sommes le peuple qu'il conduit. Ne permets pas que notre cœur s'égare et se ferme à la reconnaissance. Donne-nous d'écouter ta parole et de pouvoir entrer dans ton repos.

Parole de Dieu   Hébreux 3, 12-14

FRÈRES, veillez à ce que personne d'entre vous n'ait un cœur perverti par l'incrédulité au point d'abandonner le Dieu vivant. Au contraire, aussi longtemps que dure l'« aujourd'hui » de ce psaume, encouragez-vous les uns les autres jour après jour, pour que personne parmi vous ne s'endurcisse en se laissant tromper par le péché. Car nous sommes devenus les compagnons du Christ, mais à condition de maintenir fermement, jusqu'à la fin, notre engagement premier.

Allons à la rencontre du Seigneur.

CANTIQUE DE ZACHARIE   (Texte, couverture B)

LOUANGE ET INTERCESSION

Bénissons le Seigneur
qui veut le bonheur de ses enfants.

℟   Ami des hommes, sois béni !

Tu invites à la pauvreté des cœurs,

Tu donnes la terre en partage,

Tu consoles ceux qui pleurent,

Tu rassasies ceux qui ont faim de la justice,

Tu fais miséricorde aux miséricordieux,

Tu te révèles aux cœurs purs,

Tu appelles tes fils ceux qui font la paix,

Tu donnes ton royaume aux persécutés.

Intentions libres

Seigneur, dans l'Alliance instaurée par ton Fils, tu ne cesses de te former un peuple qui se rassemble dans l'Esprit Saint sans distinction de races et sans frontières ; accorde à ton Église d'accomplir sa mission universelle : qu'elle soit le ferment et l'âme du monde pour que devienne la famille de Dieu toute l'humanité renouvelée dans le Christ. Lui qui règne avec toi et le Saint-Esprit.

LA MESSE
Lundi de la 24ᵉ semaine du temps ordinaire

SAINT NOM DE MARIE   *Mémoire facultative*

● *Selon la coutume, la Vierge Marie reçut son nom, Marie, quelques jours après sa naissance. Le nom, pour les juifs, était plus qu'un signe du langage, il exprimait la nature même de la personne. C'est pourquoi nous voyons dans la Bible Dieu choisir lui-même le nom de ses serviteurs. Les Pères de l'Église ont souvent cherché le sens du nom de Marie, et l'ont interprété de différentes manières : Étoile de la mer, Souveraine, Protectrice… Il convient en tout cas que*

*nous témoignions notre respect au nom de celle
qu'avec l'Église, nous invoquons si souvent dans nos
prières.* ●

Tu es bénie, Vierge Marie, par le Dieu très-haut, plus que toutes
les femmes de la terre ; jamais la gloire qu'il t'a donnée ne s'effacera de la mémoire des hommes.

Prière. Seigneur notre Dieu, ton Fils, en mourant sur la croix,
a voulu nous donner pour mère la mère qu'il s'était choisie, la
Vierge Marie. Puisque nous cherchons un sûr abri dans sa protection, accorde-nous de trouver un réconfort en invoquant son
nom maternel. Par Jésus Christ, ton Fils, notre Seigneur.

Lecture de la première lettre de saint Paul Apôtre à Timothée

2, 1-8

J'INSISTE avant tout pour
qu'on fasse des prières de
demande, d'intercession et d'action de grâce pour tous
les hommes, pour les chefs d'État et tous ceux qui ont des
responsabilités, afin que nous puissions mener notre vie
dans le calme et la sécurité, en hommes religieux et sérieux.
Voilà une vraie prière, que Dieu, notre Sauveur, peut accepter, car il veut que tous les hommes soient sauvés et arri-
vent à connaître pleinement la vérité. En effet, il n'y a
qu'un seul Dieu, il n'y a qu'un seul médiateur entre Dieu
et les hommes : un homme, le Christ Jésus, qui s'est donné
lui-même en rançon pour tous les hommes. Au temps
fixé, il a rendu ce témoignage pour lequel j'ai reçu la charge
de messager et d'Apôtre – je le dis en toute vérité – moi
qui enseigne aux nations païennes la foi et la vérité. Je
voudrais donc qu'en tout lieu les hommes prient en levant
les mains vers le ciel, saintement, sans colère ni mauvaises
intentions.

• Psaume 27 •

Béni soit le Seigneur qui écoute ma prière !

Seigneur, mon rocher, c'est toi que j'appelle :
ne reste pas sans me répondre.
Entends la voix de ma prière quand je crie vers toi,
quand j'élève les mains vers le Saint des Saints !

Le Seigneur est ma force et mon rempart ;
à lui, mon cœur fait confiance :
il m'a guéri, ma chair a refleuri,
mes chants lui rendent grâce.

Le Seigneur est la force de son peuple,
le refuge et le salut de son messie.
Sauve ton peuple, bénis ton héritage,
veille sur lui, porte-le toujours.

Alléluia. Alléluia. Dieu a tellement aimé le monde qu'il
a donné son Fils unique. Tout homme qui croit en lui possède la vie éternelle. Alléluia.

Évangile de Jésus Christ selon saint Luc   7, 1-10

Après avoir achevé tout son discours devant le peuple, Jésus entra dans la ville de Capharnaüm. Un centurion de l'armée romaine avait un esclave auquel il tenait beaucoup ; celui-ci était malade, sur le point de mourir. Le centurion avait entendu parler de Jésus ; alors il lui envoya quelques notables juifs pour le prier de venir sauver son esclave. Arrivés près de Jésus, ceux-ci le suppliaient : « Il mérite que tu lui accordes cette guérison. Il aime notre nation : c'est lui qui nous a construit la synagogue. » Jésus était en route avec eux, et déjà il n'était plus loin de la maison, quand le centurion lui fit dire par des amis : « Seigneur, ne prends pas cette peine, car je ne suis pas digne que tu entres sous mon toit. Moi-même, je ne me suis pas senti le droit de venir te trouver. Mais dis seulement un mot, et mon serviteur sera guéri. Moi qui suis un subalterne, j'ai des soldats sous mes ordres ; à l'un, je dis : "Va", et il va ; à l'autre : "Viens", et il vient ; et à mon esclave : "Fais ceci", et il le fait. » Entendant cela, Jésus fut dans l'admiration. Il se tourna vers la foule qui le suivait : « Je vous le dis, même en Israël, je n'ai pas trouvé une telle foi ! » De retour à la maison, les envoyés trouvèrent l'esclave en bonne santé.

PRIÈRE SUR LES OFFRANDES. Accueille, Seigneur, les offrandes que nous présentons et répands en nos cœurs la lumière de l'Esprit Saint pour qu'à l'exemple de la bienheureuse Marie toujours Vierge, nous cherchions à rester unis à ton Fils, à vivre pour lui et à lui plaire en toute chose. Lui qui règne avec toi pour les siècles des siècles.

Tous les âges te diront bienheureuse, Vierge Marie, car Dieu a regardé l'humilité de sa servante.

PRIÈRE APRÈS LA COMMUNION. Seigneur, toi qui refais nos forces à la table de ta parole et de ton pain, accorde-nous, sous la conduite et la protection de la Vierge Marie, de rejeter ce qui est indigne du nom chrétien, et de rechercher ce qui lui fait honneur. Par Jésus, le Christ, notre Seigneur.

MÉDITATION DU JOUR

L'ordre de l'Amour

Dans un monde où l'Amour régnerait, il n'y aurait pas de miracle, parce que tout y serait miracle. Le miracle éclate dans notre expérience imparfaite, parce que l'action divine est morcelée, partialisée, par notre propre morcellement et notre propre partialité.

Si nous étions tout enracinés en Dieu, l'univers entier le serait, et tout serait parfaitement ordonné selon l'ordre de l'Amour, au cœur de Dieu, qui est l'ordre éternel et nous révèle un flux d'amour qui n'est pas un pouvoir d'abord, un pouvoir qui s'impose, un pouvoir viscéral des lois de l'univers, un pouvoir auquel il faudrait se soumettre, mais qui est d'abord, qui est essentiellement, qui est physiquement, qui est totalement un Amour.

Dieu est Amour et il n'a rien que l'Amour. Il peut tout ce que peut l'Amour, et il ne peut rien de ce que l'Amour ne peut vouloir.

Maurice Zundel

Maurice Zundel († 1975), prêtre suisse, mena une vie de prédicateur itinérant en France et à l'étranger. Docteur en philosophie, mystique, poète, liturgiste, il est l'auteur de nombreux ouvrages.

Prière du soir

HYMNE

Dieu que nul œil de créature
N'a jamais vu,
Nulle pensée jamais conçu,
Nulle parole ne peut dire,
C'est notre nuit qui t'a reçu :
Fais que son voile se déchire.

Fais que tressaille son silence
Sous ton Esprit ;
Dieu, fais en nous ce que tu dis,
Et les aveugles de naissance
Verront enfin le jour promis
Depuis la mort de ta semence.

Tu n'as pas dit que l'homme croisse
Vers son néant,
Mais tu as fait, en descendant,
Qu'il ne se heurte à son impasse :
Tu as frayé le beau tournant
Où tout au monde n'est que grâce.

Dans le secret, tu nous prépares
Ce qui pourra
Tenir ton jour quand tu viendras ;
C'est là, dans l'ombre de ta gloire,
Que ta clarté filtre déjà,
Et nous entrons dans ton histoire.

Sème les mots qui donnent vie,
Nous te dirons ;
Regarde-nous, et nous verrons ;
Entends Jésus qui te supplie.
Au dernier pas de création,
Viens faire l'homme eucharistie !

Psaume 81   Invectives aux juges iniques

Faire tomber les chaînes injustes, partager son pain, briser tous
les jougs, voilà ce que le Seigneur, le juste juge, attend de ses fils
créés à son image.

Dans l'assemblée divine, Dieu préside ;
entouré des dieux, il juge.

« Combien de temps jugerez-vous sans justice,
soutiendrez-vous la cause des impies ?

« Rendez justice au faible, à l'orphelin ;
faites droit à l'indigent, au malheureux.

« Libérez le faible et le pauvre,
arrachez-le aux mains des impies. »

Mais non, sans savoir, sans comprendre, [+]
ils vont au milieu des ténèbres :
les fondements de la terre en sont ébranlés.

« Je l'ai dit : Vous êtes des dieux,
des fils du Très-Haut, vous tous !

« Pourtant, vous mourrez comme des hommes,
comme les princes, tous, vous tomberez ! »

Lève-toi, Dieu, juge la terre,
car toutes les nations t'appartiennent.

Gloire au Père, et au Fils, et au Saint-Esprit,
pour les siècles des siècles. Amen.

*Dieu qui es juge de la terre, qui rends justice à l'indigent
et fais tomber les princes de ce monde, donne-nous d'aller
en pleine lumière et d'agir comme des fils du Très-Haut,
en nous levant contre toute injustice.*

Parole de Dieu
Luc 6, 46-48

JÉSUS DISAIT : « Pourquoi m'appelez-vous en disant :
"Seigneur ! Seigneur !" et ne faites-vous pas ce que je dis ?
Tout homme qui vient à moi, qui écoute mes paroles et
qui les met en pratique, je vais vous montrer à qui il ressemble. Il ressemble à un homme qui bâtit une maison.
Il a creusé très profond, et il a posé les fondations sur le
roc. Quand est venue l'inondation, le torrent s'est précipité sur cette maison, mais il n'a pas pu l'ébranler parce
qu'elle était bien bâtie. »

*Prends pitié de moi,
pécheur !*

CANTIQUE DE MARIE   (Texte, couverture A)

INTERCESSION

Supplions le Christ qui n'abandonne pas les siens :

℟ Exauce-nous, Seigneur Dieu.

Toi, notre Lumière, illumine ton Église :
– qu'elle révèle ta gloire aux nations.

Veille sur tes pasteurs, les évêques, les prêtres
et les diacres :
– que leur vie se modèle sur la Parole
qu'ils annoncent.

Par ta croix, tu as donné la paix au monde :
– accorde-nous de travailler à l'entente des peuples.

Donne ta grâce aux époux chrétiens,
– qu'ils soient témoins de ton alliance,
jour après jour.

Pardonne aux défunts toutes leurs fautes,
– qu'ils vivent parmi les saints du ciel.

Intentions libres

Notre Père…

Car c'est à toi qu'appartiennent
le règne, la puissance et la gloire,
pour les siècles des siècles !

SAINTS
D'HIER ET D'AUJOURD'HUI
Le martyrologe romain fait mémoire de SAINT GUY D'ANDERLECHT

Que l'intercession des saints assemblés dans la gloire stimule notre amour pour le Christ.

Saint Guy, communément appelé le « pauvre d'Anderlecht », est né dans la misère, il a vécu dans la disette et il est mort dans la pauvreté.

Guy naquit dans un village près de Bruxelles. Sacristain de Sainte-Marie de Laeken, il entreprit de faire du commerce afin de multiplier ses aumônes. Cette tentative se solda par un échec qui l'incita à partir en pèlerinage. Sept ans durant, il parcourut le monde chrétien, visitant de nombreuses églises de France, d'Italie et d'Espagne, gagnant Rome et, par deux fois, Jérusalem. À son retour, il se retira au monastère d'Anderlecht, où il mourut de la dysenterie en 1012.

On raconte que, durant la nuit précédant le dimanche qui fut le jour de la mort de saint Guy, sa chambre avait été remplie d'une lumière céleste au milieu de laquelle était apparue une colombe qui disait : « Que notre bien-aimé vienne maintenant recevoir la couronne d'une allégresse éternelle, parce qu'il a été fidèle. » De nombreux malades et infirmes ont trouvé la guérison auprès de sa tombe.

Bonne fête ! Guy

MARDI 13 SEPTEMBRE
Saint Jean Chrysostome

Prière du matin

Adorons le Seigneur, il est notre Dieu.

Gloire au Père, et au Fils, et au Saint-Esprit !

HYMNE

Ecoute la voix du Seigneur,
Prête l'oreille de ton cœur,
Qui que tu sois,
Ton Dieu t'appelle,
Qui que tu sois,
Il est ton Père.

℟ Toi qui aimes la vie,
Ô toi qui veux le bonheur,
Réponds en fidèle ouvrier
De sa très douce volonté,
Réponds en fidèle ouvrier
De l'Évangile et de sa paix.

Écoute la voix du Seigneur,
Prête l'oreille de ton cœur.
Tu entendras
Que Dieu fait grâce,
Tu entendras
L'Esprit d'audace.

PSAUME 143 (I)   Le combat de la foi

En suivant le Christ, nous sommes sûrs d'obtenir la victoire, même au cœur des difficultés les plus vives. Le Seigneur combat pour nous !

Béni soit le Seigneur, mon rocher ! +
Il exerce mes mains pour le combat, *
il m'entraîne à la bataille.

Il est mon allié, ma forteresse.
ma citadelle, celui qui me libère ;
il est le bouclier qui m'abrite,
il me donne pouvoir sur mon peuple.

Qu'est-ce que l'homme,
    pour que tu le connaisses, Seigneur, *
le fils d'un homme,
    pour que tu comptes avec lui ?
L'homme est semblable à un souffle,
ses jours sont une ombre qui passe.

Seigneur, incline les cieux et descends ;
touche les montagnes : qu'elles brûlent !
Décoche des éclairs de tous côtés,
tire des flèches et répands la terreur.

Des hauteurs, tends-moi la main, délivre-moi, *
sauve-moi du gouffre des eaux,
    de l'emprise d'un peuple étranger :
il dit des paroles mensongères,
sa main est une main parjure.

Pour toi, je chanterai un chant nouveau,
pour toi, je jouerai sur la harpe à dix cordes,
pour toi qui donnes aux rois la victoire
et sauves de l'épée meurtrière
    David, ton serviteur.

Gloire au Père, et au Fils, et au Saint-Esprit,
pour les siècles des siècles. Amen.

Parole de Dieu
Isaïe 55, 10-11

LA PLUIE et la neige qui descendent des cieux n'y retournent pas sans avoir abreuvé la terre, sans l'avoir fécondée et l'avoir fait germer pour donner la semence au semeur et le pain à celui qui mange ; ainsi ma parole, qui sort de ma bouche, ne me reviendra pas sans résultat, sans avoir fait ce que je veux, sans avoir accompli sa mission.

Ouvre mon cœur, Seigneur, à ta parole de lumière !

Cantique de Zacharie
(Texte, couverture B)

Louange et intercession

Notre Dieu est un Dieu patient ; bénissons-le :

℟ Béni sois-tu !

Béni sois-tu pour ce jour ;
– que nous tirions parti du temps présent
pour hâter la venue de ton règne.

Béni sois-tu pour ce monde en croissance :
– que nous lui annoncions la justice et la paix.

Béni sois-tu pour l'Église que ton Esprit renouvelle :
– donne à ses fils la joie de l'espérance.

Béni sois-tu pour la Terre nouvelle que tu promets :
– guide nos pas jusqu'à la fin du jour. Intentions libres

Seigneur, force de ceux qui espèrent en toi, tu as donné à l'évêque saint Jean Chrysostome une merveilleuse éloquence et un grand courage dans les épreuves ; accorde-nous la grâce de suivre ses enseignements pour avoir la force d'imiter sa patience. Par Jésus Christ, ton Fils.

LA MESSE
Mardi de la 24ᵉ semaine du temps ordinaire

SAINT JEAN CHRYSOSTOME (349-407)   *Mémoire*

● *Le patriarche de Constantinople Jean Iᵉʳ, qui devait recevoir le nom de Chrysostome (« Bouche d'or ») en raison de ses dons exceptionnels d'orateur, avait été formé en Syrie à la rude discipline des moines. Il fut avant tout un témoin intrépide de l'Évangile, le défenseur des pauvres face au luxe insolent des riches. C'est pour cela qu'il mourut en exil.* ●

« Tu auras toujours sur tes lèvres les paroles que je t'ai données, dit le Seigneur ; et je recevrai ton offrande sur mon autel. »

PRIÈRE ————————————————— page précédente

Lecture de la première lettre
de saint Paul Apôtre à Timothée   3, 1-13

VOICI une parole sûre : vouloir devenir responsable d'une communauté d'Église, c'est désirer une très belle tâche. Un responsable de communauté doit être irréprochable, époux d'une seule femme, homme mesuré, raisonnable et réfléchi, ouvrant sa maison à tous, capable d'enseigner, ni buveur ni violent, mais plein de sérénité, pacifique et désintéressé. Il faut qu'il mène bien sa propre famille, qu'il se fasse écouter et respecter par ses enfants. Car un homme qui ne sait pas mener sa propre famille, comment pourrait-il prendre en charge une Église de Dieu ? Il ne doit pas être un nouveau converti ; sinon il pourrait se gonfler d'orgueil, et tomber sous la même condamnation que le démon. Il faut aussi que les gens du dehors portent sur lui un bon témoignage, pour qu'il

échappe au mépris des hommes et aux pièges du démon.
Les diacres doivent eux aussi mériter le respect, n'avoir
qu'une parole, ne pas s'adonner à la boisson, refuser les
profits malhonnêtes, garder le mystère de la foi dans une
conscience pure. On les mettra d'abord à l'épreuve ;
ensuite, s'il n'y a rien à leur reprocher, on les prendra
comme diacres. Pour les femmes, c'est la même chose :
elles doivent mériter le respect, n'être pas médisantes,
mais mesurées et fidèles en tout. On choisira comme diacre
l'époux d'une seule femme, un homme qui mène bien ses
enfants et sa propre famille. Les diacres qui remplissent
bien leur ministère sont très estimables et peuvent avoir
beaucoup d'assurance grâce à leur foi au Christ Jésus.

——— • PSAUME 100 • ———

Je veux marcher
sur le chemin de perfection.

Je chanterai justice et bonté :
à toi mes hymnes, Seigneur !
J'irai par le chemin le plus parfait ;
quand viendras-tu jusqu'à moi ?

Je marcherai d'un cœur parfait
avec ceux de ma maison ;
je n'aurai pas même un regard
pour les pratiques démoniaques.

Qui dénigre en secret son prochain,
je le réduirai au silence ;
le regard hautain, le cœur ambitieux,
je ne peux les tolérer.

Mes yeux distinguent les hommes sûrs du pays :
ils siégeront à mes côtés ;

qui se conduira parfaitement,
celui-là me servira.

Alléluia. Alléluia. Béni soit le Seigneur notre Dieu : il visite son peuple et lui redonne vie. Alléluia.

Évangile de Jésus Christ selon saint Luc   7, 11-17

JÉSUS se rendait dans une ville appelée Naïm. Ses disciples faisaient route avec lui, ainsi qu'une grande foule. Il arriva près de la porte de la ville au moment où l'on transportait un mort pour l'enterrer ; c'était un fils unique, et sa mère était veuve. Une foule considérable accompagnait cette femme. En la voyant, le Seigneur fut saisi de pitié pour elle, et lui dit : « Ne pleure pas. » Il s'avança et toucha la civière ; les porteurs s'arrêtèrent, et Jésus dit : « Jeune homme, je te l'ordonne, lève-toi. » Alors le mort se redressa, s'assit et se mit à parler. Et Jésus le rendit à sa mère. La crainte s'empara de tous, et ils rendaient gloire à Dieu : « Un grand prophète s'est levé parmi nous, et Dieu a visité son peuple. » Et cette parole se répandit dans toute la Judée et dans les pays voisins.

PRIÈRE SUR LES OFFRANDES. Daigne accepter, Seigneur, ce sacrifice que nous te présentons de grand cœur en la fête de saint Jean Chrysostome : fidèles à son enseignement, nous voulons nous offrir tout entiers en célébrant cette eucharistie. Par Jésus, le Christ, notre Seigneur.

Nous proclamons un Messie crucifié, le Christ, puissance de Dieu et sagesse de Dieu.

PRIÈRE APRÈS LA COMMUNION. Seigneur, fais que cette communion, reçue en la fête de saint Jean Chrysostome, nous affermisse dans ton amour et nous transforme en témoins fidèles de ta vérité. Par Jésus, le Christ, notre Seigneur.

MÉDITATION DU JOUR

Nous avons jeté ce dé à cause de vous

Voici les premiers mots que prononça celui qui attira les foules par l'éclat de son éloquence.

Ce qui nous arrive est-il vrai ? Et ce qui est a-t-il véritablement eu lieu et ne nous sommes-nous pas complètement trompés ? Et les choses présentes, n'est-ce pas songe de nuit, ou est-ce vraiment le jour et sommes-nous tous à l'état de veille ? Et qui aurait cru que de jour, les hommes étant vigilants et en éveil, un jeune homme commun et rebuté serait élevé à une telle charge ?

Je vous prie donc tous, vous qui représentez l'autorité et vous qui obéissez : autant vous nous avez jeté dans l'angoisse en accourant pour nous entendre, insufflez-nous autant de courage par le zèle déployé par vos prières ; demandez autant à celui qui donne leur parole aux évangélisateurs, de nous donner le pouvoir de parler, à nous qui ouvrons la bouche. Vous qui êtes si importants et si nombreux, vous n'aurez absolument aucune peine à faire se raffermir l'âme d'un jeune homme, réduite à rien sous l'effet de la peur. Il serait juste que vous satisfassiez à notre demande, car nous avons jeté ce dé à cause de vous, et à cause de l'amour que nous vous portons.

S. JEAN CHRYSOSTOME

Surnommé le « docteur de l'eucharistie », saint Jean Chrysostome († 407), « Bouche d'or », archevêque de Constantinople, a laissé son nom à une liturgie de la messe, pratiquée encore aujourd'hui par des millions d'Orientaux.

Prière du soir

Rendez grâce au Seigneur, il est bon,
éternel est son amour !

Gloire au Père, et au Fils, et au Saint-Esprit,
au Dieu qui est, qui était, et qui vient,
pour les siècles des siècles. Amen. Alléuia.

HYMNE

Ecoute la voix du Seigneur,
Prête l'oreille de ton cœur.
Tu entendras
Crier les pauvres ;
Tu entendras
Gémir ce monde.

℟ Toi qui aimes la vie,
Ô toi qui veux le bonheur,
Réponds en fidèle ouvrier
De sa très douce volonté,
Réponds en fidèle ouvrier
De l'Évangile et de sa Paix.

Écoute la voix du Seigneur,
Prête l'oreille de ton cœur.
Tu entendras
Grandir l'Église ;
Tu entendras
Sa paix promise.

Écoute la voix du Seigneur,
Prête l'oreille de ton cœur.
Qui que tu sois,
Fais-toi violence,
Qui que tu sois,
Rejoins ton frère.

Psaume 137   Psaume d'action de grâce

Les humbles de cœur chantent sur le chemin qui les conduit au
Seigneur. Avec eux, rendons grâce au moment où le jour décline.

De tout mon cœur, Seigneur, je te rends grâce :
tu as entendu les paroles de ma bouche.
Je te chante en présence des anges,
vers ton temple sacré, je me prosterne.

Je rends grâce à ton nom pour ton amour et ta vérité,
car tu élèves, au-dessus de tout, ton nom et ta parole.
Le jour où tu répondis à mon appel,
tu fis grandir en mon âme la force.

Tous les rois de la terre te rendent grâce
quand ils entendent les paroles de ta bouche.
Ils chantent les chemins du Seigneur :
« Qu'elle est grande, la gloire du Seigneur ! »

Si haut que soit le Seigneur, il voit le plus humble ;
de loin, il reconnaît l'orgueilleux.
Si je marche au milieu des angoisses,
    tu me fais vivre,
ta main s'abat sur mes ennemis en colère.

Ta droite me rend vainqueur.
Le Seigneur fait tout pour moi !
Seigneur, éternel est ton amour :
n'arrête pas l'œuvre de tes mains.

Rendons gloire au Père tout-puissant,
à son Fils, Jésus Christ, le Seigneur,
à l'Esprit qui habite en nos cœurs,
pour les siècles des siècles. Amen.

Grâces te soient rendues, Dieu d'amour et de vérité : en ton
Fils Jésus, notre Seigneur, tu as tout fait pour nous ; en lui

s'élèvent au-dessus de tout ton nom et ta parole ; avec lui marchent les humbles, assurés de la victoire. Devant l'œuvre de tes mains, ton peuple chante avec les anges : Seigneur, qu'elle est grande ta gloire !

Parole de Dieu

1 Jean 3, 17-18

Celui qui a de quoi vivre en ce monde, s'il voit son frère dans le besoin sans se laisser attendrir, comment l'amour de Dieu pourrait-il demeurer en lui ? Mes enfants, nous devons aimer, non pas avec des paroles et des discours, mais par des actes et en vérité.

Seigneur,
allume en nous le feu de ton amour !

Cantique de Marie   (Texte, couverture A)

Intercession   (d'après les litanies des saints)

Montre ta bonté,
Pardonne-nous, Seigneur.

Montre ta bienveillance,
Exauce-nous, Seigneur.

De tout péché et de tout mal,
Délivre-nous, Seigneur.

Des embûches de l'Ennemi,
Délivre-nous, Seigneur.

De l'injustice et de la haine,
Délivre-nous, Seigneur.

Des faiblesses de la chair,
Délivre-nous, Seigneur.

Des jugements de ta colère,
Délivre-nous, Seigneur.

De la famine et de la guerre,
Délivre-nous, Seigneur.

Des fléaux et calamités,
Délivre-nous, Seigneur.

D'une mort imprévue,
Délivre-nous, Seigneur.

De la mort éternelle,
Délivre-nous, Seigneur.

Intentions libres

Notre Père…

Car c'est à toi qu'appartiennent
le règne, la puissance et la gloire,
pour les siècles des siècles!

SAINTS
D'HIER ET D'AUJOURD'HUI

**Le martyrologe romain fait mémoire
de SAINT MARCELLIN**

*La gloire du Christ apparaît sur le visage des saints
qui chantent dans les demeures du ciel.*

La fin des persécutions de l'empereur romain
Dioclétien (303-305) entraîna une grave ques-
tion pour l'Église. Pouvait-elle réintégrer ceux qui, laïcs ou
clercs, avaient abjuré leur foi sous la menace ? Les donatistes
y étaient opposés et firent sécession. Un siècle plus tard, la
guerre civile entre catholiques et donatistes durait toujours
en Afrique du Nord. Le légat impérial Marcellin fut chargé
d'organiser une conférence contradictoire entre les deux par-
ties à Carthage. En 410, Marcellin présida les débats avec
impartialité et, malgré les pressions, il condamna les donatistes. Il fut bientôt impliqué dans la révolte du comte d'Afrique
Hilarien et condamné comme criminel d'État. Les donatistes
s'étaient simplement vengés en portant contre lui de fausses
accusations. Bien qu'innocent, il fut tué en 413.
Marcellin était homme très cultivé, et ce fut pour répondre
à ses questions que saint Augustin, son ami, écrivit plusieurs
ouvrages.

Bonne fête ! Aimé et Amé

MERCREDI 14 SEPTEMBRE
La Croix glorieuse

Prière du matin

*Venez, adorons le Seigneur,
notre roi, élevé sur la croix.*

*Gloire au Père, et au Fils, et au Saint-Esprit,
au Dieu qui est, qui était, et qui vient,
pour les siècles des siècles. Amen. Alléluia.*

Hymne

Par la Croix qui fit mourir le Fils du Père,
Sarment béni où la grappe est vendangée,
　　Jésus Christ, nous te bénissons.
Par la Croix qui met le feu sur notre terre,
Buisson ardent où l'amour est révélé,
　　Jésus Christ, nous te glorifions.
Par la Croix qui fut plantée sur le Calvaire,
Rameau vivant qui guérit de tout péché,
　　Dieu vainqueur, ton Église t'acclame.

Par le Sang dont fut marqué le bois des portes
Pour nous garder dans la nuit où Dieu passait,
　　Jésus Christ, nous te bénissons.
Par le sang qui nous sauva dans notre Exode,
Lorsque les eaux sur l'enfer se refermaient,
　　Jésus Christ, nous te glorifions.
Par le Sang qui rend la vie aux sèves mortes
En détruisant le venin du fruit mauvais,
　　Dieu vainqueur, ton Église t'acclame.

Par la mort du Premier-Né sur la colline
Portant le bois et la flamme du bûcher,
　　Jésus Christ, nous te bénissons.

Par la mort du Bon Pasteur dans les épines,
Agneau pascal dont le cœur est transpercé,
   Jésus Christ, nous te glorifions.
Par la mort du Bien-Aimé, hors de sa vigne,
Pour qu'il changeât l'homicide en héritier,
   Dieu vainqueur, ton Église t'acclame.

CANTIQUE D'ISAÏE   (12)

Par la croix, la joie est entrée dans le monde. Rendons grâce à
Dieu qui nous sauve.

Seigneur, je te rends grâce : +
ta colère pesait sur moi, *
mais tu reviens de ta fureur
   et tu me consoles.

Voici le Dieu qui me sauve : *
j'ai confiance, je n'ai plus de crainte.
Ma force et mon chant, c'est le Seigneur ; *
il est pour moi le salut.

Exultant de joie,
   vous puiserez les eaux *
aux sources du salut.

Ce jour-là, vous direz :
   « Rendez grâce au Seigneur, *
proclamez son nom,
   annoncez parmi les peuples ses hauts faits ! »

Redites-le : « Sublime est son nom ! » +
Jouez pour le Seigneur, *
car il a fait les prodiges
   que toute la terre connaît.

Jubilez, criez de joie,
   habitants de Sion, *

car il est grand au milieu de toi,
le Saint d'Israël !

Gloire au Père, et au Fils, et au Saint-Esprit,
pour les siècles des siècles. Amen.

Parole de Dieu

Hébreux 2, 9b-10

Nous voyons Jésus couronné de gloire et d'honneur à cause de sa Passion et de sa mort. Si donc il a fait l'expérience de la mort, c'est, par grâce de Dieu, pour le salut de tous. En effet, puisque le créateur et maître de tout voulait avoir une multitude de fils à conduire jusqu'à la gloire, il était normal qu'il mène à sa perfection, par la souffrance, celui qui est à l'origine du salut de tous.

Nous t'adorons, ô Christ,
nous te bénissons !

CANTIQUE DE ZACHARIE   (Texte, couverture B)

LOUANGE ET INTERCESSION

Par la croix du Fils de Dieu, signe livré
qui rassemble les nations,
par le corps de Jésus Christ dans nos prisons,
innocent et torturé,
sur les terres désolées, terres d'exil,
sans printemps, sans amandiers,

R/ Fais paraître ton Jour et le temps de ta grâce,
Fais paraître ton Jour, que l'homme soit sauvé !

Par la croix du Bien-Aimé, fleuve de paix
où s'abreuve toute vie,
par le corps de Jésus Christ, hurlant nos peurs
dans la nuit des hôpitaux,

sur le monde que tu fis pour qu'il soit beau
et nous parle de ton nom,

Par la croix du Serviteur, porche royal
où s'avancent les pécheurs,
par le corps de Jésus Christ, nu, outragé,
sous le rire des bourreaux,
sur les foules sans berger et sans espoir
qui ne vont qu'à perdre cœur.   Intentions libres

Tu as voulu, Seigneur, que tous les hommes soient sauvés par la croix de ton Fils ; permets qu'ayant connu dès ici-bas ce mystère, nous goûtions au ciel les bienfaits de la rédemption. Par Jésus Christ, ton Fils, notre Seigneur.

La messe
Fête de la Croix glorieuse

● *La vénération de la sainte Croix, le 14 septembre, se rattache aux solennités de la dédicace de la basilique de la Résurrection, érigée sur le tombeau du Christ (335). Mais elle s'insère en même temps dans un contexte biblique, qui en souligne l'importance. « Le dixième jour du septième mois, dit le Seigneur, ce sera le jour du Grand Pardon » (Lv 23, 27), le Yom Kippour. « À partir du quinzième jour de ce septième mois, ce sera pendant sept jours la fête des Tentes en l'honneur du Seigneur » (Lv 23, 34). Salomon choisit cette fête pour célébrer la dédicace du Temple (1 R 8, 2.25). Or on sait que la lettre aux Hébreux interprète le sacrifice du Christ en référence à la liturgie du jour du Grand Pardon (He 9, 6-12), et que c'est au cours de la fête des Tentes que Jésus déclara : « Si quelqu'un a soif, qu'il vienne à moi » (Jn 7, 37).*
Le Christ s'est offert sur la croix en sacrifice afin que par lui le monde soit sauvé. La croix est pour le peuple

chrétien le signe de l'espérance du Royaume, que le peuple juif célèbre lors de la fête des Tentes. C'est dire de quelle lumière brille la Croix glorieuse de Jésus : objet de mépris, la croix est devenue « notre fierté » (a. d'ouverture). Si l'arbre planté au paradis originel a produit pour Adam un fruit de mort, l'arbre de la croix a porté pour nous un fruit de vie (préface), le Christ, en qui « nous avons le salut, la vie, la résurrection » (a. d'ouverture). ●

Que notre seule fierté soit la croix de notre Seigneur Jésus Christ. En lui, nous avons le salut, la vie, la résurrection ; par lui, nous sommes sauvés et délivrés.

Gloire à Dieu ———————————————— page 203

Prière——————————————— page précédente

Lecture du livre des Nombres   21, 4b-9

Au cours de sa marche à travers le désert, le peuple d'Israël, à bout de courage, récrimina contre Dieu et contre Moïse : « Pourquoi nous avoir fait monter d'Égypte ? Était-ce pour nous faire mourir dans le désert, où il n'y a ni pain ni eau ? Nous sommes dégoûtés de cette nourriture misérable ! » Alors le Seigneur envoya contre le peuple des serpents à la morsure brûlante, et beaucoup en moururent dans le peuple d'Israël. Le peuple vint vers Moïse et lui dit : « Nous avons péché, en récriminant contre le Seigneur et contre toi. Intercède auprès du Seigneur pour qu'il éloigne de nous les serpents. » Moïse intercéda pour le peuple et le Seigneur dit à Moïse : « Fais-toi un serpent et dresse-le au sommet d'un mât : tous ceux qui auront été mordus, qu'ils le regardent, et ils vivront ! » Moïse fit un serpent de bronze et le dressa au sommet d'un mât. Quand un homme était mordu par un serpent, et qu'il regardait vers le serpent de bronze, il conservait la vie !

Ou bien :

Lecture de la lettre
de saint Paul Apôtre aux Philippiens
2, 6-11

L E CHRIST JÉSUS, lui qui était dans la condition de Dieu, n'a pas jugé bon de revendiquer son droit d'être traité à l'égal de Dieu ; mais au contraire, il se dépouilla lui-même en prenant la condition de serviteur. Devenu semblable aux hommes et reconnu comme un homme à son comportement, il s'est abaissé lui-même en devenant obéissant jusqu'à mourir, et à mourir sur une croix. C'est pourquoi Dieu l'a élevé au-dessus de tout ; il lui a conféré le Nom qui surpasse tous les noms, afin qu'au Nom de Jésus, aux cieux, sur terre et dans l'abîme, tout être vivant tombe à genoux, et que toute langue proclame : « Jésus Christ est le Seigneur », pour la gloire de Dieu le Père.

─── • PSAUME 77 • ───

Par ta croix, Seigneur,
tu nous rends la vie.

Nous avons entendu et nous savons
ce que nos pères nous ont raconté :
et nous redirons à l'âge qui vient
les titres de gloire du Seigneur.

Quand Dieu les frappait, ils le cherchaient,
ils revenaient et se tournaient vers lui :
ils se souvenaient que Dieu est leur rocher,
et le Dieu Très-Haut, leur rédempteur.

Mais de leur bouche ils le trompaient,
de leur langue ils lui mentaient.
Leur cœur n'était pas constant envers lui ;
ils n'étaient pas fidèles à son alliance.

Et lui, miséricordieux,
au lieu de détruire, il pardonnait.
Il se rappelait : ils ne sont que chair,
un souffle qui s'en va sans retour.

Alléluia. Alléluia. Nous t'adorons, ô Christ, et nous te
bénissons : par ta croix, tu as racheté le monde. Alléluia.

Évangile de Jésus Christ selon saint Jean 3, 13-17

Nul n'est monté au ciel sinon celui qui est descendu du ciel, le Fils de l'homme. De même que le serpent de bronze fut élevé par Moïse dans le désert, ainsi faut-il que le Fils de l'homme soit élevé, afin que tout homme qui croit obtienne par lui la vie éternelle. Car Dieu a tant aimé le monde qu'il a donné son Fils unique : ainsi tout homme qui croit en lui ne périra pas, mais il obtiendra la vie éternelle. Car Dieu a envoyé son Fils dans le monde non pas pour juger le monde, mais pour que, par lui, le monde soit sauvé.

Prière sur les offrandes. Que cette offrande, nous t'en supplions, Seigneur, nous purifie de toutes nos fautes, puisque, sur l'autel de la croix, le Christ a enlevé le péché du monde entier. Lui qui règne avec toi pour les siècles des siècles.

Préface. Vraiment, il est juste et bon de te rendre gloire, de t'offrir notre action de grâce, toujours et en tout lieu, à toi, Père très saint, Dieu éternel et tout-puissant.
Car tu as attaché au bois de la croix le salut du genre humain, pour que la vie surgisse à nouveau d'un arbre qui donnait la mort, et que l'ennemi, victorieux par le bois, fût lui-même vaincu sur le bois, par le Christ, notre Seigneur.
Par lui, avec les anges et tous les saints, nous chantons l'hymne de ta gloire et sans fin nous proclamons : Saint !…

« Quand j'aurai été élevé de terre, dit le Seigneur, j'attirerai à moi tous les hommes. »

PRIÈRE APRÈS LA COMMUNION. Fortifiés par la nourriture que tu nous as donnée, nous te supplions, Seigneur Jésus Christ : conduis à la gloire de la résurrection ceux que tu as fait revivre par le bois de ta croix. Toi qui règnes pour les siècles des siècles.

MÉDITATION DU JOUR

Seul l'amour vainc la mort

Si Dieu a voulu la croix, si le Père *n'a pas épargné son Fils, mais l'a livré pour nous* (Rm 8, 32), c'est pour nous révéler son mystère d'amour. Le Christ crucifié est l'expression de la victoire de l'amour sur tout ce qui n'est pas l'amour. Pour révéler que DIEU EST AMOUR, substantiellement amour, il faut se servir de cet absolu qu'est la mort, de cette brisure de l'unité substantielle de l'homme. La limite absolue, pour l'homme, et le seul absolu d'ordre sensible, c'est la mort. Et c'est parce qu'elle a ainsi valeur absolue que la mort peut être utilisée par la sagesse de Dieu, comme signe le plus capable de manifester la grandeur de son amour. Car seul un amour substantiel peut être victorieux de cette brisure substantielle qu'est la mort. Notre amour à nous ne le peut pas ; si grand, si fort qu'il soit, il demeure intentionnel, et donc il ne peut ni empêcher la mort de ceux que nous aimons, ni se servir de la mort pour se communiquer à eux.

MARIE-DOMINIQUE PHILIPPE

Dominicain, philosophe et théologien, le père Marie-Dominique Philippe († 2006) a fondé la communauté Saint-Jean.

Prière du soir

Venez, adorons le Seigneur,
notre roi, élevé sur la croix.

Gloire au Père, et au Fils, et au Saint-Esprit,
au Dieu qui est, qui était, et qui vient,
pour les siècles des siècles. Amen. Alléluia.

Hymne

Par la mort du Premier-Né sur la colline
Portant le bois et la flamme du bûcher,
    Jésus Christ, nous te bénissons.
Par la mort du Bon Pasteur dans les épines,
Agneau pascal dont le cœur est transpercé,
    Jésus Christ, nous te glorifions.
Par la mort du Bien-Aimé, hors de sa vigne,
Pour qu'il changeât l'homicide en héritier,
    Dieu vainqueur, ton Église t'acclame.

Par le Bois qui a chanté le chant des noces
Du Dieu vivant épousant l'humanité,
    Jésus Christ, nous te bénissons.
Par le Bois qui fait lever en pleine force
Le Fils de l'homme attirant le monde entier,
    Jésus Christ, nous te glorifions.
Par le Bois où s'accomplit le Sacerdoce
Du seul Grand Prêtre, immolé pour le péché,
    Dieu vainqueur, ton Église t'acclame.

Arbre saint qui touche au ciel depuis la terre
Pour que le Dieu de Jacob soit exalté,
    Jésus Christ, nous te bénissons.
Grand vaisseau qui nous arrache à la colère
En nous sauvant du déluge avec Noé,
    Jésus Christ, nous te glorifions.

Tendre Bois qui adoucit les eaux amères
Et fait jaillir la fontaine du Rocher,
  Dieu vainqueur, ton Église t'acclame.

CANTIQUE DE PIERRE (2)

En contemplant la croix, nous rappelons la mort et la résurrection du Christ qui nous précède dans la gloire.

C'est pour nous que le Christ a souffert ; +
il nous a marqué le chemin*
pour que nous allions sur ses traces.

℟   Par ses blessures, nous sommes guéris.

Il n'a pas commis le péché ;
dans sa bouche, on n'a pu trouver de mensonge.

Insulté, sans rendre l'insulte, +
maltraité, sans proférer de menaces, *
il s'en remettait
  à Celui qui juge avec justice.

C'était nos péchés qu'il portait,
  dans son corps, sur le bois, +
afin que morts à nos péchés
nous vivions pour la justice.

Parole de Dieu 1 Corinthiens 1, 23-24

N OUS PROCLAMONS un Messie crucifié, scandale pour les Juifs, folie pour les peuples païens. Mais pour ceux que Dieu appelle, qu'ils soient juifs ou grecs, ce Messie est puissance et sagesse de Dieu.

Fais paraître ton Jour,
et le temps de ta grâce.

CANTIQUE DE MARIE (Texte, couverture A)

INTERCESSION

Par la croix de l'Homme-Dieu, arbre béni
où s'abritent les oiseaux,
par le corps de Jésus Christ, recrucifié
dans nos guerres sans pardon,
sur les peuples de la nuit et du brouillard,
que la haine a décimés,

℟   Fais paraître ton Jour, et le temps de ta grâce,
     fais paraître ton Jour, que l'homme soit sauvé !

Par la croix du vrai pasteur, alléluia,
où l'enfer est désarmé,
par le corps de Jésus Christ, alléluia,
qui appelle avec nos voix,
sur l'Église de ce temps, alléluia,
que l'Esprit vient purifier,

Par la croix du Premier-Né, alléluia,
le gibet qui tue la mort,
par le corps de Jésus Christ, alléluia,
la vraie chair de notre chair,
sur la pierre des tombeaux, alléluia,
sur nos tombes à venir.

Intentions libres

Notre Père...

     Car c'est à toi qu'appartiennent
     le règne, la puissance et la gloire,
     pour les siècles des siècles !

Notre-Dame des Douleurs

Il y a sept jours, nous célébrions le mystère de la naissance de Notre Dame, nous voici aujourd'hui conviés à la contempler dans le mystère de sa participation à la Passion de son fils.

Romanos le Mélode, dans un très beau poème, imagine Marie rencontrant son fils sur le chemin du Calvaire. Il relie cet événement au miracle de Cana.

« Comme une agnelle, elle a regardé son agneau emporté pour être mis à mort ; Marie suivait, pleine de tristesse, avec les autres femmes, disant ces paroles pitoyables : Où vas-tu, mon fils ? Pourquoi à cet instant presses-tu ta marche ? Y a-t-il de nouveau des noces à Cana où tu te rendes en hâte pour transformer l'eau en vin à leur intention ? »

Profonde pensée de Romanos le Mélode, car c'est bien Marie qui a demandé à son fils d'intervenir, et Jésus lui a répondu que son *heure* n'était *pas encore venue* (Jn **2**, 4). La Passion de Jésus est ici considérée comme un nouveau Cana. Voici venue l'heure de Jésus et donc celle de sa mère qui est présente à nouveau pour célébrer à ses côtés les noces de l'Alliance nouvelle.

L'œuvre de Jésus s'est ouverte à Cana à la demande de Marie et elle s'achève au Calvaire avec son consentement. Dans le premier signe opéré par Jésus, les Pères de l'Église ont discerné une forte dimension symbolique, en voyant, dans la transformation de l'eau en vin, l'annonce du passage de l'ancienne à la nouvelle Alliance : à Cana, l'eau des jarres, destinée à la purification des Juifs et à l'accomplissement des prescriptions de la Loi (cf. Mc **7**, 15), devenait précisément le vin nouveau du banquet nuptial, symbole de l'union définitive entre Dieu et l'humanité. Le miracle de Cana contenait déjà celui du Calvaire. En accomplissant son premier miracle, Jésus s'engageait sur la voie qui l'a conduit à la croix. Marie, déjà présente aux prémices de l'œuvre de son fils, l'accompagne encore pour l'ultime étape.

La dévotion aux douleurs de la Vierge

La dévotion à Notre-Dame des douleurs nous vient d'Orient. Mais elle correspond à la sensibilité occidentale du bas Moyen Âge, qui renouait à ce moment-là avec des sensibilités plus anciennes. Plusieurs hymnes sur la douleur de Marie avaient circulé sous le nom d'Éphrem le Syrien. L'une d'elles est si émouvante qu'on l'appelle le *Stabat mater* de l'Antiquité chrétienne.

La fin du Moyen Âge mettait l'accent sur l'aspect humain et maternel de Marie aux dépens parfois d'une approche plus profonde du mystère. Mais il faut bien remarquer que l'on a été finalement plus attaché aux joies de Marie qu'à ses douleurs. La dévotion aux sept joies était très répandue aux XIIe et XIIIe siècles, bien plus que celle aux souffrances.

C'est par contraste que la dévotion aux sept joies de Marie a inspiré le modèle des sept douleurs.

La fête liturgique

La première fête liturgique a été instituée à Cologne, le 22 avril 1423. Elle a subi par la suite plusieurs variations dans le calendrier. À la demande de Philippe V, elle a été fêtée en Espagne, le 17 septembre 1735. Pie VII étendit la fête à tout le rite romain. Mais c'est à saint Pie X que nous devons le choix du 15 septembre.

■ B.M.

JEUDI 15 SEPTEMBRE
Notre-Dame des Douleurs

Prière du matin

Avec Marie au pied de la croix,
adorons le Sauveur du monde.

Gloire au Père, et au Fils, et au Saint-Esprit !

HYMNE

Entendez-vous tous ces cœurs battre,
Comme s'ils n'étaient que d'un corps,
D'un glas navrant dans sa tristesse :
L'Église pleurant son Christ mort !

Regardez-la qui le regarde :
Celui qu'elle aimait n'est-il plus ?
Avant d'avoir touché ses lèvres,
Est-elle veuve de Jésus ?

Les yeux qu'elle adorait se ferment,
Le dernier soupir est lâché !
Elle était vaine, la promesse
De ne jamais l'abandonner !

Console-toi, fille des hommes,
Dans sa mort ton Christ te rejoint :
Si tu voyais au sein du Père,
Tu verrais son Fils dans le tien.

Il reprend tout de vie nouvelle,
Il reprend tout, même la mort !
Et toi, tu vas au long des siècles
Lui former vraiment tout son corps.

Entendez-vous tant de cœurs battre,
Comme s'il n'était qu'un sonneur ?

Pour un tel chant de l'espérance :
L'Église recevant son cœur !

PSAUME 45

Quand le poids du jour pèse sur nos vies, souvenons-nous de Marie debout au pied de la croix.

Dieu est pour nous refuge et force,
secours dans la détresse, toujours offert.
Nous serons sans crainte si la terre est secouée,
si les montagnes s'effondrent au creux de la mer ;
ses flots peuvent mugir et s'enfler,
les montagnes, trembler dans la tempête :

℟ Il est avec nous,
le Seigneur de l'univers ;
citadelle pour nous,
le Dieu de Jacob !

Le Fleuve, ses bras réjouissent la ville de Dieu,
la plus sainte des demeures du Très-Haut.
Dieu s'y tient : elle est inébranlable ;
quand renaît le matin, Dieu la secourt.
Des peuples mugissent, des règnes s'effondrent ;
quand sa voix retentit, la terre se défait. ℟

Venez et voyez les actes du Seigneur,
comme il couvre de ruines la terre.
Il détruit la guerre jusqu'au bout du monde,
il casse les arcs, brise les lances, incendie les chars :
« Arrêtez ! Sachez que je suis Dieu.
Je domine les nations, je domine la terre. » ℟

Parole de Dieu   Colossiens 1, 24-25

Je trouve la joie dans les
souffrances que je supporte
pour vous, car ce qu'il reste à souffrir des épreuves du

Christ, je l'accomplis dans ma propre chair, pour son corps qui est l'Église. De cette Église je suis devenu ministre, et la charge que Dieu m'a confiée, c'est d'accomplir pour vous sa parole.

Réjouis-toi, Mère des douleurs ;
aujourd'hui, tu partages la gloire de ton fils.

CANTIQUE DE ZACHARIE   (Texte, couverture B)

LOUANGE ET INTERCESSION

Avec Marie, la mère de Jésus, mettons notre foi en Dieu notre Père.

℟   En toi, Seigneur, le salut de ton peuple.

Debout au pied de la croix,
Marie participe aux épreuves du Messie
pour son Corps qui est l'Église.

C'est toi, Père, le Dieu de sa force.

Debout au pied de la croix,
Marie contemple, fixé au bois,
le Prince de la vie.

C'est toi, Père, le Dieu de son adoration.

Debout au pied de la croix,
Marie reçoit la parole du Crucifié :
« Femme, voici ton fils. »

C'est toi, Père, le Dieu de sa fécondité.

Au pied de la croix,
Marie accueille dans l'espérance
le corps meurtri du Fils de l'homme.

C'est toi, Père, le Dieu de toute résurrection.

Intentions libres

Tu as voulu, Seigneur, que la mère de ton Fils, debout près de la croix, fût associée à ses souffrances ; accorde à ton Église de s'unir, elle aussi, à la Passion du Christ, afin d'avoir part à sa résurrection. Lui qui règne.

La messe

(Aujourd'hui, l'Évangile de la mémoire de Notre-Dame des Douleurs est obligatoire car il fait mention de la Vierge Marie, il n'est donc pas permis de prendre l'Évangile de la férie. Cependant, on peut choisir la première lecture de la férie, ainsi que le psaume qui l'accompagne, pages 192-193.)

Notre-Dame des Douleurs

Mémoire

● *Au lendemain de la fête de la sainte Croix, nous faisons mémoire de la compassion de Marie, c'est-à-dire de « l'écho de la Passion dans son cœur » (E. Mâle). Debout au pied de la croix, Marie « souffrit cruellement avec son Fils unique, associée d'un cœur maternel à son sacrifice, donnant à l'immolation de la victime, née de sa chair, le consentement de son amour » (IIe concile du Vatican). C'est pour avoir communié intimement à la Passion de Jésus que Marie a été associée d'une manière unique à la gloire de sa résurrection. Si son assomption découle de sa maternité divine, il convient de souligner que Marie n'a jamais été plus mère qu'au pied de la croix : c'est là que son cœur a été « transpercé comme par une épée » (a. d'ouverture) à la vue des souffrances de Jésus ; là aussi que la maternité de Marie s'est étendue à tous les membres du Corps du Christ, qui allait naître de son côté ouvert (p. sur les offrandes). Dans sa compassion, comme en sa conception imma-culée et en son assomption, Marie est la figure de l'Église. Dans l'Église qui souffre au long des âges et sur toute la surface de la terre, la Passion du Christ continue (p. d'ouverture et après la communion). Mais, si l'Église accepte de s'unir à la Passion du Christ, elle est appelée, comme Marie, à partager la gloire de sa résurrection (p. d'ouverture). Aussi les chrétiens doivent-ils se réjouir d'être appelés à porter la croix du Seigneur, car, « lorsque se manifestera sa gloire, [leur] joie ne connaîtra plus de limites » (a. de la communion).* ●

Le vieillard Syméon dit à la Vierge Marie : « Vois, ton fils qui est là provoquera la chute et le relèvement de beaucoup en Israël. Il sera un signe de division, et toi-même, ton cœur sera transpercé comme par une épée. »

PRIÈRE ———————————————— page précédente

Lecture de la lettre aux Hébreux 5, 7-9

LE CHRIST, pendant les jours de sa vie mortelle, a présenté, avec un grand cri et dans les larmes, sa prière et sa supplication, à Dieu qui pouvait le sauver de la mort ; et, parce qu'il s'est soumis en tout, il a été exaucé. Bien qu'il soit le Fils, il a pourtant appris l'obéissance par les souffrances de sa Passion ; et, ainsi conduit à sa perfection, il est devenu pour tous ceux qui lui obéissent la cause du salut éternel.

● PSAUME 30 ●

Sauve-moi, mon Dieu, dans ton amour.

En toi, Seigneur, j'ai mon refuge ;
garde-moi d'être humilié pour toujours.
Dans ta justice, libère-moi ;
écoute, et viens me délivrer.

Sois le rocher qui m'abrite,
la maison fortifiée qui me sauve.

Ma forteresse et mon roc, c'est toi :
pour l'honneur de ton nom,
tu me guides et me conduis.

Tu m'arraches au filet qu'ils m'ont tendu ;
oui, c'est toi mon abri.
En tes mains je remets mon esprit ;
tu me rachètes, Seigneur, Dieu de vérité.

Moi, je suis sûr de toi, Seigneur,
je dis : « Tu es mon Dieu ! »
Mes jours sont dans ta main : délivre-moi
des mains hostiles qui s'acharnent.

Qu'ils sont grands, tes bienfaits !
Tu les réserves à ceux qui te craignent.
Tu combles, à la face du monde,
ceux qui ont en toi leur refuge.

Ou bien :

Jeudi de la 24ᵉ semaine du temps ordinaire

Lecture de la première lettre
de saint Paul Apôtre à Timothée

4, 12-16

FILS BIEN-AIMÉ, que personne n'ait lieu de te mépriser parce que tu es jeune ; au contraire, sois pour les croyants un modèle par ta façon de parler et de vivre, par ton amour et ta foi, par la pureté de ta vie. En attendant que je vienne, applique-toi à lire l'Écriture aux fidèles, à les encourager et à les instruire. Ne néglige pas le don de Dieu qui est en toi, ce don que tu as reçu grâce à l'intervention des prophètes, quand l'assemblée des Anciens a imposé les mains sur toi. Tu dois prendre à cœur tout cela et t'y donner, afin que tous voient tes progrès. Sois attentif à ta conduite et à ton enseignement ; mets-y de la persévérance. En agissant ainsi, tu obtiendras le salut, pour toi-même et pour ceux qui t'écoutent.

• PSAUME 110 •

Grandes sont tes œuvres, Seigneur !
Ou bien :
Alléluia !

Justesse et sûreté, les œuvres de ses mains,
sécurité, toutes ses lois,
établies pour toujours et à jamais !

Il apporte la délivrance à son peuple ;
son alliance est promulguée pour toujours :
saint et redoutable est son nom.

La sagesse commence avec la crainte du Seigneur.
Qui accomplit sa volonté en est éclairé.
À jamais se maintiendra sa louange.

[Notre-Dame des Douleurs]

SÉQUENCE (facultative) ——————————— pages 196 à 199

Alléluia. Alléluia. Bienheureuse Vierge Marie ! Près de la croix du Seigneur, sans connaître la mort elle a mérité la gloire du martyre. **Alléluia.**

Évangile de Jésus Christ selon saint Jean   19, 25-27

PRÈS DE LA CROIX de Jésus se tenait sa mère, avec la sœur de sa mère, Marie femme de Cléophas, et Marie Madeleine. Jésus, voyant sa mère, et près d'elle le disciple qu'il aimait, dit à sa mère : « Femme, voici ton fils. » Puis il dit au disciple : « Voici ta mère. » Et à partir de cette heure-là, le disciple la prit chez lui.

Ou bien :

Évangile de Jésus Christ selon saint Luc   2, 33-35

LORSQU'ILS PRÉSENTÈRENT Jésus au Temple, le père et la mère de l'enfant s'étonnaient de ce qu'on disait de lui. Syméon les bénit, puis il dit à Marie sa mère : « Vois, ton fils qui est là provoquera la chute et le relèvement de beaucoup en Israël. Il sera un signe de division. – Et toi-même, ton cœur sera transpercé par une épée. – Ainsi seront dévoilées les pensées secrètes d'un grand nombre. »

PRIÈRE SUR LES OFFRANDES. Pour la gloire de ton nom, Dieu de miséricorde, accepte les prières et les offrandes que nous te présentons en l'honneur de la sainte Vierge Marie, puisque tu as voulu qu'elle devienne notre mère quand elle se tenait près de la croix de Jésus. Lui qui règne avec toi pour les siècles des siècles.

PRÉFACE DE LA VIERGE MARIE I OU II ———— pages 208 et 209

Si vous avez part aux souffrances du Christ, réjouissez-vous : lorsque se manifestera sa gloire, cette joie ne connaîtra plus de limites.

PRIÈRE APRÈS LA COMMUNION. Après avoir reçu le sacrement de l'éternelle rédemption, nous te supplions humblement, Seigneur : en nous rappelant la compassion de la Vierge Marie, puissions-nous accomplir en nous pour l'Église ce qu'il reste encore à souffrir des épreuves du Christ. Lui qui règne avec toi pour les siècles des siècles.

• ————————————————————————— •

MÉDITATION DU JOUR

• ————————————————————————— •

Marie et l'eucharistie

Durant toute sa vie au côté du Christ et non seulement au Calvaire, Marie a fait sienne la dimension sacri-

Quis est homo qui non fleret,
matrem Christi si vidéret
in tanto supplício?

> Quel homme sans verser de pleurs
> Verrait la Mère du Seigneur
> Endurer si grand supplice?

Quis non posset constristári,
piam matrem contemplári,
doléntem cum Fílio?

> Qui pourrait dans l'indifférence
> Contempler en cette souffrance
> La Mère auprès de son Fils?

Pro peccátis suae gentis
vidit Iesum in torméntis
et flagéllis súbditum.

> Pour toutes les fautes humaines,
> Elle vit Jésus dans la peine
> Et sous les fouets meurtri.

Vidit suum dulcem Natum
moriéntem desolátum,
cum emisit spíritum.

> Elle vit l'Enfant bien-aimé
> Mourir tout seul, abandonné,
> Et soudain rendre l'esprit.

Christe, cum sit hinc exíre,
da per matrem me veníre
ad palmam victóriae.

> Ô Christ, à l'heure de partir,
> Puisse ta Mère me conduire
> À la palme des vainqueurs.

Eia, mater, fons amóris,
me sentíre vim dolóris
fac, ut tecum lúgeam.

> Ô Mère, source de tendresse,
> Fais-moi sentir grande tristesse
> Pour que je pleure avec toi.

Fac ut árdeat cor meum
in amándo Christum Deum,
ut sibi compláceam.

> Fais que mon âme soit de feu
> Dans l'amour du Seigneur mon Dieu :
> Que je lui plaise avec toi.

Sancta mater, ístud agas,
Crucifíxi fige plagas
cordi meo válide.

> Mère sainte, daigne imprimer
> Les plaies de Jésus crucifié
> En mon cœur très fortement.

Tui Nati vulneráti,
tam dignáti pro me pati
poenas mecum dívide.

> Pour moi, ton Fils voulut mourir;
> Aussi donne-moi de souffrir
> Une part de ses tourments.

Fac me vere tecum flere,
Crucifíxo condolére,
donec ego víxero.

> Pleurer en toute vérité,
> Comme toi près du crucifié,
> Au long de mon existence!

Iuxta crucem tecum stare
ac me tibi sociáre
in planctu desídero.

> Je désire auprès de la croix
> Me tenir, debout avec toi,
> Dans ta plainte et ta souffrance.

Quando corpus moriétur,
fac ut ánimae donétur
paradísi glória.

> À l'heure où mon corps va mourir,
> À mon âme, fais obtenir
> La gloire du paradis.

CANTIQUE AUX ÉPHÉSIENS (1)

Avec Marie, contemplons le mystère de notre salut et rendons grâce.

Qu'il soit béni, le Dieu et Père
de notre Seigneur, Jésus, le Christ !

Il nous a bénis et comblés
   des bénédictions de l'Esprit, *
au ciel, dans le Christ.

Il nous a choisis, dans le Christ,
   avant que le monde fût créé, *
pour être saints et sans péchés devant sa face
   grâce à son amour.

Il nous a prédestinés
   à être, pour lui, des fils adoptifs *
par Jésus, le Christ.

Ainsi l'a voulu sa bonté,
   à la louange de gloire de sa grâce, *
la grâce qu'il nous a faite
   dans le Fils bien-aimé.

En lui, par son sang, *
nous avons le rachat,
le pardon des péchés.

C'est la richesse de sa grâce
dont il déborde jusqu'à nous *
en toute intelligence et sagesse.

Il nous dévoile ainsi le mystère de sa volonté, *
selon que sa bonté l'avait prévu dans le Christ :

pour mener les temps à leur plénitude, +
récapituler toutes choses dans le Christ, *
celles du ciel et celles de la terre.

Parole de Dieu   2 Timothée 2, 10-12a

J E SUPPORTE TOUT **pour ceux
que Dieu a choisis, afin qu'ils**
obtiennent, eux aussi, le salut par Jésus Christ, avec la
gloire éternelle. Voici une parole sûre : Si nous sommes
morts avec lui, avec lui nous vivrons. Si nous supportons
l'épreuve, avec lui nous régnerons.

Tu es la gloire de notre peuple, Vierge Marie !

Cantique de Marie   (Texte, couverture A)

Avec Marie et son fils, le Fils de Dieu, nous prions :

Notre Père… Car c'est à toi qu'appartiennent…

*Sous l'abri de ta miséricorde,
nous nous réfugions, Sainte Mère de Dieu.
Ne méprise pas nos prières
quand nous sommes dans l'épreuve,
mais de tous les dangers
délivre-nous toujours,
Vierge glorieuse, Vierge bienheureuse.*

SAINTS
D'HIER ET D'AUJOURD'HUI
**Le martyrologe romain fait mémoire
du BIENHEUREUX ANTOINE-MARIE SCHWARTZ**

*Ils ne cessent d'intercéder pour nous,
les saints qui ont marché à la suite du Christ.*

Non seulement convertir la société au Christ, mais la renouveler en lui, voilà le programme ambitieux que s'est fixé le père Antoine-Marie Schwartz (1852-1929) en Autriche.

D'origine modeste, le père Antoine-Marie Schwartz se tourne vers le monde ouvrier, qu'il connaît, et, plus précisément vers les jeunes apprentis, auxquels est destinée la congrégation des calasantiens (ou « pieux ouvriers »), dont il est le fondateur. S'inspirant des écoles pies pour enfants pauvres de saint Joseph de Calasanz, cette congrégation multiplie les activités pastorales, artistiques et sociales et offre un soutien aux enfants pauvres, en les aidant à trouver leur orientation professionnelle. Le père Schwartz se bat pour sauvegarder leur repos du dimanche et n'hésite pas à affronter le Parlement pour défendre leurs droits. On lui doit la première « église des ouvriers de Vienne ». La source de son dynamisme était sa confiance en la Vierge Marie et la prière. « Nous devons prier davantage », répétait-il.

Bonne fête ! Roland, Dolorès, Lola et Lolita

LITURGIE DE LA MESSE

- Au nom du Père, et du Fils, et du Saint-Esprit.
- Amen.

Salutation mutuelle

- La grâce de Jésus notre Seigneur,
  l'amour de Dieu le Père,
  et la communion de l'Esprit Saint,
  soient toujours avec vous.
- Et avec votre esprit.

Préparation pénitentielle

Préparons-nous à la célébration de l'eucharistie
en reconnaissant que nous sommes pécheurs.

1

Je confesse à Dieu tout-puissant,
je reconnais devant mes frères que j'ai péché
en pensée, en parole, par action et par omission ;
oui, j'ai vraiment péché.   *(On se frappe la poitrine :)*

C'est pourquoi je supplie la Vierge Marie,
les anges et tous les saints,
et vous aussi, mes frères,
de prier pour moi le Seigneur notre Dieu.

2

(Ou bien on peut dire le dialogue suivant :)

- Seigneur, accorde-nous ton pardon.
- Nous avons péché contre toi.
- Montre-nous ta miséricorde.
- Et nous serons sauvés.

3

(Ou encore la litanie suivante ou une autre semblable :)

- Seigneur Jésus, envoyé par le Père
  pour guérir et sauver les hommes,
  prends pitié de nous.
- Prends pitié de nous.

- Ô Christ, venu dans le monde
appeler tous les pécheurs,
prends pitié de nous.
- Prends pitié de nous.

- Seigneur, élevé dans la gloire du Père,
où tu intercèdes pour nous,
prends pitié de nous.
- Prends pitié de nous.

- Que Dieu tout-puissant nous fasse miséricorde ; qu'il nous
pardonne nos péchés et nous conduise à la vie éternelle.
- Amen.

Prière de supplication

- Seigneur, prends pitié.   Kyrie, eleison.
- Seigneur, prends pitié.   Kyrie, eleison.
- Ô Christ, prends pitié.   Christe, eleison.
- Ô Christ, prends pitié.   Christe, eleison.
- Seigneur, prends pitié.   Kyrie, eleison.
- Seigneur, prends pitié.   Kyrie, eleison.

Chant de louange

Gloire à Dieu, au plus haut des cieux,
Et paix sur la terre aux hommes qu'il aime.
Nous te louons, nous te bénissons, nous t'adorons.
Nous te glorifions, nous te rendons grâce,
    pour ton immense gloire,
Seigneur Dieu, Roi du ciel, Dieu le Père tout-puissant.
Seigneur, Fils unique, Jésus Christ,
Seigneur Dieu, Agneau de Dieu, le Fils du Père ;
Toi qui enlèves le péché du monde,
    prends pitié de nous ;
Toi qui enlèves le péché du monde,
    reçois notre prière ;
Toi qui es assis à la droite du Père,
    prends pitié de nous.
Car toi seul es saint, toi seul es Seigneur,

Toi seul es le Très-Haut : Jésus Christ,
    avec le Saint-Esprit
Dans la gloire de Dieu le Père. Amen.

Gloria in excelsis Deo
et in terra pax hominibus bonae voluntatis.
Laudamus te, benedicimus te, adoramus te,
glorificamus te, gratias agimus tibi
propter magnam gloriam tuam,
Domine Deus, Rex caelestis,
Deus Pater omnipotens.
Domine Fili unigenite, Iesu Christe,
Domine Deus, Agnus Dei, Filius Patris,
qui tollis peccata mundi, miserere nobis,
qui tollis peccata mundi,
suscipe deprecationem nostram ;
qui sedes ad dexteram Patris, miserere nobis.
Quoniam tu solus Sanctus,
tu solus Dominus,
tu solus Altissimus, Iesu Christe,
cum Sancto Spiritu :
in gloria Dei Patris. Amen.

Prière d'ouverture

Première lecture

Psaume

Deuxième lecture

Acclamation de l'Évangile

Purifie mon cœur et mes lèvres, Dieu très saint,
pour que je fasse entendre à mes frères la Bonne Nouvelle.

Évangile

- Le Seigneur soit avec vous.
- Et avec votre esprit.
- Évangile de Jésus Christ + selon saint...
- Gloire à toi, Seigneur.

(À la fin de l'Évangile :)

■ Acclamons la parole de Dieu.
■ Louange à toi, Seigneur Jésus.

Homélie

Profession de foi
Le symbole des Apôtres

Je crois en Dieu, le Père tout-puissant,
créateur du ciel et de la terre.
Et en Jésus Christ, son Fils unique, notre Seigneur,
qui a été conçu du Saint-Esprit,
est né de la Vierge Marie,
a souffert sous Ponce Pilate,
a été crucifié, est mort et a été enseveli,
est descendu aux enfers,
le troisième jour, est ressuscité des morts,
est monté aux cieux,
est assis à la droite de Dieu le Père tout-puissant,
d'où il viendra juger les vivants et les morts.

Je crois en l'Esprit Saint,
à la sainte Église catholique,
à la communion des saints,
à la rémission des péchés,
à la résurrection de la chair,
à la vie éternelle. Amen.

Le symbole de Nicée-Constantinople

Je crois en un seul Dieu,
le Père tout-puissant, créateur du ciel et de la terre,
de l'univers visible et invisible.
Je crois en un seul Seigneur, Jésus Christ,
le Fils unique de Dieu,
né du Père avant tous les siècles :
Il est Dieu, né de Dieu,
lumière, née de la lumière,
vrai Dieu, né du vrai Dieu,
Engendré, non pas créé, de même nature que le Père ;
et par lui tout a été fait.

Pour nous les hommes, et pour notre salut,
il descendit du ciel.
Par l'Esprit Saint, il a pris chair de la Vierge Marie,
et s'est fait homme.
Crucifié pour nous sous Ponce Pilate,
il souffrit sa Passion et fut mis au tombeau.
Il ressuscita le troisième jour,
conformément aux Écritures,
et il monta au ciel ; il est assis à la droite du Père.
Il reviendra dans la gloire,
pour juger les vivants et les morts ;
et son règne n'aura pas de fin.
Je crois en l'Esprit Saint,
qui est Seigneur et qui donne la vie ;
il procède du Père et du Fils.
Avec le Père et le Fils,
il reçoit même adoration et même gloire ;
il a parlé par les prophètes.
Je crois en l'Église, une, sainte, catholique
et apostolique.
Je reconnais un seul baptême
pour le pardon des péchés.
J'attends la résurrection des morts,
et la vie du monde à venir. Amen.

Credo in unum Deum,
Patrem omnipotentem, factorem caeli et terrae,
visibilium omnium et invisibilium.
Et in unum Dominum Iesum Christum,
Filium Dei unigenitum,
et ex Patre natum ante omnia saecula.
Deum de Deo,
lumen de lumine,
Deum verum de Deo vero,
genitum, non factum, consubstantialem Patri :
per quem omnia facta sunt.
Qui propter nos homines et propter nostram salutem
descendit de caelis.
Et incarnatus est de Spiritu Sancto ex Maria Virgine,
et homo factus est.

Crucifixus etiam pro nobis sub Pontio Pilato,
passus et sepultus est,
et resurrexit tertia die, secundum Scripturas,
et ascendit in caelum, sedet ad dexteram Patris.
Et iterum venturus est cum gloria,
iudicare vivos et mortuos,
cuius regni non erit finis.
Et in Spiritum Sanctum,
Dominum et vivificantem :
qui ex Patre Filioque procedit ;
qui cum Patre et Filio,
simul adoratur et conglorificatur :
qui locutus est per prophetas.
Et unam, sanctam, catholicam et apostolicam Ecclesiam.
Confiteor unum baptisma in remissionem peccatorum.
Et exspecto resurrectionem mortuorum,
et vitam venturi saeculi. Amen.

Prière universelle

Liturgie eucharistique

Préparation des dons

- Tu es béni, Dieu de l'univers, toi qui nous donnes ce pain, fruit de la terre et du travail des hommes ; nous te le présentons : il deviendra le pain de la vie.
- **Béni soit Dieu, maintenant et toujours !**

Comme cette eau se mêle au vin pour le sacrement de l'Alliance, puissions-nous être unis à la divinité de Celui qui a pris notre humanité.

- Tu es béni, Dieu de l'univers, toi qui nous donnes ce vin, fruit de la vigne et du travail des hommes ; nous te le présentons : il deviendra le vin du Royaume éternel.
- **Béni soit Dieu, maintenant et toujours !**

Humbles et pauvres, nous te supplions, Seigneur ; accueille-nous : que notre sacrifice, en ce jour, trouve grâce devant toi. Lave-moi de mes fautes, Seigneur, purifie-moi de mon péché.

Prière sur les offrandes

■ Prions ensemble, au moment d'offrir le sacrifice de toute l'Église.

■ Pour la gloire de Dieu et le salut du monde.

Prière eucharistique

■ Le Seigneur soit avec vous.

■ Et avec votre esprit.

■ Élevons notre cœur.

■ Nous le tournons vers le Seigneur.

■ Rendons grâce au Seigneur notre Dieu.

■ Cela est juste et bon.

(Les préfaces se trouvent habituellement au jour concerné.)

Préface des dimanches du temps ordinaire I

Vraiment, il est juste et bon de te rendre gloire, de t'offrir notre action de grâce, toujours et en tout lieu, à toi, Père très saint, Dieu éternel et tout-puissant, par le Christ, notre Seigneur.

Dans le mystère de sa Pâque, il a fait une œuvre merveilleuse, car nous étions esclaves de la mort et du péché, et nous sommes appelés à partager sa gloire ; nous portons désormais ces noms glorieux : nation sainte, peuple racheté, race choisie, sacerdoce royal ; nous pouvons annoncer au monde les merveilles que tu as accomplies, toi qui nous fais passer des ténèbres à ton admirable lumière.

C'est pourquoi, avec les anges et tous les saints, nous proclamons ta gloire, en chantant (disant) d'une seule voix : **Saint !**...

Préface de la Vierge Marie I

Vraiment, il est juste et bon de te rendre gloire, de t'offrir notre action de grâce, toujours et en tout lieu, à toi, Père très saint, Dieu éternel et tout-puissant.

En ce jour, où nous célébrons la mémoire de la bienheureuse Vierge Marie, nous voulons te chanter, te bénir et te glorifier. Car elle a conçu ton Fils unique lorsque le Saint-Esprit la couvrit de son ombre, et, gardant pour toujours la gloire de sa virginité, elle a donné au monde la lumière éternelle, Jésus Christ, notre Seigneur.

C'est par lui que les anges célèbrent ta grandeur, que les esprits bienheureux adorent ta gloire, que s'inclinent devant toi les puissances d'en haut et tressaillent d'une même allégresse les innombrables créatures des cieux. À leur hymne de louange, laisse-nous joindre nos voix pour chanter et proclamer : Saint !…

Préface de la Vierge Marie II

Vraiment, Père très saint, il est bon de reconnaître ta gloire dans le triomphe de tes élus, et, pour fêter la Vierge Marie, de reprendre son cantique d'action de grâce : oui, tu as étendu ta miséricorde à tous les âges et révélé tes merveilles à la terre entière, en choisissant ton humble servante pour donner au monde un Sauveur, ton Fils, le Seigneur Jésus Christ. C'est par lui que les anges, assemblés devant toi, adorent ta gloire ; à leur hymne de louange, laisse-nous joindre nos voix pour chanter et proclamer : Saint !…

Préface commune I

Vraiment, il est juste et bon de te rendre gloire, de t'offrir notre action de grâce, toujours et en tout lieu, à toi, Père très saint, Dieu éternel et tout-puissant, par le Christ, notre Seigneur.

En lui, tu as voulu que tout soit rassemblé, et tu nous as fait partager la vie qu'il possède en plénitude : lui qui est vraiment Dieu, il s'est anéanti pour donner au monde la paix par le sang de sa croix ; élevé au-dessus de toute créature, il est maintenant le salut pour tous ceux qui écoutent sa parole.

C'est pourquoi, avec les anges et tous les saints, nous proclamons ta gloire, en chantant (disant) d'une seule voix : Saint !…

Préface commune VI
Cette préface est généralement utilisée avec la PE II.

Vraiment, Père très saint, il est juste et bon de te rendre grâce, toujours et en tout lieu, par ton Fils bien-aimé, Jésus Christ. Car il est ta parole vivante, par qui tu as créé toutes choses ; c'est lui que tu nous as envoyé comme Rédempteur et Sauveur, Dieu fait homme, conçu de l'Esprit Saint, né de la Vierge

Marie ; pour accomplir jusqu'au bout ta volonté et rassembler du milieu des hommes un peuple saint qui t'appartienne, il étendit les mains à l'heure de sa Passion, afin que soit brisée la mort, et que la résurrection soit manifestée.

C'est pourquoi, avec les anges et tous les saints, nous proclamons ta gloire, en chantant (disant) d'une seule voix :

■ Saint ! Saint ! Saint,
le Seigneur, Dieu de l'univers !
Le ciel et la terre sont remplis de ta gloire.
Hosanna au plus haut des cieux.
Béni soit celui qui vient au nom du Seigneur.
Hosanna au plus haut des cieux.

■ Sanctus, Sanctus, Sanctus
Dominus Deus Sabaoth.
Pleni sunt caeli et terra gloria tua.
Hosanna in excelsis.
Benedictus qui venit in nomine Domini.
Hosanna in excelsis.

*PRIÈRES EUCHARISTIQUES
II : p. 213 ; III : p. 215 ; IV : p. 217.*

Prière eucharistique I

Père infiniment bon, toi vers qui montent nos louanges, nous te supplions par Jésus Christ, ton Fils, notre Seigneur, d'accepter et de bénir ces offrandes saintes.

Nous te les présentons avant tout pour ta sainte Église catholique : accorde-lui la paix et protège-la, daigne la rassembler dans l'unité et la gouverner par toute la terre ; nous les présentons en même temps pour ton serviteur le pape ..., pour notre évêque ... et tous ceux qui veillent fidèlement sur la foi catholique reçue des Apôtres. Souviens-toi, Seigneur, de tes serviteurs ... et de tous ceux qui sont ici réunis, dont tu connais la foi et l'attachement.

Nous t'offrons pour eux, ou ils t'offrent pour eux-mêmes et tous les leurs, ce sacrifice de louange, pour leur propre rédemption, pour le salut qu'ils espèrent ; et ils te rendent cet hommage à toi, Dieu éternel, vivant et vrai.

Dans la communion de toute l'Église, nous voulons nommer en premier lieu la bienheureuse Marie toujours Vierge, Mère de notre Dieu et Seigneur, Jésus Christ ;

Propre du dimanche

Dans la communion de toute l'Église, nous célébrons le jour où le Christ est ressuscité d'entre les morts, et nous voulons nommer en premier lieu la bienheureuse Marie toujours Vierge, Mère de notre Dieu et Seigneur, Jésus Christ ;

Propre de la Nativité de la Vierge Marie

Dans la communion de toute l'Église, nous célébrons le jour de la naissance de la Vierge Marie que tu avais choisie depuis toujours pour être la mère du Sauveur, et nous voulons nommer en premier lieu cette Vierge bienheureuse, la Mère de notre Dieu et Seigneur, Jésus Christ ;

saint Joseph, son époux, les saints Apôtres et martyrs Pierre et Paul, André [Jacques et Jean, Thomas, Jacques et Philippe, Barthélemy et Matthieu, Simon et Jude, Lin, Clet, Clément, Sixte, Corneille et Cyprien, Laurent, Chrysogone, Jean et Paul, Côme et Damien,] et tous les saints. Accorde-nous, par leur prière et leurs mérites, d'être, toujours et partout, forts de ton secours et de ta protection.

Voici l'offrande que nous présentons devant toi, nous, tes serviteurs, et ta famille entière : dans ta bienveillance, accepte-la. Assure toi-même la paix de notre vie, arrache-nous à la damnation et reçois-nous parmi tes élus.

Sanctifie pleinement cette offrande par la puissance de ta bénédiction, rends-la parfaite et digne de toi : qu'elle devienne pour nous le corps et le sang de ton Fils bien-aimé, Jésus Christ, notre Seigneur.

La veille de sa Passion,
il prit le pain dans ses mains très saintes et,
les yeux levés au ciel, vers toi, Dieu,
son Père tout-puissant, en te rendant grâce il le bénit,
le rompit, et le donna à ses disciples, en disant :

« Prenez, et mangez-en tous ;
ceci est mon corps livré pour vous. »

De même, à la fin du repas,
il prit dans ses mains cette coupe incomparable ;
et te rendant grâce à nouveau
il la bénit, et la donna à ses disciples, en disant :
« Prenez, et buvez-en tous,
car ceci est la coupe de mon sang,
le sang de l'Alliance nouvelle et éternelle,
qui sera versé pour vous et pour la multitude,
en rémission des péchés.
Vous ferez cela, en mémoire de moi. »

- Il est grand le mystère de la foi :
- Nous proclamons ta mort, Seigneur Jésus,
  nous célébrons ta résurrection,
  nous attendons ta venue dans la gloire.

C'est pourquoi nous aussi, tes serviteurs, et ton peuple saint avec nous, faisant mémoire de la Passion bienheureuse de ton Fils, Jésus Christ, notre Seigneur, de sa résurrection du séjour des morts et de sa glorieuse ascension dans le ciel, nous te présentons, Dieu de gloire et de majesté, cette offrande prélevée sur les biens que tu nous donnes, le sacrifice pur et saint, le sacrifice parfait, pain de la vie éternelle et coupe du salut.

Et comme il t'a plu d'accueillir les présents d'Abel le Juste, le sacrifice de notre père Abraham, et celui que t'offrit Melkisédek, ton grand prêtre, en signe du sacrifice parfait, regarde cette offrande avec amour et, dans ta bienveillance, accepte-la.

Nous t'en supplions, Dieu tout-puissant : qu'elle soit portée par ton ange en présence de ta gloire, sur ton autel céleste, afin qu'en recevant ici, par notre communion à l'autel, le corps et le sang de ton Fils, nous soyons comblés de ta grâce et de tes bénédictions.

Souviens-toi de tes serviteurs … qui nous ont précédés, marqués du signe de la foi, et qui dorment dans la paix …

Pour eux et pour tous ceux qui reposent dans le Christ, nous implorons ta bonté : qu'ils entrent dans la joie, la paix et la lumière.

Et nous pécheurs, qui mettons notre espérance en ta miséricorde inépuisable, admets-nous dans la communauté des bienheureux Apôtres et martyrs, de Jean Baptiste, Étienne, Matthias et Barnabé, [Ignace, Alexandre, Marcellin et Pierre, Félicité et Perpétue, Agathe, Lucie, Agnès, Cécile, Anastasie], et de tous les saints.

Accueille-nous dans leur compagnie, sans nous juger sur le mérite mais en accordant ton pardon, par Jésus Christ, notre Seigneur. C'est par lui que tu ne cesses de créer tous ces biens, que tu les bénis, leur donnes la vie, les sanctifies et nous en fais le don.

Par lui, avec lui et en lui, à toi, Dieu le Père tout-puissant, dans l'unité du Saint-Esprit, tout honneur et toute gloire, pour les siècles des siècles !

■ **Amen.**   (Notre Père : page 219)

Prière eucharistique II

Toi qui es vraiment saint, toi qui es la source de toute sainteté, Seigneur, nous te prions :

Propre du dimanche

Toi qui es vraiment saint, toi qui es la source de toute sainteté, nous voici rassemblés devant toi, et, dans la communion de toute l'Église, en ce premier jour de la semaine, nous célébrons le jour où le Christ est ressuscité d'entre les morts. Par lui que tu as élevé à ta droite, Dieu notre Père, nous te prions :

Propre de la Nativité de la Vierge Marie

Toi qui es vraiment saint, toi qui es la source de toute sainteté, nous voici rassemblés devant toi, et, dans la communion de toute l'Église, nous célébrons le jour de la naissance de la Vierge Marie que tu avais choisie depuis toujours pour être la mère de notre Rédempteur et Sauveur, Jésus Christ. Par lui, Dieu notre Père, nous te prions :

Sanctifie ces offrandes en répandant sur elles ton Esprit ; qu'elles deviennent pour nous le corps et le sang de Jésus, le Christ, notre Seigneur.

Au moment d'être livré
et d'entrer librement dans sa Passion,
il prit le pain, il rendit grâce, il le rompit
et le donna à ses disciples, en disant :
« Prenez, et mangez-en tous :
ceci est mon corps livré pour vous. »
De même à la fin du repas,
il prit la coupe ; de nouveau il rendit grâce,
et la donna à ses disciples, en disant :
« Prenez, et buvez-en tous,
car ceci est la coupe de mon sang,
le sang de l'Alliance nouvelle et éternelle,
qui sera versé pour vous et pour la multitude
en rémission des péchés.
Vous ferez cela, en mémoire de moi. »

- ■ Quand nous mangeons ce pain et buvons à cette coupe,
  nous célébrons le mystère de la foi :
- ■ **Nous rappelons ta mort,**
  Seigneur ressuscité,
  et nous attendons que tu viennes.

Faisant ici mémoire de la mort et de la résurrection de ton Fils, nous t'offrons, Seigneur, le pain de la vie et la coupe du salut, et nous te rendons grâce, car tu nous as choisis pour servir en ta présence.

Humblement, nous te demandons qu'en ayant part au corps et au sang du Christ, nous soyons rassemblés par l'Esprit Saint en un seul corps.

Souviens-toi, Seigneur, de ton Église répandue à travers le monde : fais-la grandir dans ta charité avec le pape …, notre évêque …, et tous ceux qui ont la charge de ton peuple.

Souviens-toi aussi de nos frères qui se sont endormis dans l'espérance de la résurrection, et de tous les hommes qui ont quitté cette vie : reçois-les dans ta lumière, auprès de toi.

Sur nous tous enfin, nous implorons ta bonté : permets qu'avec la Vierge Marie, la bienheureuse Mère de Dieu, avec les Apôtres et les saints de tous les temps qui ont vécu dans ton amitié, nous ayons part à la vie éternelle, et que nous chantions ta louange, par Jésus Christ, ton Fils bien-aimé.

Par lui, avec lui et en lui, à toi, Dieu le Père tout-puissant, dans l'unité du Saint-Esprit, tout honneur et toute gloire, pour les siècles des siècles.

■ **Amen.**   (Notre Père : page 219)

Prière eucharistique III

Tu es vraiment saint, Dieu de l'univers, et toute la création proclame ta louange, car c'est toi qui donnes la vie, c'est toi qui sanctifies toutes choses, par ton Fils, Jésus Christ, notre Seigneur, avec la puissance de l'Esprit Saint ; et tu ne cesses de rassembler ton peuple, afin qu'il te présente partout dans le monde une offrande pure.

C'est pourquoi nous te supplions de consacrer toi-même les offrandes que nous apportons :

PROPRE DU DIMANCHE

C'est pourquoi nous voici rassemblés devant toi et, dans la communion de toute l'Église, en ce premier jour de la semaine, nous célébrons le jour où le Christ est ressuscité d'entre les morts. Par lui, que tu as élevé à ta droite, Dieu tout-puissant, nous te supplions de consacrer toi-même les offrandes que nous apportons :

PROPRE DE LA NATIVITÉ DE LA VIERGE MARIE

C'est pourquoi nous voici rassemblés devant toi et, dans la communion de toute l'Église, nous célébrons le jour de la naissance de la Vierge Marie, que tu avais choisie depuis toujours pour être la mère de notre Rédempteur et Sauveur, Jésus Christ. Par lui, Dieu tout-puissant, nous te supplions de consacrer toi-même les offrandes que nous apportons :

Sanctifie-les par ton Esprit pour qu'elles deviennent le corps et le sang de ton Fils, Jésus Christ, notre Seigneur, qui nous a dit de célébrer ce mystère. La nuit même où il fut livré, il prit le pain, en te rendant grâce il le bénit, il le rompit et le donna à ses disciples, en disant : « Prenez, et mangez-en tous : ceci est mon corps livré pour vous. »

De même à la fin du repas,
il prit la coupe, en te rendant grâce il la bénit
et la donna à ses disciples, en disant :
« Prenez, et buvez-en tous,
car ceci est la coupe de mon sang,
le sang de l'Alliance nouvelle et éternelle,
qui sera versé pour vous et pour la multitude
en rémission des péchés.
Vous ferez cela, en mémoire de moi. »

■ Proclamons le mystère de la foi :
■ Gloire à toi qui étais mort,
  gloire à toi qui es vivant,
  notre Sauveur et notre Dieu :
  Viens, Seigneur Jésus !

En faisant mémoire de ton Fils, de sa Passion qui nous sauve, de sa glorieuse résurrection et de son ascension dans le ciel, alors que nous attendons son dernier avènement, nous présentons cette offrande vivante et sainte pour te rendre grâce. Regarde, Seigneur, le sacrifice de ton Église, et daigne y reconnaître celui de ton Fils qui nous a rétablis dans ton alliance ; quand nous serons nourris de son corps et de son sang et remplis de l'Esprit Saint, accorde-nous d'être un seul corps et un seul esprit dans le Christ.

Que l'Esprit Saint fasse de nous une éternelle offrande à ta gloire, pour que nous obtenions un jour les biens du monde à venir auprès de la Vierge Marie, la bienheureuse Mère de Dieu, avec les Apôtres, les martyrs, [saint ...] et tous les saints, qui ne cessent d'intercéder pour nous.

Et maintenant, nous te supplions, Seigneur : par le sacrifice qui nous réconcilie avec toi, étends au monde entier le salut et la paix. Affermis la foi et la charité de ton Église au long de son chemin sur la terre : veille sur ton serviteur le pape ..., et notre évêque ..., l'ensemble des évêques, les prêtres, les diacres, et tout le peuple des rachetés.

Écoute les prières de ta famille assemblée devant toi, et ramène à toi, Père très aimant, tous tes enfants dispersés.

Pour nos frères défunts, pour les hommes qui ont quitté ce monde et dont tu connais la droiture, nous te prions : reçois-les dans ton royaume, où nous espérons être comblés de ta gloire, tous ensemble et pour l'éternité, par le Christ, notre Seigneur, par qui tu donnes au monde toute grâce et tout bien.

Par lui, avec lui et en lui, à toi, Dieu le Père tout-puissant, dans l'unité du Saint-Esprit, tout honneur et toute gloire, pour les siècles des siècles.
- **Amen.**   (Notre Père : page 219)

Prière eucharistique IV

Vraiment, il est bon de te rendre grâce, il est juste et bon de te glorifier, Père très saint, car tu es le seul Dieu, le Dieu vivant et vrai : tu étais avant tous les siècles, tu demeures éternellement lumière au-delà de toute lumière. Toi, le Dieu de bonté, la source de la vie, tu as fait le monde pour que toute créature soit comblée de tes bénédictions, et que beaucoup se réjouissent de ta lumière. Ainsi, les anges innombrables qui te servent jour et nuit se tiennent devant toi, et, contemplant la splendeur de ta face, n'interrompent jamais leur louange.
Unis à leur hymne d'allégresse, avec la création tout entière qui t'acclame par nos voix, Dieu, nous te chantons : **Saint !**…

Père très saint, nous proclamons que tu es grand et que tu as créé toutes choses avec sagesse et par amour : tu as fait l'homme à ton image, et tu lui as confié l'univers, afin qu'en te servant, toi son Créateur, il règne sur la création. Comme il avait perdu ton amitié en se détournant de toi, tu ne l'as pas abandonné au pouvoir de la mort. Dans ta miséricorde, tu es venu en aide à tous les hommes pour qu'ils te cherchent et puissent te trouver. Tu as multiplié les alliances avec eux, et tu les as formés, par les prophètes, dans l'espérance du salut.
Tu as tellement aimé le monde, Père très saint, que tu nous as envoyé ton propre Fils, lorsque les temps furent accomplis, pour qu'il soit notre Sauveur. Conçu de l'Esprit Saint, né de la Vierge Marie, il a vécu notre condition d'homme en toute

chose, excepté le péché, annonçant aux pauvres la Bonne Nouvelle du salut ; aux captifs, la délivrance ; aux affligés, la joie.

Pour accomplir le dessein de ton amour, il s'est livré lui-même à la mort, et, par sa résurrection, il a détruit la mort et renouvelé la vie. Afin que notre vie ne soit plus à nous-mêmes, mais à lui qui est mort et ressuscité pour nous, il a envoyé d'auprès de toi, comme premier don fait aux croyants, l'Esprit qui poursuit son œuvre dans le monde et achève toute sanctification.

Que ce même Esprit Saint, nous t'en prions, Seigneur, sanctifie ces offrandes : qu'elles deviennent ainsi le corps et le sang de ton Fils dans la célébration de ce grand mystère, que lui-même nous a laissé en signe de l'Alliance éternelle.

Quand l'heure fut venue où tu allais le glorifier, comme il avait aimé les siens qui étaient dans le monde, il les aima jusqu'au bout : pendant le repas qu'il partageait avec eux, il prit le pain, il le bénit, le rompit et le donna à ses disciples, en disant :

« Prenez, et mangez-en tous :
ceci est mon corps livré pour vous. »

De même, il prit la coupe remplie de vin, il rendit grâce, et la donna à ses disciples en disant :

« Prenez, et buvez-en tous,
car ceci est la coupe de mon sang,
le sang de l'Alliance nouvelle et éternelle
qui sera versé pour vous et pour la multitude
en rémission des péchés.
Vous ferez cela, en mémoire de moi. »

- Il est grand, le mystère de la foi :
- Nous proclamons ta mort, Seigneur Jésus,
  nous célébrons ta résurrection,
  nous attendons ta venue dans la gloire.

Voilà pourquoi, Seigneur, nous célébrons aujourd'hui le mémorial de notre rédemption : en rappelant la mort de Jésus Christ et sa descente au séjour des morts, en proclamant sa résurrection et son ascension à ta droite dans le ciel, en attendant aussi qu'il vienne dans la gloire, nous t'offrons son corps et son sang, le sacrifice qui est digne de toi et qui sauve le monde. Regarde, Seigneur, cette offrande que tu as donnée toi-même à ton Église ; accorde à tous ceux qui vont partager ce pain et boire à cette coupe d'être rassemblés par l'Esprit Saint en un seul corps, pour qu'ils soient eux-mêmes dans le Christ une vivante offrande à la louange de ta gloire.

Et maintenant, Seigneur, rappelle-toi tous ceux pour qui nous offrons le sacrifice : le pape …, notre évêque … et tous les évêques, les prêtres et ceux qui les assistent, les fidèles qui présentent cette offrande, les membres de notre assemblée, le peuple qui t'appartient et tous les hommes qui te cherchent avec droiture.

Souviens-toi aussi de nos frères qui sont morts dans la paix du Christ, et de tous les morts dont toi seul connais la foi.

À nous qui sommes tes enfants, accorde, Père très bon, l'héritage de la vie éternelle auprès de la Vierge Marie, la bienheureuse Mère de Dieu, auprès des Apôtres et de tous les saints, dans ton royaume, où nous pourrons, avec la création tout entière enfin libérée du péché et de la mort, te glorifier par le Christ, notre Seigneur, par qui tu donnes au monde toute grâce et tout bien.

Par lui, avec lui et en lui, à toi, Dieu le Père tout-puissant, dans l'unité du Saint-Esprit, tout honneur et toute gloire, pour les siècles des siècles.

■ Amen. (Notre Père)

Prière du Seigneur Jésus

Unis dans le même Esprit, nous pouvons dire avec confiance la prière que nous avons reçue du Sauveur :

Notre Père, qui es aux cieux,
que ton nom soit sanctifié,
que ton règne vienne,
que ta volonté soit faite
sur la terre comme au ciel.
Donne-nous aujourd'hui
notre pain de ce jour.
Pardonne-nous nos offenses,

comme nous pardonnons aussi
à ceux qui nous ont offensés.
Et ne nous soumets pas à la tentation,
mais délivre-nous du Mal.

Pater noster, qui es in caelis :
sanctificetur nomen tuum ;
adveniat regnum tuum ;
fiat voluntas tua,
sicut in caelo, et in terra.
Panem nostrum quotidianum
da nobis hodie ;
et dimitte nobis debita nostra,
sicut et nos dimittimus
debitoribus nostris ;
et ne nos inducas in tentationem ;
sed libera nos a Malo.

■ Délivre-nous de tout mal, Seigneur, et donne la paix à
notre temps ; par ta miséricorde, libère-nous du péché,
rassure-nous devant les épreuves en cette vie où nous espérons le bonheur que tu promets et l'avènement de Jésus
Christ, notre Sauveur.

■ Car c'est à toi qu'appartiennent
le règne, la puissance et la gloire,
pour les siècles des siècles !

La paix

Seigneur Jésus Christ, tu as dit à tes Apôtres : « Je vous laisse
la paix, je vous donne ma paix » ; ne regarde pas nos péchés
mais la foi de ton Église ; pour que ta volonté s'accomplisse,
donne-lui toujours cette paix, et conduis-la vers l'unité parfaite, toi qui règnes pour les siècles des siècles.

■ Amen.

■ Que la paix du Seigneur soit toujours avec vous.

■ Et avec votre esprit.

(Ensuite, le prêtre, ou le diacre, peut dire aux fidèles :)

Frères, dans la charité du Christ, donnez-vous la paix.

Fraction du pain

■ Agneau de Dieu, qui enlèves le péché du monde,
prends pitié de nous.
Agneau de Dieu, qui enlèves le péché du monde,
prends pitié de nous.
Agneau de Dieu, qui enlèves le péché du monde,
donne-nous la paix.

■ Agnus Dei, qui tollis peccata mundi :
miserere nobis.
Agnus Dei, qui tollis peccata mundi :
miserere nobis.
Agnus Dei, qui tollis peccata mundi :
dona nobis pacem.

*(Le prêtre laisse tomber un petit fragment de l'hostie
dans le vin consacré en disant à voix basse :)*

Que le corps et le sang de Jésus Christ, réunis dans cette
coupe, nourrissent en nous la vie éternelle.

Prière avant la communion

Seigneur Jésus Christ, Fils du Dieu vivant, selon la volonté du
Père et avec la puissance du Saint-Esprit, tu as donné, par ta
mort, la vie au monde ; que ton corps et ton sang me délivrent
de mes péchés et de tout mal ; fais que je demeure fidèle à tes
commandements et que jamais je ne sois séparé de toi.

(Ou bien :)

Seigneur Jésus Christ, que cette communion à ton corps et à
ton sang n'entraîne pour moi ni jugement ni condamnation ;
mais qu'elle soutienne mon esprit et mon corps et me donne
la guérison.

Communion

(En présentant le pain consacré, le prêtre dit à haute voix :)

■ Heureux les invités au repas du Seigneur !
Voici l'Agneau de Dieu, qui enlève le péché du monde.

(Prêtre et fidèles disent ensemble en se frappant la poitrine :)

■ Seigneur, je ne suis pas digne de te recevoir ;
mais dis seulement une parole et je serai guéri.

(Le prêtre communie au corps et au sang du Christ.)

Prière après la communion

Annonces

Renvoi de l'assemblée

■ Le Seigneur soit avec vous.
■ Et avec votre esprit.
■ Que Dieu tout-puissant vous bénisse,
le Père, le Fils et le Saint-Esprit.
■ Amen.
■ Allez, dans la paix du Christ.
■ Nous rendons grâce à Dieu.

VENDREDI 16 SEPTEMBRE
Saints Corneille et Cyprien

Prière du matin

Dieu tout-puissant, gloire à ton nom,
par ton Fils, dans l'Esprit Saint !

Gloire au Père, et au Fils, et au Saint-Esprit,
au Dieu qui est, qui était, et qui vient,
pour les siècles des siècles. Amen. Alléluia.

HYMNE

Dieu caché,
Tu n'as plus d'autre Parole
Que ce fruit nouveau-né
Dans la nuit qui t'engendre à la terre ;
Tu dis seulement
Le nom d'un enfant :
Le lieu où tu enfouis ta semence.

R̷ Explique-toi par ce lieu-dit :
Que l'Esprit parle à notre esprit
Dans le silence !

Dieu livré,
Tu n'as plus d'autre Parole
Que ce corps partagé
Dans le pain qui te porte à nos lèvres ;
Tu dis seulement
La coupe du sang
Versé pour la nouvelle confiance.

Dieu blessé,
Tu n'as plus d'autre Parole
Que cet homme humilié

Sur le bois qui t'expose au Calvaire !
Tu dis seulement
L'appel déchirant
D'un Dieu qui apprendrait la souffrance.

Psaume 106 (i) — Reconnaître l'amour du Seigneur

Le peuple d'Israël a su lire les signes de la fidélité de Dieu à travers son histoire, souvent chaotique. Ouvrons nos cœurs pour reconnaître le passage de Dieu dans nos vies.

Rendez grâce au Seigneur : Il est bon !
Éternel est son amour !

Ils le diront, les rachetés du Seigneur,
qu'il racheta de la main de l'oppresseur,
qu'il rassembla de tous les pays,
du nord et du midi, du levant et du couchant.

Certains erraient dans le désert   la soif
    sur des chemins perdus, *
sans trouver de ville où s'établir :
ils souffraient la faim et la soif,
ils sentaient leur âme défaillir.

    Dans leur angoisse, ils ont crié vers le Seigneur,
        et lui les as tirés de la détresse :
    il les conduit sur le bon chemin,
    les mène vers une ville où s'établir.

    Qu'ils rendent grâce au Seigneur de son amour,
        de ses merveilles pour les hommes :
    car il étanche leur soif,
    il comble de biens les affamés !

Certains gisaient dans les ténèbres mortelles   la prison
captifs de la misère et des fers :
ils avaient bravé les ordres de Dieu
et méprisé les desseins du Très-Haut ;

soumis par lui à des travaux accablants,
ils succombaient, et nul ne les aidait.

Dans leur angoisse, ils ont crié vers le Seigneur,
et lui les a tirés de la détresse :
il les délivre des ténèbres mortelles,
il fait tomber leurs chaînes.

Qu'ils rendent grâce au Seigneur de son amour,
de ses merveilles pour les hommes :
car il brise les portes de bronze,
il casse les barres de fer !

Certains, égarés par leur péché,   la maladie
ployaient sous le poids de leurs fautes :
ils avaient toute nourriture en dégoût,
ils touchaient aux portes de la mort.

Dans leur angoisse, ils ont crié vers le Seigneur,
et lui les a tirés de la détresse :
il envoie sa parole, il les guérit,
il arrache leur vie à la fosse.

Qu'ils rendent grâce au Seigneur de son amour,
de ses merveilles pour les hommes :
qu'ils offrent des sacrifices d'action de grâce,
à pleine voix qu'ils proclament ses œuvres !

Rendons gloire au Père tout-puissant,
à son Fils, Jésus Christ, le Seigneur,
à l'Esprit qui habite en nos cœurs,
pour les siècles des siècles. Amen.

Parole de Dieu   Romains 8, 35.37

QUI POURRA **nous séparer de**
l'amour du Christ ? la
détresse ? l'angoisse ? la persécution ? la faim ? le dénue-

ment ? le danger ? le supplice ? En tout cela nous sommes les grands vainqueurs grâce à celui qui nous a aimés.

Pas de plus grand amour
que de donner sa vie !

CANTIQUE DE ZACHARIE   (Texte, couverture B)

LOUANGE ET INTERCESSION

Et maintenant, Seigneur, permets-nous de prier,
pour ta plus grande gloire :

Source de la vie, tu es à l'origine de tout ce qui existe :
– reçois notre admiration et nos actions de grâce,

℟ Pour ta plus grande gloire !

Pasteur de ton peuple, tu le conduis avec amour :
– fais de nous tes serviteurs dans l'Église servante,

Père de Jésus Christ, tu as reçu l'offrande de sa vie :
– accepte la nôtre pour ta gloire,

Maître de l'histoire, tu agis au cœur des hommes :
– donne-nous de construire avec toi ton royaume.

Intentions libres

Seigneur, tu as donné à ton peuple, dans les saints Corneille et Cyprien, des pasteurs dévoués et d'invincibles martyrs ; à leur prière, fortifie notre courage et notre foi, et accorde-nous de travailler avec empressement pour l'unité de l'Église. Par Jésus Christ, ton Fils, notre Seigneur et notre Dieu, maintenant et pour les siècles des siècles.

LA MESSE
Vendredi de la 24ᵉ semaine du temps ordinaire

SAINTS CYPRIEN ET CORNEILLE (IIIᵉ s.) *Mémoire*

● *Cyprien, évêque de Carthage, fut décapité le 14 septembre 258. Ses lettres et ses autres écrits, ainsi que sa passion, révèlent en lui l'âme d'un véritable pasteur, toujours sur la brèche pour soutenir ses frères dans la persécution et sauvegarder l'unité de l'Église, soucieux de donner en tout l'exemple de la fidélité au Seigneur Jésus Christ.*

Le pape Corneille, qui mourut en exil à Civitavecchia, au terme d'un bref épiscopat (251-253), s'était attiré le respect et l'amitié de Cyprien. C'est pourquoi, dès le IVᵉ siècle, l'Église romaine fêtait Corneille dans sa propre crypte funéraire au jour anniversaire de Cyprien. ●

Les épreuves affluent sur les justes, mais chaque fois le Seigneur les délivre ; il veille sur chacun de leurs os, pas un ne sera brisé.

PRIÈRE ———————————————— page précédente

Lecture de la première lettre de saint Paul Apôtre à Timothée

6, 2c-12

F ILS BIEN-AIMÉ, je t'ai dit ce que tu dois enseigner et recommander. Si quelqu'un enseigne autre chose, et ne s'attache pas aux paroles solides, celles de notre Seigneur Jésus Christ, et à l'enseignement vraiment religieux, un tel homme est plein de lui-même, il ne sait rien, c'est un malade de la discussion et des querelles de mots. Il ne sort de tout cela que rivalités, discordes, insultes, soupçons malveillants, disputes interminables de gens à l'esprit corrompu, qui, coupés de la vérité, ne voient dans la religion

qu'une source de profits. Certes, il y a un grand profit
dans la religion si l'on se contente de ce que l'on a. De
même que nous n'avons rien apporté dans ce monde, nous
ne pourrons rien emporter. Si nous avons de quoi manger et nous habiller, sachons nous en contenter. Ceux qui
veulent s'enrichir tombent dans le piège de la tentation ;
ils se laissent prendre par une foule de désirs absurdes et
dangereux, qui précipitent les gens dans la ruine et la per-
dition. Car la racine de tous les maux, c'est l'amour de
l'argent. Pour s'y être livrés, certains se sont égarés loin
de la foi et se sont infligé à eux-mêmes des tourments sans
nombre. Mais toi, l'homme de Dieu, évite tout cela :
cherche à être juste et religieux, vis dans la foi et l'amour,
la persévérance et la douceur. Continue à bien te battre
pour la foi, et tu obtiendras la vie éternelle ; c'est à elle
que tu as été appelé, c'est pour elle que tu as été capable
d'une si belle affirmation de ta foi devant de nombreux
témoins.

———— • Psaume 48 • ————

Heureux les pauvres de cœur :
le Royaume des cieux est à eux !

Pourquoi craindre aux jours de malheur
ces fourbes qui me talonnent pour m'encercler,
ceux qui s'appuient sur leur fortune
et se vantent de leurs grandes richesses ?

Nul ne peut racheter son frère
ni payer à Dieu sa rançon :
aussi cher qu'il puisse payer,
toute vie doit finir.

Ne crains pas l'homme qui s'enrichit,
qui accroît le luxe de sa maison :

aux enfers il n'emporte rien ;
sa gloire ne descend pas avec lui.

De son vivant, il s'est béni lui-même :
« On t'applaudit, car tout va bien pour toi ! »
Mais il rejoint la lignée de ses ancêtres
qui ne verront jamais plus la lumière.

Alléluia. Alléluia. Tu es béni, Dieu notre Père, Seigneur
de l'univers, toi qui révèles aux petits les mystères du
Royaume ! Alléluia.

Évangile de Jésus Christ selon saint Luc 8, 1-3

JÉSUS passait à travers villes et villages, proclamant la Bonne Nouvelle du règne de Dieu. Les Douze l'accompagnaient, ainsi que des femmes qu'il avait délivrées d'esprits mauvais et guéries de leurs maladies : Marie, appelée Madeleine (qui avait été libérée de sept démons), Jeanne, femme de Kouza, l'intendant d'Hérode, Suzanne, et beaucoup d'autres, qui les aidaient de leurs ressources.

PRIÈRE SUR LES OFFRANDES. Accepte, nous t'en prions, Seigneur, l'offrande que ton peuple te présente pour célébrer la passion de tes martyrs ; qu'elle nous obtienne d'être fermes dans l'adversité, comme elle rendit courageux dans la persécution les saints Corneille et Cyprien. Par Jésus, le Christ, notre Seigneur.

Le Fils de l'homme n'est pas venu pour être servi, mais pour servir et donner sa vie en rançon pour la multitude.

PRIÈRE APRÈS LA COMMUNION. Par le sacrement que nous avons reçu de toi, Seigneur, accorde-nous cette grâce : puissions-nous, à l'exemple des saints Corneille et Cyprien, être forts de la force de ton Esprit, afin de rendre témoignage à la vérité de l'Évangile. Par Jésus, le Christ, notre Seigneur.

MÉDITATION DU JOUR

De quel côté sommes-nous ?

Saint Cyprien écrit ainsi en faveur des *lapsi*, ces chrétiens qui avaient renié leur foi pendant la persécution de l'empereur Dèce en 250.

Nous ne devons pas être acerbes, ni durs, ni sans humanité, quand il s'agit d'encourager nos frères, mais plutôt souffrir avec ceux qui souffrent, pleurer avec ceux qui pleurent et les relever autant que nous le pouvons, en leur prêtant le secours et les consolations de notre affection. Il ne faut pas non plus nous montrer ni tellement implacables et opiniâtres à repousser leur pénitence, ni non plus relâchés et trop faciles à les admettre dans notre communion.

Un de nos frères est étendu sur le sol, blessé dans le combat par l'adversaire. D'un côté, le diable s'efforce d'achever celui qu'il a blessé, de l'autre, le Christ exhorte celui qu'il a racheté à ne point périr entièrement. Quel est des deux celui auprès de qui nous nous tenons, de quel côté sommes-nous ? Est-ce avec le diable, afin qu'il tue, et voyant notre frère gisant à demi mort, passons-nous, comme dans l'Évangile le prêtre et le lévite (Lc 10, 25-37) ? Ou bien, comme des prêtres de Dieu et du Christ, suivant Dieu et le Christ dans son enseignement et dans sa pratique, enlevons-nous le blessé de la gueule du monstre ennemi, pour le soigner et le réserver ensuite au jugement de Dieu ?

S. Cyprien de Carthage

Converti du paganisme, évêque de Carthage, Cyprien († 258) fut un homme de prière au service de l'unité de l'Église et un éminent pasteur auprès de nombreuses Églises d'Afrique.

Prière du soir

Dieu, viens à mon aide,
Seigneur, à notre secours.

Gloire au Père, et au Fils, et au Saint-Esprit,
au Dieu qui est, qui était, et qui vient,
pour les siècles des siècles. Amen. Alléluia.

HYMNE

Dieu vaincu,
Tu n'as plus d'autre Parole
Que ces corps décharnés
Où la soif a tari la prière ;
Tu dis seulement :
Je suis l'innocent
À qui tous les bourreaux font violence.

℟   Explique-toi par ce lieu-dit :
Que l'Esprit parle à notre esprit
Dans le silence !

Dieu sans voix,
Tu n'as plus d'autre Parole
Que ce signe levé,
Édifié sur ta pierre angulaire !
Tu dis seulement :
Mon peuple est vivant,
Debout, il signifie ma présence.

Dieu secret,
Tu n'as plus d'autre Parole
Que ce livre scellé
D'où l'Agneau fait jaillir ta lumière ;
Tu dis seulement
Ces mots fulgurants :
Je viens ! J'étonnerai vos patiences !

Psaume 106 (II)   Reconnaître l'amour du Seigneur

Au soir de ce jour, rendons grâce pour les merveilles, visibles
ou plus cachées, que Dieu accomplit dans nos vies et dans le
monde.

Certains, embarqués sur des navires,
occupés à leur travail en haute mer,
ont vu les œuvres du Seigneur
et ses merveilles parmi les océans.

Il parle, et provoque la tempête,   la tempête
un vent qui soulève les vagues :
portés jusqu'au ciel, retombant aux abîmes,
ils étaient malades à rendre l'âme ;
ils tournoyaient, titubaient comme des ivrognes :
leur sagesse était engloutie.

    Dans leur angoisse, ils ont crié vers le Seigneur,
        et lui les a tirés de la détresse,
réduisant la tempête au silence,
faisant taire les vagues.
Ils se réjouissent de les voir s'apaiser,
d'être conduits au port qu'ils désiraient.

    Qu'ils rendent grâce au Seigneur de son amour,
        de ses merveilles pour les hommes ;
qu'ils l'exaltent à l'assemblée du peuple
et le chantent parmi les anciens !

C'est lui qui change les fleuves en désert,
les sources d'eau en pays de la soif,
en salines une terre généreuse
quand ses habitants se pervertissent.

C'est lui qui change le désert en étang,   la bénédiction
les terres arides en source d'eau ;
là, il établit les affamés
pour y fonder une ville où s'établir.

Ils ensemencent des champs et plantent des vignes :
ils en récoltent les fruits.

Dieu les bénit et leur nombre s'accroît,
il ne laisse pas diminuer leur bétail.
Puis, ils déclinent, ils dépérissent,
écrasés de maux et de peines.

Dieu livre au mépris les puissants,
il les égare dans un chaos sans chemin.
Mais il relève le pauvre de sa misère ;
il rend prospères familles et troupeaux.

Les justes voient, ils sont en fête ;
et l'injustice ferme sa bouche.
Qui veut être sage retiendra ces choses :
il y reconnaîtra l'amour du Seigneur.

Gloire au Père, et au Fils, et au Saint-Esprit,
pour les siècles des siècles. Amen.

Dieu de toute délivrance, nous te rendons grâce de nous avoir rassemblés dans la ville où tu étanches la soif et fais tomber les chaînes, où tu apaises les tempêtes et ouvres nos bouches à la louange. Bénis-la ; ne la livre pas aux puissants ; apprends-lui à relever les pauvres et à réduire l'injustice au silence.

Parole de Dieu
1 Jean 4, 9-11

Voici comment Dieu a manifesté son amour parmi nous : Dieu a envoyé son Fils unique dans le monde pour que nous vivions par lui. Voici à quoi se reconnaît l'amour : ce n'est pas nous qui avons aimé Dieu, c'est lui qui nous a aimés, et il a envoyé son Fils qui est la victime offerte pour nos péchés. Mes bien-aimés, puisque Dieu

nous a tant aimés, nous devons aussi nous aimer les uns
les autres.

> *Pas de plus grand amour*
> *que de donner sa vie pour ceux qu'on aime !*

CANTIQUE DE MARIE   (Texte, couverture A)

INTERCESSION

Adressons notre prière au Christ,
vainqueur de la mort :

℟   Par ta croix, Sauveur, sauve-nous.

À l'heure de ta Passion, tu as étendu les bras ;
– soutiens ton Église
dans sa lutte pour la foi et la justice.

Tu as crié vers ton Dieu ;
– entends le cri des abandonnés.

La lance a transpercé ton cœur ;
– désaltère les pécheurs
aux sources de l'eau et du sang.

Tu es sorti vivant du tombeau ;
– aux captifs de la mort, ouvre ton Jardin de vie.

Fils de l'homme élevé de terre,
– attire tous les hommes dans la gloire du Père.

Intentions libres

Notre Père…

    Car c'est à toi qu'appartiennent
    le règne, la puissance et la gloire,
    pour les siècles des siècles !

SAINTS
D'HIER ET D'AUJOURD'HUI
Le martyrologe romain fait mémoire de SAINTE ÉDITH

Reconnaissons le Christ vainqueur dans ses saints et chantons sa gloire immense.

« Nous perdrons bientôt notre bien-aimée Édith, le monde n'est plus digne de la posséder. Elle a, en peu d'années, acheté la couronne qui lui est préparée dans les cieux », déclara saint Dunstan, qui avait eu, pendant la messe, la révélation de la mort sous quarante jours de la jeune princesse âgée alors de 23 ans.

Fille naturelle d'Edgar Ier le Pacifique, roi des Anglo-Saxons, Édith (961-984), vierge et consacrée à Dieu toute jeune au monastère où sa mère Wulfride s'était retirée, ignora ce monde plutôt qu'elle ne le laissât. Elle passa toute sa vie au couvent, refusant les honneurs, la charge d'abbesse offerte par son père, ainsi que la couronne d'Angleterre, que lui présentaient les seigneurs du pays à la mort de saint Édouard le Martyr, son demi-frère.

Du bref passage d'Édith sur terre, on a surtout retenu son grand amour des malades, des étrangers et des pauvres. Elle avait fondé pour eux, près de son monastère, un hôpital afin de subvenir, en permanence, aux besoins de treize d'entre eux.

Bonne fête ! Corneille, Cyprien, Édith et Ludmilla

SAMEDI 17 SEPTEMBRE
Saint Robert Bellarmin

Prière du matin

Seigneur, ouvre mes lèvres,
et ma bouche publiera ta louange.

Gloire au Père, et au Fils, et au Saint-Esprit,
au Dieu qui est, qui était, et qui vient,
pour les siècles des siècles. Amen. Alléluia.

TROPAIRE

Libre comme le vent,   Stance
l'Esprit souffle, imprévisible.
Serez-vous jaloux de le voir surgir
hors de vos cénacles ?
N'éteignez pas le feu qui prend
et priez qu'il embrase le monde :

R/   Fais lever, Seigneur, des prophètes
pour annoncer partout le nom de Jésus Christ.

Je ferai parler vos fils et vos filles,
les vieillards auront des songes
et les jeunes, des visions.

Je vais répandre mon Esprit
sur les pauvres et les humbles,
pour qu'ils révèlent sa puissance.

PSAUME 44   Chant nuptial pour le roi

Quand nous sentons que des attaches nous retiennent, levons
les yeux vers le Christ, qui nous invite à entrer, comme Marie,
dans la nouvelle Jérusalem.

D'heureuses paroles jaillissent de mon cœur
quand je dis mes poèmes pour le roi
d'une langue aussi vive que la plume du scribe !

Tu es beau,   l'Époux
    comme aucun des enfants de l'homme,
la grâce est répandue sur tes lèvres :
oui, Dieu te bénit pour toujours.

Guerrier valeureux,
    porte l'épée de noblesse et d'honneur !
Ton honneur, c'est de courir au combat
pour la justice, la clémence et la vérité.

Ta main jettera la stupeur,
    les flèches qui déchirent ;
sous tes coups, les peuples s'abattront,
les ennemis du roi, frappés en plein cœur.

Ton trône est divin, un trône éternel ;
ton sceptre royal est sceptre de droiture :
tu aimes la justice, tu réprouves le mal.

Oui, Dieu, ton Dieu t'a consacré
d'une onction de joie,
    comme aucun de tes semblables ;
la myrrhe et l'aloès parfument ton vêtement.

Des palais d'ivoire, la musique t'enchante.
Parmi tes bien-aimées sont des filles de roi ;
à ta droite, la préférée, sous les ors d'Ophir.

Écoute, ma fille, regarde et tends l'oreille ;   l'Épouse
oublie ton peuple et la maison de ton père :
le roi sera séduit par ta beauté.

Il est ton Seigneur : prosterne-toi devant lui.
Alors, fille de Tyr, les plus riches du peuple,
chargés de présents, quêteront ton sourire.

Fille de roi, elle est là, dans sa gloire,
vêtue d'étoffes d'or ;
on la conduit, toute parée, vers le roi.

Des jeunes filles, ses compagnes, lui font cortège ;
on les conduit parmi les chants de fête :
elles entrent au palais du roi.

À la place de tes pères se lèveront tes fils ;
sur toute la terre tu feras d'eux des princes.

Je ferai vivre ton nom pour les âges des âges :
que les peuples te rendent grâce, toujours, à jamais !

Gloire au Père, et au Fils, et au Saint-Esprit,
pour les siècles des siècles. Amen.

Parole de Dieu
Daniel 6, 27b-28a

Notre Dieu est le Dieu vivant, il demeure éternellement ; son règne ne sera pas détruit, sa souveraineté n'aura pas de fin. Il délivre et il sauve, il accomplit des signes et des prodiges, au ciel et sur la terre.

Tu es grand, Seigneur, éternellement !

CANTIQUE DE ZACHARIE   (Texte, couverture B)

LOUANGE ET INTERCESSION
(d'après les litanies des saints)

En union avec Marie, Mère de Dieu,
et tous les saints, nous supplions le Seigneur :

℟   Délivre-nous, Seigneur.

Par le mystère de ta sainte incarnation,

Par ta venue en ce monde,

Par ta naissance et ton épiphanie,

Par ton baptême et ton jeûne au désert,

Par ta croix et ta Passion,

Par ta mort et ta mise au tombeau,

Par ta résurrection du séjour des morts,

Par ton admirable ascension,

Par la venue du Saint-Esprit consolateur,

Au jour du jugement.   Intentions libres

Dieu éternel et tout-puissant, tu es la lumière de toutes les lumières, et le jour qui ne finit pas ; dès le matin de ce jour nouveau, nous te prions : que la clarté de ta présence, en chassant la nuit du péché, illumine nos cœurs. Par Jésus.

La messe
Samedi de la 24ᵉ semaine du temps ordinaire

Saint Robert Bellarmin (1542-1621)   *Mémoire facultative*

● *Le jésuite Robert Bellarmin, toscan d'origine, enseigna à Louvain, puis à Rome, où il écrivit ses* Controverses, *et forma le jeune Louis de Gonzague. Nommé cardinal archevêque de Bénévent, le professeur se révéla parfaitement doué pour l'action pastorale. Mais il dut revenir à Rome comme conseiller du pape.* ●

« Je prendrai soin de mon troupeau, dit le Seigneur, je lui donnerai moi-même un berger pour le conduire. Et moi, le Seigneur, je serai leur Dieu. »

Prière. Seigneur tu as donné à saint Robert Bellarmin une science et une force étonnantes pour défendre la foi de l'Église ; par son intercession, accorde à ton peuple le bonheur de garder cette foi dans toute sa pureté. Par Jésus Christ, ton Fils.

Lecture de la première lettre
de saint Paul Apôtre à Timothée   6, 13-16

FILS BIEN-AIMÉ, en présence
de Dieu qui donne vie à
toutes choses, et en présence du Christ Jésus qui a témoigné devant Ponce Pilate par une si belle affirmation, voici
ce que je t'ordonne : Garde le commandement du Seigneur, en demeurant irréprochable et droit jusqu'au
moment où se manifestera notre Seigneur Jésus Christ.
Celui qui fera paraître le Christ au temps fixé, c'est le Souverain unique et bienheureux, le Roi des rois, le Seigneur
des seigneurs, le seul qui possède l'immortalité, lui qui
habite la lumière inaccessible, lui que personne n'a jamais
vu, et que personne ne peut voir. À lui, honneur et puissance éternelle. Amen.

—— • PSAUME 99 • ——

**Allez vers le Seigneur
parmi les chants d'allégresse.**

Acclamez le Seigneur, terre entière,
servez le Seigneur dans l'allégresse,
venez à lui avec des chants de joie !

Reconnaissez que le Seigneur est Dieu :
il nous a faits, et nous sommes à lui,
nous, son peuple, son troupeau.

Venez dans sa maison lui rendre grâce,
dans sa demeure chanter ses louanges,
rendez-lui grâce et bénissez son nom !

Oui, le Seigneur est bon,
éternel est son amour,
sa fidélité demeure d'âge en âge.

Alléluia. Alléluia. La parole de Dieu est semée en nos cœurs. Heureux qui la reçoit et la fait fructifier ! Alléluia.

Évangile de Jésus Christ selon saint Luc 8, 4-15

COMME une grande foule se rassemblait, et que de toutes les villes on venait vers Jésus, il dit en parabole : « Le semeur est sorti pour semer la semence. Comme il semait, du grain est tombé au bord du chemin, les passants l'ont piétiné, et les oiseaux du ciel ont tout mangé. Du grain est tombé aussi dans les pierres, il a poussé, et il a séché parce qu'il n'avait pas d'humidité. Du grain est tombé aussi au milieu des ronces, et, en poussant, les ronces l'ont étouffé. Enfin, du grain est tombé dans la bonne terre, il a poussé, et il a porté du fruit au centuple. » En disant cela, il élevait la voix : « Celui qui a des oreilles pour entendre, qu'il entende ! » Ses disciples lui demandaient quel était le sens de cette parabole. Il leur déclara : « À vous il est donné de connaître les mystères du royaume de Dieu, mais les autres n'ont que les paraboles, afin que se réalise la prophétie : Ils regarderont sans regarder, ils écouteront sans comprendre. Voici le sens de la parabole. La semence, c'est la parole de Dieu. Ceux qui sont au bord du chemin, ce sont ceux qui ont entendu ; puis le démon survient et il enlève de leur cœur la Parole, pour les empêcher de croire et d'être sauvés. Ceux qui sont dans les pierres, lorsqu'ils entendent, ils accueillent la Parole avec joie ; mais ils n'ont pas de racines, ils croient pour un moment, et, au moment de l'épreuve, ils abandonnent. Ce qui est tombé dans les ronces, ce sont ceux qui ont entendu, mais qui sont étouffés, chemin faisant, par les soucis, la richesse et les plaisirs de la vie, et ne parviennent pas à maturité. Et ce qui est tombé dans la bonne terre, ce sont ceux qui, ayant entendu la Parole dans un cœur bon et généreux, la retiennent, et portent du fruit par leur persévérance. »

Prière sur les offrandes. En célébrant, Seigneur, la mémoire de saint Robert Bellarmin, nous offrons ce sacrifice à ta louange ; c'est en lui que nous mettons notre espoir : qu'il nous délivre du mal aujourd'hui et demain. Par Jésus, le Christ, notre Seigneur.

« Je suis venu, dit le Seigneur, pour que les hommes aient la vie, et qu'ils l'aient en abondance. »

Prière après la communion. Que cette communion, Seigneur notre Dieu, ravive en nous l'ardeur de charité et nous brûle de ce feu qui dévorait saint Robert Bellarmin alors qu'il se dépensait pour ton Église. Par Jésus, le Christ, notre Seigneur.

● ━━━━━━━━━━━━━━━━━━━━
M É D I T A T I O N   D U   J O U R
● ━━━━━━━━━━━━━━━━━━━━

Dieu sème en nous sa parole

Lorsque la foi est assez totale, la parole de Dieu peut nous convertir d'un seul coup : saint Paul sur le chemin de Damas. L'entrée dans son cœur de la Parole l'a transformé pour la vie. Mais, le plus souvent, notre conversion est lente. Dieu semble avoir besoin de toute notre vie pour l'opérer. Et sa pédagogie semble suivre les mêmes lois essentielles : il laisse tomber dans notre cœur une de ses paroles, une phrase de l'Évangile, par exemple : *Va, vends tous tes biens* (Mt 19, 21), ou une parole de son Église, ou la rencontre d'un ami, ou le passage dans notre vie d'un être marqué par Dieu, souvent aussi la visite de la croix, cette parole comme un glaive à deux tranchants, ou le don de sa joie. Cette parole, alors, devient pour nous une lumière et un appel. Si nous y sommes fidèles, elle fait son chemin en nous et finit par nous convertir, mais hélas ! la parabole évangélique peut aussi se reproduire. Notre sol était pierreux et nous n'avions pas beaucoup de terre. Alors la Parole a bien levé, mais elle a vite séché. La lumière qui nous travaillait s'est éteinte, et nous sommes retombés dans la nuit. Mais, Dieu merci, il y aussi la bonne terre, et la Parole a donné cent pour un.

BERNARD-MARIE CHEVIGNARD

Bernard-Marie Chevignard († 1996), dominicain longtemps maître des novices, théologien spirituel, a transmis, dans un langage simple, les plus hautes vérités.

Prière du soir
25e semaine du temps ordinaire

Que ma prière devant toi s'élève comme un encens,
et mes mains, comme l'offrande du soir.

Gloire au Père, et au Fils, et au Saint-Esprit,
au Dieu qui est, qui était, et qui vient,
pour les siècles des siècles. Amen. Alléluia.

HYMNE

Il viendra,
Un soir
Où nul ne l'attend plus,
Peut-être.
Appelé par son nom,
Quelqu'un tressaillira.
  Au cœur sans mémoire,
  Qu'un temps soit accordé
  Pour qu'il se souvienne !

Il viendra,
Un soir

Pareil à celui-ci,
Peut-être.
À l'orient, devant lui,
Le ciel s'embrasera.
    Au pauvre, allez dire
    Que tout s'accomplira
    Selon la promesse.

Il viendra,
Un soir
Où rôde le malheur,
Peut-être.
Ce soir-là, sur nos peurs,
L'amour l'emportera.
    Criez à tous les hommes
    Que rien n'est compromis
    De leur espérance.

Il viendra ;
Un soir
Sera le dernier soir
Du monde.
Un silence d'abord,
Et l'hymne éclatera.
    Un chant de louange
    Sera le premier mot
    Dans l'aube nouvelle.

Psaume 141   Plainte et prière d'un abandonné

Dans la nuit monte le cri de ceux qui ont perdu tout espoir.
Unissons nos voix aux leurs pour que le salut les rejoigne et
qu'au matin, ils puissent rendre grâce avec nous.

A pleine voix, je crie vers le Seigneur !
À pleine voix, je supplie le Seigneur !
Je répands devant lui ma plainte,
devant lui, je dis ma détresse.

Lorsque le souffle me manque,
    toi, tu sais mon chemin. *
Sur le sentier où j'avance,
    un piège m'est tendu.

Regarde à mes côtés et vois :
    personne qui me connaisse ! *
Pour moi, il n'est plus de refuge :
    personne qui pense à moi !

    J'ai crié vers toi, Seigneur ! *
J'ai dit : « Tu es mon abri,
    ma part, sur la terre des vivants. »

Sois attentif à mes appels :
    je suis réduit à rien ; *
délivre-moi de ceux qui me poursuivent :
    ils sont plus forts que moi.

Tire-moi de la prison où je suis,
    que je rende grâce à ton nom. *
Autour de moi, les justes feront cercle
    pour le bien que tu m'as fait.

Gloire au Père, et au Fils, et au Saint-Esprit,
pour les siècles des siècles. Amen.

*Dieu qui sais tout, entends le cri de l'homme : la plainte
du prisonnier, du persécuté, de celui qui n'a plus rien, ni
ami ni refuge. Reconnais dans sa voix la voix de Jésus.
Délivre-le comme tu l'as délivré : change sa détresse en
action de grâce.*

Parole de Dieu   Romains 15, 5-7

QUE LE DIEU de la persévérance et du courage vous
donne d'être d'accord entre vous selon l'esprit du Christ
Jésus. Ainsi, d'un même cœur, d'une même voix, vous

rendrez gloire à Dieu, le Père de notre Seigneur Jésus Christ. Accueillez-vous donc les uns les autres comme le Christ vous a accueillis pour la gloire de Dieu.

Seigneur, rassemble-nous
dans la paix de ton amour !

CANTIQUE DE MARIE   (Texte, couverture A)

INTERCESSION

Pour rendre gloire au Père, au Fils et à l'Esprit,
prions et supplions :

R/   Sauve-nous, Dieu de l'univers !

Béni sois-tu, Seigneur,
pour le monde et ses merveilles.

Béni sois-tu, Seigneur, Parole vivante du Père.

Béni sois-tu, Seigneur, Esprit de vie.

Béni sois-tu, Seigneur de ton peuple.

Béni sois-tu, Seigneur des vivants.   Intentions libres

Notre Père… Car c'est à toi qu'appartiennent…

Nous te saluons, Vierge Marie,
servante du Seigneur.
Ta foi nous a donné
l'Enfant de la promesse,
la source de la vie.
Ève nouvelle,
montre-nous le Sauveur,
Jésus Christ, notre frère,
Sainte Mère de Dieu.

Saints
D'HIER ET D'AUJOURD'HUI
Le martyrologe romain fait mémoire
de saint Emmanuel Nguyen Van Trieu

Dans leur épreuve, les saints ont reconnu le Seigneur,
le Maître de la vie.

Après avoir été évangélisé au XVIIe siècle, le Vietnam compte aujourd'hui 8 % de catholiques répartis dans vingt-six diocèses. L'Église est demeurée étrangement vivace dans ce pays communiste depuis 1975. Le dernier diocèse a été créé par Benoît XVI en 2009. L'explication de cette vivacité est sans doute à trouver du côté des premières années de l'évangélisation. Prêtres et laïcs ont supporté ensemble les fatigues de l'œuvre apostolique et ont d'un même cœur affronté la mort pour rendre témoignage à la vérité évangélique. C'est ainsi que saint Emmanuel Nguyen Van Trieu a témoigné.

Né au Vietnam de parents chrétiens, Emmanuel Nguyen Van Trieu fut tout d'abord militaire, puis, ordonné prêtre à Pong King, il travailla avec les pères des Missions étrangères de Paris. En 1798, lors d'une visite à sa mère, il fut arrêté et décapité à Huê, en Annam.

On compte environ cent trente mille victimes catholiques tombées un peu partout sur le territoire du Vietnam. Cent dix-sept de ces martyrs ont été choisis et élevés aux honneurs des autels par le Saint-Siège.

Bonne fête !
Lambert, Robert, Renaud, Romuald et Réginald

Paroles de Dieu

■ pour un dimanche ■

Pensées de Dieu

De dimanche en dimanche, la liturgie nous offre des morceaux d'Écriture pour affiner notre regard, afin de mieux contempler l'action de Dieu dans notre quotidien. Nous le cherchons souvent sans bien savoir où le trouver. Pourtant, une certitude devrait nous animer constamment : *Cherchez le Seigneur tant qu'il se laisse trouver !* (Is **55**, 6). Autrement dit, le Seigneur lui-même nous offre des opportunités afin de le découvrir là où l'on n'y penserait pas, là où on ne l'attend pas. En quelque sorte, la quête s'inverse, Dieu semble se mettre lui-même à notre recherche. Où nous cachons-nous ? *Qu'il revienne vers le Seigneur qui aura pitié de lui, vers notre Dieu qui est riche en pardon* (Is **55**, 7).

De même, cette parabole au sujet du Royaume bouleverse notre perception immédiate. *Les derniers seront premiers, et les premiers seront derniers* (Mt **20**, 16). Le calcul semble rapide, pourtant il déborde nos logiques humaines pour nous ouvrir à celles du Seigneur, dépassant de loin tous nos comptes d'apothicaires ! *Car mes pensées ne sont pas vos pensées, et mes chemins ne sont pas vos chemins* (Is **55**, 8).

En définitive, pour trouver le Seigneur, pas besoin de grands détours. Il s'agit, comme le psalmiste nous y invite, de louer le Seigneur par toute notre existence. *Il est proche de ceux qui l'invoquent, de tous ceux qui l'invoquent en vérité* (Ps **144**, 18). Ainsi, en accueillant le Seigneur qui se fait proche de nous, nous pourrons manifester la profondeur de son amour.

O.P.

■ Les intentions dominicales ■

Ces intentions sont à adapter en fonction de l'actualité et de l'assemblée qui célèbre.

Pour que tous les hommes puissent mener une vie digne et fraternelle, laissons monter vers Dieu notre prière.

Pour l'Église qui ne cesse d'appeler des ouvriers pour la moisson du Père.

Pour les hommes et les femmes qui répondent à l'appel de Dieu dans une vie toute consacrée à son service.

Pour les jeunes qui se posent la question d'une vocation dans l'Église.

Pour ceux qui ont reçu une mission ecclésiale et la vivent comme un service.

Pour les chômeurs, pour ceux qui vivent dans la précarité et pour les émigrés dépourvus de droits et de travail.

Pour les enfants qui rentrent au catéchisme et pour leurs éducateurs.

Pour notre communauté paroissiale qui s'organise au début de cette année et fait appel à la générosité de chacun.

Dieu qui sais toutes choses et connais les besoins de chacun, accueille nos prières et donne-nous la joie d'avancer à ta rencontre dans le Royaume.

B.D.

DIMANCHE 18 SEPTEMBRE
25ᵉ du temps ordinaire

Prière du matin

L'Esprit du Seigneur remplit l'univers,
venez, adorons notre Dieu !

Louez le Seigneur, tous les peuples ;   Ps 116
fêtez-le, tous les pays !

Son amour envers nous s'est montré le plus fort ;
éternelle est la fidélité du Seigneur !

Gloire au Père, et au Fils, et au Saint-Esprit,
pour les siècles des siècles. Amen.

HYMNE

N'allons plus nous dérobant
À l'Esprit qui régénère :
Le Seigneur est ressuscité !
Un sang neuf coule aux artères
Du Corps entier.
La nuit du temps
Se change en lumière :
L'homme était mort, il est vivant.

N'allons plus à contre-voie
De Celui qui nous entraîne :
Le Seigneur est ressuscité !
Dans sa chair monte, soudaine,
L'éternité.
Il rend leur poids
Aux jours, aux semaines,
Les achemine vers la joie.

N'allons plus sans feu ni lieu
Quand Jésus nous accompagne :
Le Seigneur est ressuscité !
Le voici pain sur la table
Des baptisés,
Présent de Dieu
Offert en partage :
Christ aujourd'hui ouvre nos yeux.

Nous irons portant plus haut
Notre foi dans la victoire :
Le Seigneur est ressuscité !
L'univers chante la gloire
Des rachetés,
Le feu et l'eau
Emportent l'histoire,
Dieu nous appelle avec l'Agneau.

PSAUME 62   Soif de Dieu

Le souvenir d'un moment fort de notre vie spirituelle –
rencontre, pèlerinage, silence – est un appui pour continuer de
chercher Dieu de tout notre cœur.

Dieu, tu es mon Dieu,
    je te cherche dès l'aube : *
mon âme a soif de toi ;
après toi languit ma chair,
terre aride, altérée, sans eau.

Je t'ai contemplé au sanctuaire,
j'ai vu ta force et ta gloire.
Ton amour vaut mieux que la vie :
tu seras la louange de mes lèvres !

Toute ma vie je vais te bénir,
lever les mains en invoquant ton nom.
Comme par un festin je serai rassasié ;
la joie sur les lèvres, je dirai ta louange.

Dans la nuit, je me souviens de toi
et je reste des heures à te parler.
Oui, tu es venu à mon secours :
je crie de joie à l'ombre de tes ailes.
Mon âme s'attache à toi,
ta main droite me soutient.

Gloire au Père, et au Fils, et au Saint-Esprit,
pour les siècles des siècles. Amen.

*Mon Dieu, sur la terre où je m'exile, où sont les chants de
ta maison ? Dans le pays qui veut me perdre, où donc est
le festin ? Dans les déserts où je m'enfonce, où sont les eaux
de mon baptême ? Viens me secourir : assoiffe encore mon
cœur et ma chair, pour que je me souvienne, dans ma nuit,
et que je te cherche, dès l'aube. Alors, de toute mon âme, je
m'attacherai à toi, je lèverai les mains et je te bénirai.*

Parole de Dieu
1 Jean 4, 16

Nous avons reconnu et
nous avons cru que
l'amour de Dieu est parmi nous. Dieu est Amour : celui
qui demeure dans l'amour demeure en Dieu, et Dieu en
lui.

Dieu est amour ! Dieu est lumière ! Dieu, notre Père !

Cantique de Zacharie
(Texte, couverture B)

Louange et intercession

Louons le Christ, Seigneur, soleil de notre jour, qui éclaire
tout homme et ne connaît pas de déclin :

℟   Tu es la vie, Seigneur, tu es le salut !

Ta bonté nous accorde de vivre
ce jour de ta résurrection.

Par l'eau du baptême, tu nous as fait renaître.

Au souffle de ton Esprit, tu nous fais vivre.

À la table de ta parole et de ton corps,
tu nous invites.

Tu nous rassembles dans la joie
et la simplicité du cœur.

Pour tant de grâce, nous te rendons grâce.

Intentions libres

Dieu juste et bon, tu appelles tous les hommes à te servir. Garde-nous dans l'humilité : nous saurons alors nous émerveiller du sens que tu donnes à notre vie et des fruits que ta grâce porte en nos frères. Exauce-nous par Jésus, ton Fils, dans l'Esprit d'amour, pour les siècles des siècles.

La messe
25ᵉ dimanche du temps ordinaire

« Je suis le sauveur de mon peuple, dit le Seigneur, s'il crie vers moi dans les épreuves, je l'exauce ; je suis son Dieu pour toujours. »

GLOIRE À DIEU ————————————————— page 203

PRIÈRE. Seigneur, tu as voulu que toute la loi consiste à t'aimer et à aimer son prochain : donne-nous de garder tes commandements, et de parvenir ainsi à la vie éternelle. Par Jésus Christ, ton Fils, notre Seigneur.

Lecture du livre d'Isaïe ———————————— 55, 6-9

CHERCHEZ le Seigneur tant qu'il se laisse trouver. Invoquez-le tant qu'il est proche. Que le méchant abandonne son chemin, et l'homme pervers, ses pensées ! Qu'il revienne vers le Seigneur, qui aura pitié de lui, vers notre Dieu, qui est riche en pardon. Car mes pensées ne sont pas vos pensées, et mes chemins ne sont pas vos chemins, déclare le Seigneur. Autant le ciel est élevé au-dessus de la terre, autant mes chemins sont élevés au-dessus des vôtres, et mes pensées, au-dessus de vos pensées.

• Psaume 144 •

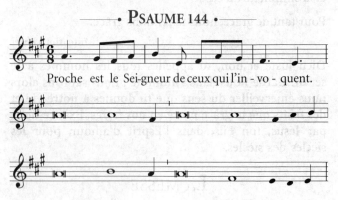

Proche est le Sei-gneur de ceux qui l'in - vo - quent.

Ou bien :

**Ton amour, Seigneur,
dépasse nos justices.**

Chaque jour je te bénirai,
je louerai ton nom toujours et à jamais.
Il est grand, le Seigneur, hautement loué ;
à sa grandeur, il n'est pas de limite.

Le Seigneur est tendresse et pitié,
lent à la colère et plein d'amour ;
la bonté du Seigneur est pour tous,
sa tendresse, pour toutes ses œuvres.

Le Seigneur est juste en toutes ses voies,
fidèle en tout ce qu'il fait.

Il est proche de ceux qui l'invoquent,
de tous ceux qui l'invoquent en vérité.

Lecture de la lettre
de saint Paul Apôtre aux Philippiens   1, 20… 27a

Frères, soit que je vive, soit que je meure, la grandeur du Christ sera manifestée dans mon corps. En effet, pour moi, vivre, c'est le Christ, et mourir est un avantage. Mais si, en vivant en ce monde, j'arrive à faire un travail utile, je ne sais plus comment choisir. Je me sens pris entre les deux : je voudrais bien partir pour être avec le Christ, car c'est bien cela le meilleur ; mais, à cause de vous, demeurer en ce monde est encore plus nécessaire. Quant à vous, menez une vie digne de l'Évangile du Christ.

Alléluia. Alléluia. La bonté du Seigneur est pour tous, sa tendresse, pour toutes ses œuvres : tous acclameront sa justice. Alléluia.

Évangile de Jésus Christ
selon saint Matthieu   20, 1-16

Jésus disait cette parabole : « Le Royaume des cieux est comparable au maître d'un domaine qui sortit au petit jour afin d'embaucher des ouvriers pour sa vigne. Il se mit d'accord avec eux sur un salaire d'une pièce d'argent pour la journée, et il les envoya à sa vigne. Sorti vers neuf heures, il en vit d'autres qui étaient là, sur la place, sans travail. Il leur dit : "Allez, vous aussi, à ma vigne, et je vous donnerai ce qui est juste." Ils y allèrent. Il sortit de nouveau vers midi, puis vers trois heures, et fit de même. Vers cinq heures, il sortit encore, en trouva d'autres qui étaient là et leur dit : "Pourquoi êtes-vous restés là, toute la journée, sans rien faire ?" Ils lui répondirent : "Parce que personne ne nous a embauchés." Il leur dit : "Allez, vous aussi, à ma vigne." Le soir venu, le maître de la vigne dit à son intendant : "Appelle les ouvriers et distribue le salaire, en commençant par les derniers pour finir par les premiers." Ceux qui n'avaient commencé qu'à cinq heures s'avancèrent et reçurent chacun une pièce d'argent. Quand vint le tour des premiers, ils pensaient recevoir davantage, mais ils reçurent, eux aussi, chacun une pièce d'argent. En la recevant, ils récriminaient contre le maître du domaine : "Ces derniers venus n'ont fait qu'une heure, et tu les traites comme nous, qui avons enduré le poids du jour et de la chaleur !" Mais le maître répondit à l'un d'entre eux : "Mon ami, je ne te fais aucun tort. N'as-tu pas été d'accord avec moi pour une pièce d'argent ? Prends ce qui te revient, et va-t'en. Je veux donner à ce dernier autant qu'à toi : n'ai-je pas le droit de faire ce que je veux de mon bien ? Vas-tu regarder avec un œil mauvais parce que moi, je suis bon ? Ainsi les derniers seront les premiers, et les premiers seront les derniers. »

CREDO ———————————————————————— page 205

PRIÈRE SUR LES OFFRANDES. Reçois favorablement, Seigneur, les offrandes de ton peuple, pour qu'il obtienne dans le mystère eucharistique les biens auxquels il croit de tout son cœur. Par Jésus, le Christ, notre Seigneur.

PRÉFACE ——————————————————————— page 208

Tu nous as ordonné, Seigneur, de garder fidèlement tes préceptes ; puissions-nous avancer au droit chemin selon tes commandements.

Ou bien :

Le Seigneur nous dit : « Je suis le bon pasteur ; je connais mes brebis et mes brebis me connaissent. »

Prière après la communion. Seigneur, que ton aide accompagne toujours ceux que tu as nourris de tes sacrements, afin qu'ils puissent, dans ces mystères et par toute leur vie, recueillir les fruits de la rédemption. Par Jésus, le Christ, notre Seigneur.

AU FIL DES JOURS

Pour tous, la même pièce d'argent

Quand il s'agira de recevoir la récompense, nous serons tous à égalité, les premiers comme s'ils étaient les derniers, et les derniers comme s'ils étaient les premiers. Parce que la pièce d'argent, c'est la vie éternelle, tous jouiront d'une même vie éternelle. Pourtant, en raison de la diversité des mérites, l'un resplendira plus, l'autre moins ; quant à la vie éternelle, elle sera la même pour tous. Car elle ne sera pas plus longue pour l'un, ni moins longue pour l'autre, puisqu'elle sera éternelle pour tous : ce qui n'a pas de fin pour moi n'en aura pas pour toi.

Le fruit des bonnes œuvres brillera de tel éclat, la couronne du martyre de tel autre. La gloire de l'un différera de celle de l'autre, mais en ce qui regarde la vie éternelle, l'un ne vivra pas plus que l'autre, ni celui-ci plus que celui-là. En effet, tous vivront également sans fin, tout en possédant sa propre gloire, car la pièce d'argent, c'est la vie éternelle !

S. Augustin d'Hippone

Saint Augustin († 430), converti, a été baptisé par saint Ambroise à Pâques 387. Évêque d'Hippone en 395, il est l'un des plus grands théologiens chrétiens.

Prière du soir

Dieu, viens à mon aide,
Seigneur, à notre secours.

Gloire au Père, et au Fils, et au Saint-Esprit,
au Dieu qui est, qui était, et qui vient,
pour les siècles des siècles. Amen. Alléluia.

Hymne

Reste avec nous, Seigneur Jésus,
Toi, le convive d'Emmaüs ;
Au long des veilles de la nuit,
Ressuscité, tu nous conduis.

Prenant le pain, tu l'as rompu,
Alors nos yeux t'ont reconnu,
Flambée furtive où notre cœur
A pressenti le vrai bonheur.

Le temps est court, nos jours s'en vont,
Mais tu prépares ta maison ;
Tu donnes un sens à nos désirs,
À nos labeurs un avenir.

Toi, le premier des pèlerins,
L'étoile du dernier matin,
Réveille en nous, par ton amour,
L'immense espoir de ton retour.

Psaume 109   Le Messie vainqueur

Le Christ a vaincu la mort et mis fin au règne de ses ennemis.
Il siège à la droite du Père et nous ouvre les portes de son
royaume.

Oracle du Seigneur à mon Seigneur :   Jésus,
   « Siège à ma droite, *   Messie de Dieu

et je ferai de tes ennemis
le marchepied de ton trône. »

De Sion, le Seigneur te présente   Jésus,
le sceptre de ta force : *   Roi des rois
« Domine, jusqu'au cœur de l'ennemi. »

Le jour où paraît ta puissance,
tu es prince, éblouissant de sainteté : *   Jésus,
« Comme la rosée qui naît de l'aurore,   Fils éternel
je t'ai engendré. »

Le Seigneur l'a juré   Jésus,
dans un serment irrévocable : *   Prêtre éternel
« Tu es prêtre à jamais
selon l'ordre du roi Melkisédek. »

À ta droite se tient le Seigneur : *   Jésus,
il brise les rois au jour de sa colère.   juste Juge

Au torrent, il s'abreuve en chemin, *   Jésus,
c'est pourquoi il redresse la tête.   Homme vivant

Gloire au Père, et au Fils, et au Saint-Esprit,
pour les siècles des siècles. Amen.

Jésus, Messie de Dieu ; Roi des rois et Seigneur des seigneurs ; Fils éternel, engendré non pas créé ; Prêtre de l'Alliance nouvelle ; Juge qui viendra à la fin des temps ; Homme exalté dans la gloire du ciel, béni sois-tu ! Louange à toi !

Parole de Dieu   1 Jean 4, 9-11

VOICI COMMENT Dieu a manifesté son amour parmi nous : Dieu a envoyé son Fils unique dans le monde pour que nous vivions par lui. Voici à quoi se reconnaît l'amour : ce n'est pas nous qui avons aimé Dieu, c'est lui qui nous a aimés, et il a envoyé son Fils qui est la victime

offerte pour nos péchés. Mes bien-aimés, puisque Dieu
nous a tant aimés, nous devons aussi nous aimer les uns
les autres.

Nous sommes à toi, Seigneur !
Nous sommes à toi !

Hymne de louange (Texte, couverture C)

Intercession

Adorons le Christ, Seigneur. Il est la tête ;
nous sommes les membres de son Corps :

℟ Vienne ton règne, Seigneur !

Christ, ami des hommes, tu as établi ton Église
signe de salut pour les peuples :
– qu'elle soit fidèle à sa mission.

Tu veux rassembler tes frères en un seul Corps ;
– avive en nous le désir de l'unité.

Garde en communion le pape et les évêques ;
– qu'ils servent ton peuple au milieu des nations.

Accorde au monde la paix ;
– fais-nous les artisans de ta justice.

Ta résurrection nous a ouvert les portes de la vie :
– qu'ils entrent, ceux qui ont mis leur espérance en toi.

Intentions libres

Notre Père…

Car c'est à toi qu'appartiennent
le règne, la puissance et la gloire,
pour les siècles des siècles !

LUNDI 19 SEPTEMBRE
Saint Janvier

Prière du matin

Ton amour, Seigneur, soit sur nous,
comme notre espoir est en toi.

Gloire au Père, et au Fils, et au Saint-Esprit !

HYMNE

Splendeur jaillie du sein de Dieu,
Lumière née de la lumière,
Avant que naisse l'univers,
Tu resplendis dans les ténèbres.

Nous t'adorons, Fils bien-aimé,
Objet de toute complaisance ;
Le Père qui t'a envoyé
Sur toi fait reposer sa grâce.

Tu viens au fond de notre nuit
Pour tous les hommes de ce monde ;
Tu es la source de la vie
Et la lumière véritable.

À toi, la gloire, ô Père saint,
À toi, la gloire, ô Fils unique,
Avec l'Esprit consolateur,
Dès maintenant et pour les siècles.

PSAUME 28   Gloire et puissance à notre Roi

La voix du Père, nous l'avons entendue lorsqu'il désignait Jésus,
son « Fils bien-aimé ». Émerveillés, chantons sa gloire et sa puissance.

Rendez au Seigneur, vous, les dieux,
rendez au Seigneur gloire et puissance.

Rendez au Seigneur la gloire de son nom,
adorez le Seigneur, éblouissant de sainteté.

La voix du Seigneur domine les eaux, +
le Dieu de la gloire déchaîne le tonnerre,
le Seigneur domine la masse des eaux.

Voix du Seigneur dans sa force, +
voix du Seigneur qui éblouit,
voix du Seigneur : elle casse les cèdres.

Le Seigneur fracasse les cèdres du Liban ; +
il fait bondir comme un poulain le Liban,
le Sirion, comme un jeune taureau.

Voix du Seigneur : elle taille des lames de feu ; +
voix du Seigneur : elle épouvante le désert ;
le Seigneur épouvante le désert de Cadès.

Voix du Seigneur qui affole les biches en travail,
    qui ravage les forêts. *
Et tous dans son temple s'écrient : « Gloire ! »

Au déluge le Seigneur a siégé ;
il siège, le Seigneur, il est roi pour toujours !

Le Seigneur accorde à son peuple la puissance,
le Seigneur bénit son peuple en lui donnant la paix.

Gloire au Père, et au Fils, et au Saint-Esprit,
pour les siècles des siècles. Amen.

Parole de Dieu   Romains 13, 8.10

Ne gardez aucune dette
envers personne, sauf la
dette de l'amour mutuel, car celui qui aime les autres a

parfaitement accompli la Loi. L'amour ne fait rien de mal au prochain. Donc, l'accomplissement parfait de la Loi, c'est l'amour.

CANTIQUE DE ZACHARIE　　　　　　(Texte, couverture B)

LOUANGE ET INTERCESSION

Jésus, tendresse de Dieu sur la terre,
– donne-nous ton Esprit de vie ;
– ouvre nos cœurs à tes merveilles ;
– fais-nous reconnaître ta présence
au milieu de nous ;
– regarde ceux qui nous sont proches
par la vie et le travail ;
– que les jeunes découvrent la joie de te servir…

Intentions libres

Que ta grâce inspire notre action, Seigneur, et la soutienne jusqu'au bout, pour que toutes nos activités prennent leur source en toi et reçoivent de toi leur achèvement. Par Jésus.

LA MESSE
Lundi de la 25ᵉ semaine du temps ordinaire

SAINT JANVIER (IIIᵉ S.)　　　　　　*Mémoire facultative*

● *Janvier, évêque de Bénévent, subit le martyre à Pouzzoles en 305. Au siècle suivant, ses restes furent transférés dans la banlieue de Naples. La cité le choisit pour son protecteur. Mais le culte de saint Janvier a passé les mers. Rio de Janeiro a rendu son nom célèbre dans le monde.* ●

Ainsi parle de Seigneur Dieu : « Je me susciterai un prêtre fidèle, qui agira selon mon cœur et mon désir. »

Prière. Tu nous donnes, Seigneur, de vénérer la mémoire de saint Janvier ton martyr ; accorde-nous d'entrer dans cette éternité de bonheur où nous vivrons avec lui pleins de joie. Par Jésus Christ, ton Fils, notre Seigneur.

● *Les livres d'Esdras et de Néhémie constituent la source principale de renseignements sur la période où, après l'Exil, un certain nombre d'Israélites sont revenus à Jérusalem et dans le pays de Judée (538 av. J.C.). La reconstruction du Temple et de la Ville sainte y occupe une place de premier plan. Ces livres font suite au livre des Chroniques et semblent provenir du même auteur, qui a rassemblé des documents d'origine diverse.*
C'est à ce moment qu'ont prêché les prophètes Aggée et Zacharie, encourageant leurs concitoyens dans l'œuvre pénible de la reconstruction. Le livre d'Aggée et la première partie du livre de Zacharie (chap. 1-8) nous livrent l'essentiel de leur message. ●

Lecture du livre d'Esdras   1, 1-6

La première année de Cyrus, roi de Perse, pour que soit accomplie la parole proclamée par Jérémie, le Seigneur inspira Cyrus, roi de Perse. Et celui-ci fit publier dans tout son royaume – et même consigner par écrit – : « Ainsi parle Cyrus, roi de Perse : Le Seigneur, le Dieu du ciel, m'a donné tous les royaumes de la terre ; et il m'a chargé de lui bâtir un temple à Jérusalem, en Judée. Tous ceux d'entre vous qui font partie de son peuple, que leur Dieu soit avec eux, et qu'ils montent à Jérusalem, en Judée, qu'ils bâtissent le temple du Seigneur, le Dieu d'Israël, le Dieu qui est à Jérusalem. En tout lieu où résident ceux qui restent d'Israël, que la population leur vienne en aide : qu'on leur fournisse argent, or, dons en nature, bétail, qu'on y joigne des offrandes volontaires pour le temple de Dieu qui est à Jérusalem. » Alors les chefs de famille de Juda et de Benjamin, les prêtres et les lévites, bref, tous ceux à qui Dieu avait inspiré cette décision, se mirent en route pour aller bâtir le temple du Seigneur à Jérusalem ; tous leurs voisins leur apportèrent de l'aide : argent, or, dons en nature, bétail, objets précieux en quantité, sans compter toutes sortes d'offrandes volontaires.

◆ PSAUME 125 ◆

Le Seigneur a fait merveille :
nous voici dans la joie !

Quand le Seigneur ramena les captifs à Sion,
nous étions comme en rêve !
Alors notre bouche était pleine de rires,
nous poussions des cris de joie.

Alors on disait parmi les nations :
« Quelles merveilles fait pour eux le Seigneur ! »
Quelles merveilles le Seigneur fit pour nous :
nous étions en grande fête !

Ramène, Seigneur, nos captifs,
comme les torrents au désert.
Qui sème dans les larmes
moissonne dans la joie.

Alléluia. Alléluia. Soyez lumière aux yeux des hommes !
Devant le bien que vous accomplirez, ils rendront gloire
à Dieu votre Père. Alléluia.

Évangile de Jésus Christ selon saint Luc   8, 16-18

COMME la foule se rassemblait autour de Jésus, il disait en parabole : « Personne, après avoir allumé une

lampe, ne la cache sous un couvercle ou ne la met en dessous du lit ; on la met sur le lampadaire pour que ceux
qui entrent voient la lumière. Car rien n'est caché qui ne
doive paraître au grand jour ; rien n'est secret qui ne doive
être connu et venir au grand jour. Faites attention à la
manière dont vous écoutez. Car celui qui a recevra encore,
et celui qui n'a rien se fera enlever même ce qu'il paraît
avoir. »

PRIÈRE SUR LES OFFRANDES. En célébrant, Seigneur, la mémoire
de saint Janvier, nous offrons ce sacrifice à ta louange ; c'est en
lui que nous mettons notre espoir : qu'il nous délivre du mal
aujourd'hui et demain. Par Jésus, le Christ, notre Seigneur.

Le bon pasteur, le vrai berger, donne sa vie pour ses brebis.

PRIÈRE APRÈS LA COMMUNION. Que cette communion, Seigneur
notre Dieu, ravive en nous l'ardeur de charité et nous brûle de
ce feu qui dévorait saint Janvier alors qu'il se dépensait pour
ton Église. Par Jésus, le Christ, notre Seigneur.

MÉDITATION DU JOUR

Le don total de la grâce

Si je considère l'étroite conformité établie entre toi
et l'âme, quand, par cette lumière empruntée à ta
lumière et par l'amour qu'elle a pour toi, elle s'élève
vers toi et fixe son regard dans la lumière de ta vérité,
je vois, ô Dieu immortel, que tu lui fis connaître les
biens immortels par l'avant-goût que tu lui en donnes
dans le sentiment de ta charité. Lumière, tu lui fais par-
ticiper à la lumière ; feu, tu l'enflammes, et tu unis d'un
lien mutuel ta volonté et la sienne dans ton propre
foyer. Sagesse, tu lui communiques la sagesse pour le
discernement de ta vérité. Par toi, force divine, elle se

fortifie au point qu'aucun assaut du démon ni d'aucune créature ne triomphent d'elle que si elle y consent. Infini, tu la rends elle-même infinie par cette conformité entre elle et toi, au moyen de la grâce pendant notre pèlerinage ici-bas ; au moyen de l'éternelle vision dans la vie impérissable. Ta vérité a donc proclamé la vérité quand elle nous a enseigné que, par la grâce, tu te conformes à la créature et la créature se conforme à toi. Cette grâce, tu ne la lui mesures pas, tu la lui donnes tout entière.

S. Catherine de Sienne

Sainte Catherine de Sienne († 1380), tertiaire dominicaine, fut partagée, sa vie durant, entre la soif de contempler le Christ en croix et le service de l'Église. Docteur de l'Église, elle est copatronne de l'Europe.

Prière du soir

Notre secours est le nom du Seigneur qui a fait le ciel et la terre.

Gloire au Père, et au Fils, et au Saint-Esprit !

Hymne

O Dieu qui fis jaillir de l'ombre
Le monde en son premier matin,
Tu fais briller dans notre nuit
La connaissance de ta gloire.

Tu es l'image de ton Père
Et la splendeur de sa beauté.
Sur ton visage, ô Jésus Christ,
Brille à jamais la joie du monde.

Tu es toi-même la lumière
Qui luit au fond d'un lieu obscur.

Tu es la lampe de nos pas
Sur une route de ténèbres.

Quand tout décline, tu demeures,
Quand tout s'efface, tu es là !
Le soir descend, tu resplendis
Au cœur de toute créature.

Et quand l'aurore qui s'annonce
Se lèvera sur l'univers,
Tu régneras dans la cité
Où disparaissent les ténèbres.

Psaume 14   En marche vers Dieu

Le Seigneur est notre maître : suivre ses commandements assure
la paix de l'âme et la joie intérieure.

Seigneur, qui séjournera sous ta tente ?
Qui habitera ta sainte montagne ?

Celui qui se conduit parfaitement, +
qui agit avec justice
et dit la vérité selon son cœur.

Il met un frein à sa langue, +
ne fait pas de tort à son frère
et n'outrage pas son prochain.

À ses yeux, le réprouvé est méprisable
mais il honore les fidèles du Seigneur.

S'il a juré à ses dépens,
il ne reprend pas sa parole.

Il prête son argent sans intérêt, +
n'accepte rien qui nuise à l'innocent.
Qui fait ainsi demeure inébranlable.

Gloire au Père, et au Fils, et au Saint-Esprit…

Parole de Dieu
1 Thessaloniciens 5, 16-22

Soyez toujours dans la joie, priez sans relâche, rendez grâce en toute circonstance : c'est ce que Dieu attend de vous dans le Christ Jésus. N'éteignez pas l'Esprit, ne repoussez pas les prophètes, mais discernez la valeur de toute chose. Ce qui est bien, gardez-le ; éloignez-vous de tout ce qui porte la trace du mal.

Garde mon âme dans la paix
près de toi, Seigneur !

CANTIQUE DE MARIE (Texte, couverture A)

INTERCESSION

Prions pour notre communauté chrétienne :
– pour toute l'Église
d'une extrémité du monde à l'autre ;
– pour la paix entre les peuples ;
– pour les chefs d'État ;
– pour ceux qui souffrent des injustices ;
– pour ceux qui endurent la faim, la maladie,
la solitude.

Intentions libres

Notre Père…

Car c'est à toi qu'appartiennent
le règne, la puissance et la gloire,
pour les siècles des siècles !

Que le Seigneur fasse resplendir sur nous son visage
et nous accorde la paix. Amen.

Saints
D'hier et d'aujourd'hui

**Le martyrologe romain fait mémoire
de saint Alphonse de Orozco**

*Réjouissons-nous en contemplant, en tant de saints,
la gloire du Christ.*

À Madrid, en août 1591, un très vieux prêtre alité reçoit des visites de la famille royale d'Espagne, de l'archevêque de Tolède et de nombreuses autres personnes venues de tout le pays. Qui est donc ce vénérable nonagénaire ?

Alphonse de Orozco, prédicateur royal, était un homme qui, côtoyant la cour flamboyante des maîtres de l'Europe, mena cependant une vie humble et austère. Il demandait toujours que sa chambre fût près de l'entrée pour répondre à tous les pauvres. Renonçant aux privilèges liés à sa charge, il sut rester au service des malades et des prisonniers. Missionnaire dans l'âme, aspirant à gagner le Mexique, il accepta la maladie qui l'en empêcha, et il poursuivit son travail de prédication devant la cour de Charles Quint et devant le peuple. Auteur de plusieurs œuvres pastorales devenues des classiques de la littérature ibérique, il cultiva un amour particulier pour l'ordre augustinien. Il fonda divers couvents de religieux (augustins et augustines) de vie contemplative.

Bonne fête ! Janvier, Émilie et Amélie

MARDI 20 SEPTEMBRE
Saints André Kim, Paul Chong
et leur compagnons

Prière du matin

Le Seigneur est notre Roi,
venez, adorons-le.

Gloire au Père, et au Fils, et au Saint-Esprit,
au Dieu qui est, qui était, et qui vient,
pour les siècles des siècles. Amen. Alléluia.

HYMNE

Soleil levant
Sur ceux qui gisent dans la mort,
Tu es venu
    pour que voient ceux qui ne voient pas,
Et tu guéris l'aveugle-né.
Ô viens, Seigneur Jésus !
Lumière sur le monde ;
Que nous chantions pour ton retour :

R/ Béni soit au nom du Seigneur
   Celui qui vient sauver son peuple !

Agneau pascal,
Agneau qui sauve de l'exil,
Tu es venu
    racheter les brebis perdues,
Et tu payas le prix du sang.
Ô viens, Seigneur Jésus !
Berger des sources vives ;
Que nous chantions pour ton retour :

Psaume 33 (i)

Baptisés, nous avons goûté combien de Seigneur est bon. Demeurer en lui, contempler sa gloire, chanter ses louanges sont sources de bonheur et de paix.

Je bénirai le Seigneur en tout temps,
sa louange sans cesse à mes lèvres.
Je me glorifierai dans le Seigneur :
que les pauvres m'entendent et soient en fête !

Magnifiez avec moi le Seigneur,
exaltons tous ensemble son nom.
Je cherche le Seigneur, il me répond :
de toutes mes frayeurs, il me délivre.

Qui regarde vers lui resplendira,
sans ombre ni trouble au visage.
Un pauvre crie ; le Seigneur entend :
il le sauve de toutes ses angoisses.

L'ange du Seigneur campe à l'entour
pour libérer ceux qui le craignent.
Goûtez et voyez : le Seigneur est bon !
Heureux qui trouve en lui son refuge !

Saints du Seigneur, adorez-le :
rien ne manque à ceux qui le craignent.
Des riches ont tout perdu, ils ont faim ;
qui cherche le Seigneur ne manquera d'aucun bien.

Gloire au Père, et au Fils, et au Saint-Esprit,
pour les siècles des siècles. Amen.

Parole de Dieu   Romains 13, 11b.12-13a

C'EST LE MOMENT, l'heure est venue de sortir de votre sommeil. La nuit est bientôt finie, le jour est tout proche. Rejetons les activités des ténèbres, revêtons-nous pour le combat de la lumière. Conduisons-nous honnêtement, comme on le fait en plein jour.

> *Ouvre mes yeux à tes merveilles,*
> *aux splendeurs de ta loi !*

CANTIQUE DE ZACHARIE (Texte, couverture B)

LOUANGE ET INTERCESSION

Appelés avec le Christ à devenir louange à la gloire de son Père, nous l'acclamons :

℟ Notre Sauveur et notre Dieu !

Réveillés de notre sommeil
et relevés d'entre les morts,
– nous offrons par toi le sacrifice de louange.

Donne-nous de garder aujourd'hui
tes commandements,
– en faisant comme toi ce qui plaît au Père.

À chaque heure de ce jour, puissions-nous te bénir :
– que nos paroles et nos actes soient ta vraie louange.

Accorde-nous de ne contrister personne aujourd'hui :
– à ceux qui nous rencontrent,
fais-nous porter la joie.

Intentions libres

Dieu créateur et sauveur de toutes les nations, tu as appelé le peuple de Corée à la foi catholique pour qu'il entre dans le peuple de tes fils, et tu l'as fait grandir par le glorieux témoignage de tes saints martyrs André, Paul et leurs compagnons ; à leur exemple et à leur prière, accorde-nous de persévérer, nous aussi, jusqu'à la mort, dans la fidélité à tes commandements. Par Jésus Christ.

La messe
Mardi de la 25ᵉ semaine du temps ordinaire

Saints André Kim, Paul Chong *Mémoire*
et leurs compagnons (XIXᵉ s.)

● Au début du XVIIᵉ siècle, grâce à quelques laïcs, la foi chrétienne s'introduisit en Corée. Une communauté prit naissance, courageuse et fervente, sans pasteurs, conduite seulement par des laïcs jusqu'en 1836, où les premiers missionnaires venus de France purent entrer en cachette dans le pays. Cette communauté connut la persécution en 1839, 1846 et 1866 ; parmi les cent trois saints martyrs, il faut compter en premier lieu André Kim Taegon, prêtre et ardent missionnaire, et Paul Chong Hasang, apôtre laïc, ainsi que trois évêques et sept prêtres des Missions étrangères de Paris. Les autres sont pour la plupart des laïcs, hommes ou femmes, mariés ou non, vieillards, jeunes ou enfants, qui ont consacré par leur sang les débuts féconds de l'Église coréenne. ●

Sur la terre de Corée, les martyrs ont versé leur sang pour le Christ ; aussi ont-ils reçu leur récompense dans le ciel.

Prière ——————————————— page précédente

Lecture du livre d'Esdras 6, 7… 20

L E ROI DE PERSE, Darius, écrivit aux autorités de la province située à l'ouest de l'Euphrate, et dont dépendait Jérusalem : « Laissez le gouverneur de Juda et les anciens des Juifs travailler au temple de Dieu : ils doivent le rebâtir sur son site primitif. Voici mes ordres concernant votre ligne de conduite envers les anciens des Juifs pour la reconstruction du temple de Dieu : les dépenses de ces gens leur seront remboursées, exactement et sans délai, sur les fonds royaux, c'est-à-dire sur l'impôt de la province. Moi, Darius, j'ai édicté cette ordonnance. Qu'elle soit ponctuellement exécutée ! » Les anciens des Juifs continuèrent avec succès les travaux de construction, encouragés par la parole des prophètes Aggée et Zacharie. Ils achevèrent la construction conformément à l'ordre du Dieu d'Israël, selon les décrets de Cyrus et de Darius. Le Temple fut terminé le troisième jour du mois d'Adar, dans la sixième année du règne de Darius. Les Israélites (les prêtres, les lévites et le reste des rapatriés) célébrèrent dans la joie la dédicace du Temple. Ils immolèrent, pour cette dédicace, cent taureaux, deux cents béliers, quatre cents agneaux et, en sacrifice pour le péché de tout Israël, douze boucs, d'après le nombre des tribus d'Israël. Puis ils installèrent les prêtres selon leurs classes, et les lévites selon leurs groupes, pour servir dans le temple de Jérusalem, suivant les prescriptions du livre de Moïse. Les rapatriés célébrèrent la Pâque le quatorzième jour du premier mois. Tous les prêtres et tous les lévites, sans exception, s'étaient purifiés : tous étaient purs. Ils immolèrent donc la Pâque pour tous les rapatriés, pour leurs frères, les prêtres et pour eux-mêmes.

—— • PSAUME 121 • ——

**Nous irons dans la joie
vers la maison de Dieu.**

Quelle joie quand on m'a dit :
« Nous irons à la maison du Seigneur ! »
Maintenant notre marche prend fin
devant tes portes, Jérusalem !

Jérusalem, te voici dans tes murs :
ville où tout ensemble ne fait qu'un !
C'est là que montent les tribus,
les tribus du Seigneur.

C'est là qu'Israël doit rendre grâce
au nom du Seigneur ;
c'est là le siège du droit,
le siège de la maison de David.

Alléluia. Alléluia. Heureux ceux qui entendent la parole
de Dieu et qui la gardent ! Alléluia.

Évangile de Jésus Christ selon saint Luc 8, 19-21

L A MÈRE et les frères de Jésus vinrent le trouver, mais ils
ne pouvaient pas arriver jusqu'à lui à cause de la foule.
On le fit savoir à Jésus : « Ta mère et tes frères sont là
dehors, qui veulent te voir. » Il leur répondit : « Ma mère
et mes frères, ce sont ceux qui entendent la parole de Dieu,
et qui la mettent en pratique. »

PRIÈRE SUR LES OFFRANDES. Regarde avec bonté, Dieu
tout-puissant, les offrandes de ton peuple : à la prière de tes
saints martyrs, fais de nous-mêmes, pour le salut du monde
entier, un sacrifice qui te plaise. Par Jésus, le Christ, notre
Seigneur.

« Celui qui se prononcera pour moi devant les hommes, dit le
Seigneur, moi aussi, je me prononcerai pour lui devant mon
Père qui est aux cieux. »

PRIÈRE APRÈS LA COMMUNION. Nourris du pain des forts en cette
fête de tes saints martyrs, nous te supplions humblement, Seigneur : accorde-nous de rester fidèlement unis au Christ pour
travailler dans l'Église au salut de tous. Par Jésus, le Christ, notre
Seigneur.

MÉDITATION DU JOUR

Écouter la parole de Dieu

Dans l'Évangile de Luc, Jésus affirme : *Ma mère et mes frères, ce sont ceux qui entendent la parole de Dieu et qui la mettent en pratique* (8, 21). Et, face à l'exclamation d'une femme qui, au milieu de la foule, entend exalter le ventre qui l'a porté et le sein qui l'a allaité, Jésus révèle le secret de la vraie joie : *Heureux plutôt ceux qui entendent la parole de Dieu et qui la gardent !* (Lc 11, 28). C'est pourquoi, à tous les chrétiens, je rappelle que notre relation personnelle et communautaire avec Dieu dépend de l'accroissement de la familiarité avec la Parole divine. Enfin, je m'adresse à tous les hommes, également à ceux qui se sont éloignés de l'Église, qui ont abandonné la foi ou qui n'ont jamais entendu l'annonce du salut. À chacun le Seigneur dit : *Voici que je me tiens à la porte, et je frappe. Si quelqu'un entend ma voix et ouvre ma porte, j'entrerai chez lui ; je prendrai mon repas avec lui et lui avec moi* (Ap 3, 20).

Que chacune de nos journées soit donc façonnée par la rencontre renouvelée du Christ, le Verbe du Père fait chair ; il est à l'origine et à la fin et *tout subsiste en lui* (Col 1, 17). Faisons silence pour écouter la parole du Seigneur et pour la méditer, afin que, par l'action efficace de l'Esprit Saint, elle continue à demeurer, à vivre et à nous parler tous les jours de notre vie.

BENOÎT XVI

Prière du soir

Dieu, viens à mon aide,
Seigneur, à notre secours.

Gloire au Père, et au Fils, et au Saint-Esprit !

HYMNE

Sans fin, Seigneur, Dieu notre Père,
Sans fin, Seigneur, nous te louerons :
La terre exulte d'allégresse ;
Béni sois-tu, Dieu des vivants !

L'oiseau reçoit sa nourriture,
La fleur se pare de beauté ;
Tu aimes toute créature,
Tu sais le prix de nos années.

Sans fin, ton Verbe en nos paroles,
Sans fin, Seigneur, te chantera ;
L'amour s'éveille en nos cœurs d'hommes
Au nom du Fils, ton bien-aimé.

Tu es, Seigneur, notre lumière,
Toi seul nous sauves de la mort ;
Ton Fils offert à tous les peuples
Est pour chacun le Pain vivant.

Heureux les hommes qui t'adorent,
Le monde ouvert à ton amour ;
L'Esprit déjà te nomme Père :
Un jour, Seigneur, nous te verrons.

PSAUME 33 (II)   Le Seigneur regarde les justes

Le bonheur, ceux qui se mettent à l'écoute de la parole de Dieu
en découvrent le chemin ! Le Seigneur est proche des pauvres
de cœur.

Venez, mes fils, écoutez-moi,
que je vous enseigne la crainte du Seigneur.
Qui donc aime la vie
et désire les jours où il verra le bonheur ?

Garde ta langue du mal
et tes lèvres des paroles perfides.
Évite le mal, fais ce qui est bien,
poursuis la paix, recherche-la.

Le Seigneur regarde les justes,
il écoute, attentif à leurs cris.
Le Seigneur affronte les méchants
pour effacer de la terre leur mémoire.

Le Seigneur entend ceux qui l'appellent :
de toutes leurs angoisses, il les délivre.
Il est proche du cœur brisé,
il sauve l'esprit abattu.

Malheur sur malheur pour le juste,
mais le Seigneur chaque fois le délivre.
Il veille sur chacun de ses os :
pas un ne sera brisé.

Le mal tuera les méchants ;
ils seront châtiés d'avoir haï le juste.
Le Seigneur rachètera ses serviteurs :
pas de châtiment pour qui trouve en lui son refuge.

Gloire au Père, et au Fils, et au Saint-Esprit,
pour les siècles des siècles. Amen.

Parole de Dieu
1 Jean 3, 1a.2

Voyez comme il est grand,
l'amour dont le Père nous
a comblés : il a voulu que nous soyons appelés enfants de
Dieu – et nous le sommes. Bien-aimés, dès maintenant,

nous sommes enfants de Dieu, mais ce que nous serons ne paraît pas encore clairement. Nous le savons : lorsque le Fils de Dieu paraîtra, nous serons semblables à lui parce que nous le verrons tel qu'il est.

> *Je lève les yeux vers toi,*
> *mon Seigneur !*

CANTIQUE DE MARIE   (Texte, couverture A)

INTERCESSION

Avec un cœur d'enfant, supplions Dieu, notre Père, et disons-lui :

℟   Père, fais-nous voir ton amour !

Père très bon,
en ton Fils bien-aimé, nous sommes frères :
– accorde-nous de vivre ensemble et d'être unis.

Laisse venir à toi les enfants :
– ton royaume est à ceux qui leur ressemblent.

Donne à ceux qui préparent l'avenir
– de bâtir un monde juste et fraternel.

Tu nous demandes d'aimer nos ennemis :
– convertis leur cœur et le nôtre.

Accueille tes enfants dans ta demeure éternelle :
– qu'ils voient la douceur de ta face.

Intentions libres

Notre Père…

   Car c'est à toi qu'appartiennent
   le règne, la puissance et la gloire,
   pour les siècles des siècles !

SAINTS
D'HIER ET D'AUJOURD'HUI
Le martyrologe romain fait mémoire
de SAINT JOSEPH-MARIE DE YERMO Y PARRES

La vie des saints nous rappelle que la puissance de Dieu
se déploie dans la faiblesse.

Au Mexique, la vie du père Joseph-Marie de Yermo y Parres (1851-1904) est pour tous le témoignage d'un don de soi à la cause du Christ et des pauvres, dans l'oubli de sa personne et en acceptant la croix lorsqu'elle se présente.

Au cours de sa brève existence, Joseph-Marie de Yermo y Parres, « géant de la charité », a fondé des écoles, des hôpitaux, des maisons d'accueil pour les personnes âgées, des orphelinats, une maison pour les femmes et, peu avant sa mort, il a engagé sa famille religieuse dans une mission auprès des Indiens. Cette famille est celle des Servantes du Sacré-Cœur-de-Jésus et des pauvres, fondée en 1885 avec quatre jeunes femmes généreuses. Le même jour, à la suite d'une scène pénible dont il fut le témoin, il a fondé l'Asile du Sacré-Cœur, une maison d'accueil pour personnes abandonnées et ayant besoin d'assistance. Dès lors, nonobstant les calomnies et les trahisons, s'est réalisée en lui une ascension spirituelle dans le don au Seigneur et à ses frères.

Bonne fête ! Davy

MERCREDI 21 SEPTEMBRE
Saint Matthieu

Prière du matin

Jésus Christ, Parole éternelle du Père,
louange à toi!

Gloire au Père, et au Fils, et au Saint-Esprit,
au Dieu qui est, qui était, et qui vient,
pour les siècles des siècles. Amen. Alléluia.

HYMNE

Façonnés par la Parole du Seigneur,
Passés au crible de sa Passion,
Et désormais revenus de toute peur,
Apôtres de Jésus, pour son Église,
Vous êtes pierres de fondation
Dont rien n'ébranle l'assise.

Mais de vous il fait encor ses ouvriers,
Il se remet lui-même en vos mains :
Lui, l'architecte, le maître du chantier,
Devient la pierre d'angle qui vous porte,
Pierre vivante et pain quotidien
Pour qui l'annonce et l'apporte.

Quelle ivresse, pure et sobre, vous surprend?
Quelle folie d'amour et de feu?
Quelle sagesse plus folle que le vent?
L'Esprit souffle sur vous, hommes du large :
Jetez en nous le désir de Dieu
Et relancez notre marche!

PSAUME 32

Les Apôtres nous ont transmis cette certitude, le Seigneur est avec nous jusqu'à la fin des temps ! Il veille sur le peuple qu'il a fait naître dans les eaux du baptême. Toute joie vient de lui.

Criez de joie pour le Seigneur, hommes justes !
Hommes droits, à vous la louange !

Rendez grâce au Seigneur sur la cithare,
jouez pour lui sur la harpe à dix cordes.
Chantez-lui le cantique nouveau,
de tout votre art soutenez l'ovation.

Oui, elle est droite, la parole du Seigneur ;
il est fidèle en tout ce qu'il fait.
Il aime le bon droit et la justice ;
la terre est remplie de son amour.

Le Seigneur a fait les cieux par sa parole,
l'univers, par le souffle de sa bouche.
Il amasse, il retient l'eau des mers ;
les océans, il les garde en réserve.

Que la crainte du Seigneur saisisse la terre,
que tremblent devant lui les habitants du monde !
Il parla, et ce qu'il dit exista ;
il commanda, et ce qu'il dit survint.

Le Seigneur a déjoué les plans des nations,
anéanti les projets des peuples.
Le plan du Seigneur demeure pour toujours,
les projets de son cœur subsistent d'âge en âge.

Heureux le peuple dont le Seigneur est le Dieu,
heureuse la nation qu'il s'est choisie pour domaine !
Du haut des cieux, le Seigneur regarde :
il voit la race des hommes.

Du lieu qu'il habite, il observe
tous les habitants de la terre,
lui qui forme le cœur de chacun,
qui pénètre toutes leurs actions.

Le salut d'un roi n'est pas dans son armée,
ni la victoire d'un guerrier, dans sa force.
Illusion que des chevaux pour la victoire :
une armée ne donne pas le salut.

Dieu veille sur ceux qui le craignent,
qui mettent leur espoir en son amour,
pour les délivrer de la mort,
les garder en vie aux jours de famine.

Nous attendons notre vie du Seigneur :
il est pour nous un appui, un bouclier.
La joie de notre cœur vient de lui,
notre confiance est dans son nom très saint.

Que ton amour, Seigneur, soit sur nous,
comme notre espoir est en toi !

Gloire au Père, et au Fils, et au Saint-Esprit,
pour les siècles des siècles. Amen.

*Dieu qui aimes la terre, nous te rendons grâce : par le Christ,
ta Parole vivante, tu fais exister ce que tu veux, et par lui,
ton Enfant bien-aimé, tu as scellé une alliance avec nous.
Toi qui pénètres nos cœurs et nos actions, délivre-nous de
la mort. Toi qui t'es choisi un peuple, garde-le dans ton
amour.*

Parole de Dieu   Éphésiens 2, 19-22

V OUS N'ÊTES PLUS des étrangers ni des gens de pas-
sage, vous êtes citoyens du peuple saint, membres de la

famille de Dieu, car vous avez été intégrés dans la construction qui a pour fondations les Apôtres et les prophètes ; et la pierre angulaire, c'est le Christ Jésus lui-même. En lui, toute la construction s'élève harmonieusement pour devenir un temple saint dans le Seigneur. En lui, vous êtes, vous aussi, des éléments de la construction pour devenir par l'Esprit Saint la demeure de Dieu.

> *Jésus, Parole éternelle du Père,*
> *louange à toi !*

CANTIQUE DE ZACHARIE   (Texte, couverture B)

LOUANGE ET INTERCESSION

Nous avons reçu de saint Matthieu et des Apôtres un héritage spirituel, rendons grâce à Dieu notre Père pour les biens qu'il nous donne.

℟ Loué sois-tu, Seigneur !

Loué sois-tu pour ta sainte Église
édifiée sur les Apôtres :
elle est le corps que nous formons.

Loué sois-tu pour la Parole
qu'ils nous ont fait connaître :
elle est notre lumière et notre joie.

Loué sois-tu pour le baptême et la pénitence
qu'ils nous ont annoncés dans la foi :
c'est là que nous sommes pardonnés.

Loué sois-tu pour l'eucharistie
qu'ils nous ont transmise :
elle est notre force et notre vie.

Intentions libres

Dans ta miséricorde inépuisable, Seigneur, tu as choisi le publicain Matthieu pour en faire un Apôtre ; donne-nous, par sa prière et à son exemple, de suivre le Christ et de nous attacher à lui fermement. Lui qui règne avec toi.

LA MESSE
Fête de saint Matthieu

● *Saint Matthieu est une figure familière* parmi *les Apôtres. Son Évangile est celui qui, dans ses références constantes aux prophéties messianiques, met le mieux en lumière la continuité entre les deux Alliances. De plus, sa vocation constitue un des épisodes les plus populaires de la vie de Jésus, en raison de la personnalité de l'appelé, un collecteur d'impôts, et de la révélation de l'amour sauveur, qui couronne le récit. Matthieu est appelé par Marc et Luc de son nom juif de Lévi, et Marc précise qu'il était « fils d'Alphée » (Mc 2, 14). Peut-être serait-il le frère d'un autre Apôtre, Jacques, présenté lui aussi comme « fils d'Alphée » (Mc 3, 18), ce qui expliquerait les contacts antérieurs de Matthieu avec l'entourage de Jésus. En raison de sa profession, les Juifs de stricte observance le tenaient à l'écart de leurs relations, car il était frappé d'un interdit religieux. L'appel de Jésus (p. d'ouverture) n'en est que plus remarquable, ainsi que la générosité de la réponse de Matthieu : il se lève aussitôt, « abandonnant tout » (Lc 5, 28). Puis c'est le repas de l'amitié, où le publicain devenu disciple réunit autour de sa table avec Jésus ses anciens et ses nouveaux amis, et c'est la parole du Seigneur : « Je ne suis pas venu appeler les justes, mais les pécheurs » (a. et p. après la communion).* ●

« Allez, dit le Seigneur, de toutes les nations faites des disciples ; baptisez-les, et apprenez-leur à garder tous les commandements que je vous ai donnés. »

GLOIRE À DIEU ———————————————— page 203

PRIÈRE———————————————————— page précédente

Lecture de la lettre de saint Paul Apôtre
aux Éphésiens   4, 1-7.11-13

FRÈRES, moi qui suis en prison à cause du Seigneur, je vous encourage à suivre fidèlement l'appel que vous avez reçu de Dieu : ayez beaucoup d'humilité, de douceur et de patience, supportez-vous les uns les autres avec amour ; ayez à cœur de garder l'unité dans l'Esprit par le lien de la paix. Comme votre vocation vous a tous appelés à une seule espérance, de même il n'y a qu'un seul Corps et un seul Esprit. Il n'y a qu'un seul Seigneur, une seule foi, un seul baptême, un seul Dieu et Père de tous, qui règne au-dessus de tous, par tous, et en tous. Chacun d'entre nous a reçu le don de la grâce comme le Christ nous l'a partagée. Car il a fait des dons aux hommes : il leur a donné d'abord les Apôtres, puis les prophètes et les missionnaires de l'Évangile, et aussi les pasteurs et ceux qui enseignent. De cette manière, le peuple saint est organisé pour que les tâches du ministère soient accomplies et que se construise le corps du Christ. Au terme, nous parviendrons tous ensemble à l'unité dans la foi et la vraie connaissance du Fils de Dieu, à l'état de l'Homme parfait, à la plénitude de la stature du Christ.

———— • PSAUME 18 • ————

Par toute la terre s'en va leur message.

Les cieux proclament la gloire de Dieu,
le firmament raconte l'ouvrage de ses mains.
Le jour au jour en livre le récit
et la nuit à la nuit en donne connaissance.

Pas de paroles dans ce récit,
pas de voix qui s'entende ;
mais sur toute la terre en paraît le message
et la nouvelle, aux limites du monde.

Alléluia. Alléluia. À toi, Dieu, notre louange ! Toi que les Apôtres glorifient, nous t'acclamons : tu es Seigneur ! Alléluia.

Évangile de Jésus Christ selon saint Matthieu

9, 9-13

JÉSUS, sortant de Capharnaüm, vit un homme, du nom de Matthieu, assis à son bureau de publicain (collecteur d'impôts). Il lui dit : « Suis-moi. » L'homme se leva et le suivit. Comme Jésus était à table à la maison, voici que beaucoup de publicains et de pécheurs vinrent prendre place avec lui et ses disciples. Voyant cela, les pharisiens disaient aux disciples : « Pourquoi votre maître mange-t-il avec les publicains et les pécheurs ? » Jésus, qui avait entendu, déclara : « Ce ne sont pas les gens bien portants qui ont besoin du médecin, mais les malades. Allez apprendre ce que veut dire cette parole : C'est la miséricorde que je désire, et non les sacrifices. Car je suis venu appeler non pas les justes, mais les pécheurs. »

PRIÈRE SUR LES OFFRANDES. En ce jour où nous honorons la mémoire de saint Matthieu, nous te présentons, Seigneur nos offrandes, et nous te supplions humblement : regarde avec amour ton Église, elle qui puise sa foi dans la prédication des Apôtres. Par Jésus, le Christ, notre Seigneur.

PRÉFACE. Vraiment, il est juste et bon de te rendre gloire, de t'offrir notre action de grâce, toujours et en tout lieu, à toi, Père très saint, Dieu éternel et tout-puissant. Tu n'abandonnes pas ton troupeau, Pasteur éternel, mais tu le gardes par les Apôtres sous ta constante protection ; tu le diriges encore par ces mêmes pasteurs qui le conduisent aujourd'hui au nom de ton Fils. Par lui, avec les anges et tous les saints, nous chantons l'hymne de ta gloire et sans fin nous proclamons : **Saint !…**

Le Seigneur a dit : « Je ne suis pas venu appeler les justes, mais les pécheurs. »

Prière après la communion. Seigneur, nous éprouvons la même joie que saint Matthieu, tout heureux d'accueillir le Sauveur dans sa maison ; donne-nous de pouvoir toujours refaire nos forces à la table de celui qui est venu appeler au salut non pas les justes, mais les pécheurs. Lui qui règne avec toi pour les siècles des siècles.

•────────────────────────•

MÉDITATION DU JOUR

•────────────────────────•

Dans leur propre langue

Saint Irénée évoque ici la mise par écrit des Évangiles.

Ce n'est pas par d'autres que nous avons connu le plan de notre salut, mais bien par ceux par qui l'Évangile nous est parvenu. Cet Évangile, ils l'ont d'abord prêché ; ensuite, par la volonté de Dieu, ils nous l'ont transmis dans des Écritures, pour qu'il soit le fondement et la colonne de notre foi.

Ainsi Matthieu publia-t-il chez les Hébreux, dans leur propre langue, une forme écrite d'Évangile, à l'époque où Pierre et Paul évangélisaient Rome et y fondaient l'Église. Après la mort de ces derniers, Marc, le disciple et l'interprète de Pierre, nous transmit lui aussi par écrit ce que prêchait Pierre. De son côté, Luc, le compagnon de Paul, consigna en un livre l'Évangile que prêchait celui-ci. Puis Jean, le disciple du Seigneur, celui-là même qui avait reposé sur sa poitrine (Jn 21,

20), publia lui aussi l'Évangile, tandis qu'il séjournait à Éphèse, en Asie. *S. Irénée de Lyon*

Saint Irénée († v. 200), évêque de Lyon, Père de l'Église grecque, est considéré comme le premier des grands théologiens du christianisme.

Prière du soir

Jésus Christ, Parole éternelle du Père,
louange à toi !

Gloire au Père, et au Fils, et au Saint-Esprit !

TROPAIRE

Un grand vent s'est levé Stance
dans la maison des Apôtres :
en toute langue
on entend publier les merveilles de Dieu.
Peuples, comprenez et chantez :

℟ Béni sois-tu, Esprit créateur,
qui renouvelles tout l'univers, alléluia !

Royaumes de la terre, chantez pour Dieu,
jouez pour le Seigneur.

C'est lui qui donne à son peuple
force et puissance.

PSAUME 26 Confiance intrépide en Dieu

Qui pourrait nous séparer de l'amour de Dieu ? Au milieu des difficultés quotidiennes, il est le rempart qui protège, la lumière qui éclaire et la force qui sauve.

Le Seigneur est ma lumière et mon salut ; lumière
de qui aurais-je crainte ? * salut

Le Seigneur est le rempart de ma vie ;   rempart
        devant qui tremblerais-je ?

Si des méchants s'avancent contre moi
        pour me déchirer, [+]   il est avec moi :
ce sont eux, mes ennemis, mes adversaires, [*]
        qui perdent pied et succombent.   victoire

Qu'une armée se déploie devant moi,
        mon cœur est sans crainte ; [*]
que la bataille s'engage contre moi,
        je garde confiance.   confiance

J'ai demandé une chose au Seigneur,
        la seule que je cherche : [+]
habiter la maison du Seigneur
        tous les jours de ma vie, [*]
pour admirer le Seigneur dans sa beauté   demeure
        et m'attacher à son temple.   de beauté

Oui, il me réserve un lieu sûr   lieu sûr
        au jour du malheur ; [+]
il me cache au plus secret de sa tente,
        il m'élève sur le roc. [*]   roc
Maintenant je relève la tête
        devant mes ennemis.

J'irai célébrer dans sa tente   tente
        le sacrifice d'ovation ; [*]
je chanterai, je fêterai le Seigneur.   chant de fête

Écoute, Seigneur, je t'appelle ! [*]   vers toi
        Pitié ! Réponds-moi !   je crie
Mon cœur m'a redit ta parole :   j'appelle
        « Cherchez ma face. » [*]   je cherche
C'est ta face, Seigneur que je cherche :
        ne me cache pas ta face.

N'écarte pas ton serviteur avec colère : *
    tu restes mon secours.   *secours*
Ne me laisse pas, ne m'abandonne pas,
    Dieu, mon salut ! *   *salut*
Mon père et ma mère m'abandonnent ;   *père, mère*
    le Seigneur me reçoit.

Enseigne-moi ton chemin, Seigneur, *   *chemin*
conduis-moi par des routes sûres,   *route*
    malgré ceux qui me guettent.

Ne me livre pas à la merci de l'adversaire : *
contre moi se sont levés de faux témoins   *juge*
    qui soufflent la violence.   *force*

Mais j'en suis sûr, je verrai les bontés du Seigneur
    sur la terre des vivants *   *courage*
« Espère le Seigneur, sois fort et prends courage ;
    espère le Seigneur. »   *espérance dernière*

Gloire au Père, et au Fils, et au Saint-Esprit,
pour les siècles des siècles. Amen.

Jésus, Verbe de Dieu, tu es la vraie lumière et le Sauveur du monde : avec toi, de qui aurions-nous peur ? Jésus, Christ et Seigneur, tu es vainqueur de l'Adversaire, le Père ne t'a pas abandonné : en toi, de qui aurions-nous peur ? Jésus, Fils bien-aimé, tu es le Rocher véritable, tu es la route sûre : prenant appui sur toi, de qui aurions-nous peur ?

Parole de Dieu   Éphésiens 4, 11-13

L ES DONS que le Christ a faits aux hommes, ce sont d'abord les Apôtres, puis les prophètes et les missionnaires de l'Évangile, et aussi les pasteurs et ceux qui enseignent. De cette manière, le peuple saint est organisé pour que les tâches du ministère soient accomplies et que se construise le corps du Christ. Au terme, nous parviendrons tous ensemble à l'unité dans la foi et à la vraie connaissance du Fils de Dieu, à l'état de l'Homme parfait, à la plénitude de la stature du Christ.

Jésus, Parole éternelle du Père,
louange à toi!

CANTIQUE DE MARIE (Texte, couverture A)

INTERCESSION

Prenons appui sur la foi qui nous vient
de saint Matthieu et des Apôtres
et prions Dieu pour son peuple saint :

℟ Souviens-toi de ton Église, Seigneur.

Père, tu as voulu que ton Fils ressuscité
se manifeste à saint Matthieu et aux Apôtres,
– fais de nous les témoins de sa résurrection.

Toi qui as envoyé ton Fils porter aux pauvres
la Bonne Nouvelle,
– donne-nous d'annoncer l'Évangile.

Toi qui as envoyé ton Fils semer la Parole,
– envoie des ouvriers à ta moisson.

Toi qui as envoyé ton Fils réconcilier le monde
avec toi par son propre sang,
– fais de nous des instruments de paix.

Toi qui as fait asseoir ton Fils à ta droite
dans les cieux,
– accueille nos morts dans la joie du Royaume.

Intentions libres

Notre Père... Car c'est à toi qu'appartiennent...

JEUDI 22 SEPTEMBRE

Prière du matin

Seigneur, ouvre mes lèvres,
et ma bouche publiera ta louange.

Gloire au Père, et au Fils, et au Saint-Esprit !

Hymne

Tu es venu, Seigneur,
Dans notre nuit,
Tourner vers l'aube nos chemins ;
Le tien pourtant reste caché,
L'Esprit seul nous découvre
Ton passage.

Pour nous mener au jour,
Tu as pris corps
Dans l'ombre humaine où tu descends.
Beaucoup voudraient voir et saisir :
Sauront-ils reconnaître
Ta lumière ?

Nous leur disons : « Voyez
Le grain qui meurt !
Aucun regard ne l'aperçoit ;
Mais notre cœur peut deviner
Dans le pain du partage
Sa présence. »

Puis nous portons vers toi,
Comme un appel,
L'espoir des hommes d'aujourd'hui.
Mûris le temps, hâte le Jour,

Et que lève sur terre
Ton Royaume !

PSAUME 56   Confiance en Dieu dans la souffrance

C'est dans l'épreuve que nous faisons l'expérience du salut et
que nous en goûtons la joie. Chanter ce psaume est un acte de
foi qui nous unit au Christ Sauveur.

Pitié, mon Dieu, pitié pour moi !
En toi je cherche refuge,
un refuge à l'ombre de tes ailes,
aussi longtemps que dure le malheur.

Je crie vers Dieu, le Très-Haut,
vers Dieu qui fera tout pour moi.
Du ciel, qu'il m'envoie le salut :
(mon adversaire a blasphémé !)
    Que Dieu envoie son amour et sa vérité !

Je suis au milieu de lions
et gisant parmi des bêtes féroces ;
ils ont pour langue une arme tranchante,
pour dents, des lances et des flèches.

Dieu, lève-toi sur les cieux :
que ta gloire domine la terre !

Ils ont tendu un filet sous mes pas :
    j'allais succomber. *
Ils ont creusé un trou devant moi,
    ils y sont tombés.

Mon cœur est prêt, mon Dieu, +
mon cœur est prêt ! *
Je veux chanter, jouer des hymnes !

Éveille-toi, ma gloire ! +
Éveillez-vous, harpe, cithare, *
que j'éveille l'aurore !

Je te rendrai grâce parmi les peuples, Seigneur,
et jouerai mes hymnes en tous pays.
Ton amour est plus grand que les cieux,
ta vérité, plus haute que les nues.

Dieu, lève-toi sur les cieux :
que ta gloire domine la terre !

Gloire au Père, et au Fils, et au Saint-Esprit,
pour les siècles des siècles. Amen.

*Dieu Très-Haut qui as tout fait pour nous, sois notre refuge
dans le malheur. Par ton amour et ta vérité, envoie-nous
le salut. Avec Jésus que tu as élevé dans le ciel, nous chan-
terons ton immense gloire.*

Parole de Dieu   Amos 5, 8 ; 9, 6

L'AUTEUR des Pléiades et
d'Orion, qui change l'obs-
curité en clarté matinale, qui réduit le jour en sombre
nuit, qui convoque les eaux de la mer pour les répandre
sur la face de la terre : il se nomme le Seigneur. Celui qui
dresse son escalier dans le ciel et qui érige son palais au-
dessus de la terre, celui qui convoque les eaux de la mer
et qui les répand sur la face de la terre, le Seigneur, c'est
son nom.

*Ô Seigneur notre Dieu,
qu'il est grand ton nom par tout l'univers !*

CANTIQUE DE ZACHARIE   (Texte, couverture B)

LOUANGE ET INTERCESSION

Rendons grâce au Christ, qui nous donne aujourd'hui la
lumière, et supplions-le :

R⁄   Sois pour nous lumière et vérité !

Chaque jour, tu renouvelles tes merveilles ;
– ouvre nos yeux, donne-nous de les voir.

Toi, le Fils de l'homme,
– fais-nous aimer notre condition d'homme.

Tu as passé en faisant le bien ;
– que chacun de nos actes serve nos frères.

Tu es le Miséricordieux :
– accorde-nous patience et bonté
tout au long de ce jour.

Intentions libres

Dieu qui as séparé la lumière et les ténèbres, toi qui as appelé la lumière « jour » et les ténèbres « nuit », arrache aussi nos cœurs à l'obscurité du péché et fais-nous parvenir à la vraie lumière qui est le Christ. Lui qui règne avec toi et le Saint-Esprit, maintenant et pour les siècles des siècles.

LA MESSE
Jeudi de la 25ᵉ semaine du temps ordinaire

(En ce jour, on peut choisir les oraisons, entre filets, de la messe pour demander la grâce d'une bonne mort, Missel romain n° IV.45.)

Si je traverse les ravins de la mort, je ne crains aucun mal, car tu es avec moi, Seigneur mon Dieu : tu me guides et me rassures.

PRIÈRE. Dieu qui nous as créés à ton image, tu veux que nous soyons des vivants ; et, pour que la mort ne nous détruise pas, ton Fils est venu la vaincre en mourant. Accorde-nous la grâce de veiller avec lui dans la prière, pour qu'à l'heure de quitter ce monde, nous soyons en paix avec toi et avec tous, et que nous retrouvions la vie au plus profond de ta miséricorde. Par Jésus.

Lecture du livre d'Aggée

La deuxième année du règne de Darius, le premier jour du sixième mois, la parole du Seigneur fut adressée, par l'intermédiaire du prophète Aggée, à Zorobabel, gouverneur de Juda, et à Josué, le grand prêtre : « Ainsi parle le Seigneur de l'univers : Ces gens-là disent : "Le temps n'est pas encore venu de rebâtir la maison du Seigneur !" Or, voilà ce que dit le Seigneur : Et pour vous, est-ce bien le temps d'être installés dans vos maisons luxueuses, alors que ma Maison est en ruines ? Et maintenant, ainsi parle le Seigneur de l'univers : Réfléchissez à votre situation : Vous avez semé beaucoup, mais récolté peu ; vous mangez, mais sans être rassasiés ; vous buvez, mais sans être désaltérés ; vous vous habillez, mais sans avoir chaud ; et l'ouvrier qui a gagné son salaire n'a pour le mettre qu'une bourse trouée. Ainsi parle le Seigneur de l'univers : Réfléchissez à ce que vous devez faire. Allez dans la montagne, rapportez du bois pour rebâtir la maison de Dieu. Je prendrai plaisir à y demeurer, et j'y serai glorifié. Parole du Seigneur. »

──── • Psaume 149 • ────

Le Seigneur est l'ami de son peuple !
Ou bien : **Alléluia !**

Chantez au Seigneur un chant nouveau,
louez-le dans l'assemblée de ses fidèles !
En Israël, joie pour son créateur ;
dans Sion, allégresse pour son Roi !

Dansez à la louange de son nom,
jouez pour lui, tambourins et cithares !
Car le Seigneur aime son peuple,
il donne aux humbles l'éclat de la victoire.

Que les fidèles ex<u>u</u>ltent, glorieux,
criant leur joie à l'he<u>u</u>re du triomphe.
Qu'ils proclament les él<u>o</u>ges de Dieu,
c'est la fiert<u>é</u> de ses fidèles.

Alléluia. Alléluia. Maintenant, rois, comprenez, servez le
Seigneur avec crainte, rendez-lui votre hommage en trem-
blant. Alléluia.

Évangile de Jésus Christ selon saint Luc   9, 7-9

H<small>ÉRODE</small>, prince de Galilée,
apprit tout ce qui se pas-
sait, et il ne savait que penser, parce que certains disaient
que Jean le Baptiste était ressuscité d'entre les morts.
D'autres disaient : « C'est le prophète Élie qui est apparu. »
D'autres encore : « C'est un prophète d'autrefois qui est
ressuscité. » Quant à Hérode, il disait : « Jean, je l'ai fait
décapiter ; mais qui est cet homme dont j'entends tellement parler ? » Et il cherchait à le voir.

P<small>RIÈRE SUR LES OFFRANDES</small>. Seigneur, tu as déjà aboli notre mort
dans la mort de ton Fils unique ; que son eucharistie nous donne
la force d'accomplir ta volonté jusqu'au bout : nous pourrons,
avec ta grâce, quitter ce monde en toute paix et confiance, pour
avoir part à la résurrection de Jésus, le Christ, notre Seigneur.
Lui qui règne avec toi pour les siècles des siècles.

« Aucun d'entre nous ne vit pour soi-même, et aucun ne meurt
pour soi-même : si nous vivons, nous vivons pour le Seigneur,
si nous mourons, nous mourons pour le Seigneur. »

P<small>RIÈRE APRÈS LA COMMUNION</small>. Tu nous as donné, Seigneur, dans
cette eucharistie, de communier au corps du Christ ressuscité ;
nous te supplions de nous tenir en sa grâce quand l'angoisse de
mourir viendra nous prendre : que Jésus nous accompagne
comme un ami au chemin qui débouchera sur ta gloire. Lui qui
règne avec toi pour les siècles des siècles.

Le Chemin

Seul Dieu voit Dieu. C'est pourquoi seul celui qui est Dieu pouvait nous le faire connaître et assembler les visions contradictoires dans un tout – même si ce qui est dit en paroles humaines ne peut rendre que de loin la splendeur de la lumière insaisissable de la vérité de Dieu lui-même, qui nous éblouit. Or la différence entre ce que dit le Fils, qui repose sur le cœur du Père, et les visions éloignées des illuminés reste abyssale. C'est une différence de nature. Lui seul est Dieu ; tous les autres ne cherchent Dieu qu'à tâtons, de loin. Lui seul peut dire : *Je suis le Chemin, la Vérité et la Vie* (Jn 14, 6) ; tous les autres peuvent montrer des bouts de chemin, mais ils ne sont pas le Chemin. Et surtout, en Jésus Christ, Dieu et l'homme, l'Infini et le fini, le Créateur et la créature, sont réunis ; l'homme a trouvé sa place en Dieu. Le dépassement de l'écart infini qui sépare le Créateur et la créature ne saurait être effectué que par lui-même. Seul celui qui est homme et Dieu est le pont de l'être entre l'un et l'autre.

Joseph Ratzinger (Benoît XVI)

Prière du soir

Viens à mon aide, Seigneur,
que, sans fin, je te rende grâce.

Gloire au Père, et au Fils, et au Saint-Esprit,
au Dieu qui est, qui était, et qui vient,
pour les siècles des siècles. Amen. Alléluia.

Hymne

R/ Joie et lumière
de la gloire éternelle du Père,
le Très-Haut, le Très-Saint,
ô Jésus Christ !

Oui, tu es digne d'être chanté
dans tous les temps par des voix sanctifiées,
Fils de Dieu qui donnes vie :
tout l'univers te rend gloire.

Parvenus à la fin du jour,
contemplant cette clarté dans le soir,
nous chantons le Père et le Fils
et le Saint-Esprit de Dieu.

Psaume 29

Il est fidèle, le Seigneur qui nous sauve. En nous relevant, il
essuie toutes les larmes de nos yeux et met sur nos lèvres un
chant d'action de grâce.

Je t'exalte, Seigneur : tu m'as relevé,
tu m'épargnes les rires de l'ennemi.

Quand j'ai crié vers toi, Seigneur,
mon Dieu, tu m'as guéri ; *
Seigneur, tu m'as fait remonter de l'abîme
et revivre quand je descendais à la fosse.

Fêtez le Seigneur, vous, ses fidèles,
rendez grâce en rappelant son nom très saint.

Sa colère ne dure qu'un instant,
sa bonté, toute la vie ; *
avec le soir, viennent les larmes,
mais au matin, les cris de joie.

Dans mon bonheur, je disais :
Rien, jamais, ne m'ébranlera !

Dans ta bonté, Seigneur, tu m'avais fortifié
　　sur ma puissante montagne ; *
pourtant, tu m'as caché ta face
　　et je fus épouvanté.

Et j'ai crié vers toi, Seigneur
j'ai supplié mon Dieu :

« À quoi te servirait mon sang
　　si je descendais dans la tombe ? *
La poussière peut-elle te rendre grâce
　　et proclamer ta fidélité ?

« Écoute, Seigneur, pitié pour moi !
Seigneur, viens à mon aide ! »

Tu as changé mon deuil en une danse,
mes habits funèbres en parure de joie.

Que mon cœur ne se taise pas,
　　qu'il soit en fête pour toi, *
et que sans fin, Seigneur, mon Dieu,
　　je te rende grâce !

Gloire au Père, et au Fils, et au Saint-Esprit,
pour les siècles des siècles. Amen.

Parole de Dieu   1 Pierre 1, 6-9

Tressaillez de joie, même
s'il faut que vous soyez
attristés pour un peu de temps encore, par toutes sortes
d'épreuves ; elles vérifieront la qualité de votre foi qui est
bien plus précieuse que l'or (cet or, voué pourtant à disparaître, qu'on vérifie par le feu). Tout cela doit donner
à Dieu louange, gloire et honneur quand se révélera Jésus
Christ, lui que vous aimez sans l'avoir vu, en qui vous
croyez sans le voir encore ; et vous tressaillez d'une joie

inexprimable qui vous transfigure, car vous allez obtenir
votre salut, qui est l'aboutissement de votre foi.

La joie du Seigneur est notre rempart !

CANTIQUE DE MARIE   (Texte, couverture A)

INTERCESSION

Dieu est notre espérance ; il est notre secours.
Supplions-le :

℟   Regarde, Seigneur, tes enfants !

Dieu, notre Dieu, tu as scellé avec ton peuple
une alliance éternelle,
– fais revivre en nous les merveilles de ton amour.

Devant la violence des vents contraires,
– que le souffle de ton Esprit rassure les croyants.

Que la cité terrestre
ne cherche pas à s'édifier sans toi ;
– et ceux qui la construisent
n'auront pas travaillé en vain.

Que la fidélité soutienne ceux qui luttent,
– que notre amitié pacifie ceux qui souffrent.

Que nos frères défunts entrent au nombre
des bienheureux,
– qu'un jour ils nous accueillent dans ton paradis.

Intentions libres

Notre Père…

Car c'est à toi qu'appartiennent
le règne, la puissance et la gloire,
pour les siècles des siècles !

Saints
D'HIER ET D'AUJOURD'HUI
Le martyrologe romain fait mémoire de saint Phocas

Dans la joie du ciel, les saints ne cessent jamais d'implorer pour nous la grâce du salut.

Phocas naquit au bord de la mer Noire, d'un père nommé Pamphile, constructeur de bateaux, et d'une mère nommée Marie. Lors de sa conversion, il reçut de Dieu la grâce d'accomplir des miracles. Devenu évêque de Sinope, il multiplia les ralliements à la foi chrétienne par l'exemple de ses actes et la force de ses paroles. Un jour, une colombe vint se poser sur sa tête et y plaça une couronne en disant : « Le calice est mêlé et il faut que tu le boives. » Dieu lui accorda en effet cette grâce du martyre et, sous l'empereur Trajan, il souffrit par le glaive et par le feu. On raconte que Phocas avait eu à comparaître devant le gouverneur Africanus. Ce dernier ayant blasphémé et fait torturer l'évêque, il y aurait eu un tremblement de terre qui l'aurait fait mourir. À la demande de la femme du gouverneur, Phocas, miséricordieux, l'aurait fait revenir à la vie par sa prière… avant d'être à son tour tué. Après sa mort, ses miracles le rendirent célèbre.

Bonne fête ! Maurice et Morvan

■ Dans le jardin des psaumes ■

Psaume 40
Heureux qui pense au pauvre et au faible

Il y a des paroles qui, un jour, sont pour nous. Elles sont ce pain quotidien de la vie qui efface le malheur, consolation des humbles et des êtres dans l'épreuve et portes ouvertes sur l'infini comme sur une terre d'ancêtres où nous revenons. Le psaume **40** (p. 316) est de ces terres d'origine où il y a toujours quelque chose qui se dit de nous dans l'étrangeté des mondes et des distances, une proximité de Dieu qui réapproprie l'homme violent et démesuré à sa juste beauté et à la bonté, une confiance indivise d'où nous vient toute lueur d'espérance.

De si loin venu

Le psaume **40** commence doucement : *Heureux qui pense au pauvre et au faible* (v. 1), mais, d'emblée, il nous enracine dans une terre rocailleuse où l'altérité fait assaut et dépose le faible dans un lit de souffrance. Et il fallait bien la confiance des premiers mots pour comprendre ce qui se joue ici de cruel dans l'histoire d'Israël et dans celle de l'humanité rachetée par le Fils de l'homme. Au commencement, il y a un paganisme triomphant et une impatience du mal que la figure des « ennemis » désigne, mais que la contemplation du Dieu un et compatissant ne peut laisser advenir. L'effacement du nom, le *mal pernicieux*, les paroles *vides* qui s'opposent à la plénitude de la Parole, tout cela dénonce des obstacles, infranchissables sans la grâce qui défait les liens et renouvelle. Un monde en repousse un autre et Dieu détruit le mal de la dissolution pour achever en nous ce qui ne l'était pas. *Si quelqu'un vient me voir, ses propos sont vides* (v. 7). Au cours du dernier repas, Jésus donnera toute sa solennité messianique à ce psaume en se remémorant le verset 10 au moment de laisser venir à lui la disgrâce de la mort : *Moi, je sais quels sont ceux que j'ai choisis, mais il faut que s'accomplisse la parole de l'Écriture : Celui qui partageait mon pain a voulu me faire tomber* (Jn **13**, 18). Et il le fait pour relier les temps anciens aux temps nouveaux dans la puissante liberté de son sacrifice contre le mal injustifiable et pour l'accomplissement de toute chose.

Une libération

Il y a dans cette libération des mots qui cheminent entre les deux rives de la supplication et de l'action de grâce : *Pitié pour moi, Seigneur* (v. 5), *Béni soit le Seigneur* (v. 14), comme une guérison attendue, qui fait aussi du psaume **40** celui des grands malades et des agonisants. Du malheur va s'effacer, qui s'énonce dans la radicalité des jours, l'endurcissement et la trahison que l'image du *talon* souligne avec vigueur, dans une nudité d'expression qui saute au visage. Toutes les mises à mort de l'humanité et l'inépuisable éclipse de la crucifixion sont là, rendues à leur vacuité par le nom de Dieu. La prière fait irruption dans le clair-obscur du récit, le dialogue instaure la Présence : *Seigneur, guéris-moi, car j'ai péché contre toi !* (v. 5). L'homme se dénude devant Dieu, dégagé de lui-même, rendu à la vie dans l'aveu. Il y a des relevailles que rien ne laissait présager dans cet enfouissement obscur de la foi. Le fulgurant tutoiement des derniers versets inaugure une naissance de l'un à l'Autre dans l'amour éprouvé : *Oui, je saurais que tu m'aimes* (v. 12) et dessine une rémission de la faute : *Tu m'as soutenu et rétabli pour toujours devant ta face* (v. 13). Mais rien ne se peut sans la petite voie de l'abandon, qui faisait dire à Thérèse de Lisieux dans le billet qu'elle portait sur elle le jour de sa profession : « Que les choses de la terre ne puissent jamais troubler mon âme, que rien ne trouble ma paix, Jésus, je ne te demande que la paix, et aussi l'amour, l'amour infini, sans limite[1]. »

Les mains bénissantes de Dieu

Dieu met au monde le petit peuple d'Israël comme ses enfants dispersés, divisés, adossés à l'insoutenable et, finalement, restaurés dans la révélation qui fait grandir en eux l'innocence du premier jour. Entre le combat du mal et de la grâce, le psaume **40** rétablit l'équilibre dans la pitié de Dieu, dans la transfiguration de l'homme parvenu au terme de sa souffrance et de son abaissement. Rien ne se perd de la vie quand Dieu retient son souffle sur l'humanité et étend sa bénédiction pour transformer le poids de l'adversité en vérité éternelle, et pour faire de la marche au néant une action de grâce. Ignace d'Antioche sur le chemin de son martyr avait bien compris cela, qui chantait avec joie et abandon ses fins dernières : « Mais, si je souffre, je serai un affranchi de Jésus Christ et je renaîtrai en lui, libre. Maintenant enchaîné, j'apprends à ne rien désirer[2]. »

Dieu, par l'Incarnation, s'est approché de nous, et nous, par le Christ, nous revenons à lui, lavés de toutes nos blessures et exhaussés dans la mutabilité du jour naissant qui nous réserve toujours des soleils de rédemption.

■ **Nathalie Nabert**

---

1. *Histoire d'une âme*, Pocket, Le Cerf, DDB, Paris, 1998, p. 239.
2. *Lettres aux Églises*, éd. P. T. Camelot, Le Cerf, Paris, 1975, p. 47.

(*Laïque et mère de famille, **Nathalie Nabert** est poète, doyen honoraire de la faculté des lettres de l'Institut catholique de Paris, professeur de littérature médiévale, fondatrice du CRESC, « Centre de recherches et d'études de spiritualité cartusienne », et de la collection « Spiritualité cartusienne » chez Beauchesne.)*

VENDREDI 23 SEPTEMBRE
Saint Pio de Pietrelcina

Prière du matin

HYMNE

Puisqu'il est avec nous
Tant que dure cet âge,
N'attendons pas la fin des jours
Pour le trouver…
Ouvrons les yeux,
Cherchons sa trace et son visage,
Découvrons-le qui est caché
Au cœur du monde comme un feu !

Puisqu'il est avec nous
Pour ce temps de violence,
Ne rêvons pas qu'il est partout
Sauf où l'on meurt…
Pressons le pas,
Tournons vers lui notre patience,
Allons à l'homme des douleurs
Qui nous fait signe sur la croix !

Puisqu'il est avec nous
Dans nos jours de faiblesse,
N'espérons pas tenir debout
Sans l'appeler…
Tendons la main,
Crions vers lui notre détresse ;
Reconnaissons sur le chemin
Celui qui brûle nos péchés !

Puisqu'il est avec nous
Comme à l'aube de Pâques,

Ne manquons pas le rendez-vous
Du sang versé…
Prenons le pain.
Buvons la coupe du passage,
Accueillons-le qui s'est donné
En nous aimant jusqu'à la fin !

CANTIQUE D'ISAÏE (45)

La sagesse de Dieu dépasse tout ce que nous connaissons, mais le Christ nous a fait connaître l'immensité de son amour et c'est notre joie.

Vraiment tu es un Dieu qui se cache,
Dieu d'Israël, Sauveur !

Ils sont tous humiliés, déshonorés, *
ils s'en vont, couverts de honte,
   ceux qui fabriquent leurs idoles.

Israël est sauvé par le Seigneur,
   sauvé pour les siècles. *
Vous ne serez ni honteux ni humiliés
   pour la suite des siècles.

Ainsi parle le Seigneur, le Créateur des cieux, +
lui, le Dieu qui fit la terre et la forma,
   lui qui l'affermit, *
qui l'a créée, non pas comme un lieu vide,
   qui l'a faite pour être habitée :

« Je suis le Seigneur : *
il n'en est pas d'autre !

« Quand j'ai parlé, je ne me cachais pas
   quelque part dans l'obscurité de la terre ; *
je n'ai pas dit aux descendants de Jacob :
   Cherchez-moi dans le vide !

« Je suis le Seigneur qui profère la justice,
qui annonce la vérité !

« Rassemblez-vous, venez, approchez tous,
survivants des nations !

« Ils sont dans l'ignorance,
    ceux qui portent leurs idoles de bois, *
et qui adressent des prières
    à leur dieu qui ne sauve pas.

« Déclarez-vous, présentez vos preuves,
tenez conseil entre vous :
qui donc l'a d'avance révélé
et jadis annoncé ?

« N'est-ce pas moi, le Seigneur ?
Hors moi, pas de Dieu ;
de Dieu juste et sauveur,
pas d'autre que moi !

« Tournez-vous vers moi : vous serez sauvés, *
tous les lointains de la terre !

« Oui, je suis Dieu : il n'en est pas d'autre ! +
Je le jure par moi-même ! *
De ma bouche sort la justice,
    la parole que rien n'arrête.

« Devant moi, tout genou fléchira, +
toute langue en fera le serment : *
Par le Seigneur seulement – dira-t-elle de moi –
    la justice et la force ! »

Jusqu'à lui viendront, humiliés,
tous ceux qui s'enflammaient contre lui.
Elle obtiendra, par le Seigneur, justice et gloire,
toute la descendance d'Israël.

Gloire au Père, et au Fils, et au Saint-Esprit,
pour les siècles des siècles. Amen.

Parole de Dieu
Éphésiens 4, 29-32

AUCUNE parole mauvaise ne doit sortir de votre bouche ; s'il y en a besoin, dites une parole bonne et constructive, bienveillante pour ceux qui vous écoutent. En vue du jour de votre délivrance, vous avez reçu en vous la marque du Saint-Esprit de Dieu : ne le contristez pas. Faites disparaître de votre vie tout ce qui est amertume, emportement, colère, éclats de voix ou insultes, ainsi que toute espèce de méchanceté. Soyez entre vous pleins de générosité et de tendresse. Pardonnez-vous les uns aux autres, comme Dieu vous a pardonné dans le Christ.

Où sont amour et charité,
Dieu est présent !

CANTIQUE DE ZACHARIE
(Texte, couverture B)

LOUANGE ET INTERCESSION
(d'après St Éphrem)

Par sa mort sur la croix, le Christ a sauvé
le genre humain. Bénissons-le :

℟ Béni sois-tu, ô Christ, notre Sauveur !

Du ciel, tu es descendu comme la lumière.

De Marie, tu es né comme le germe divin.

De la croix, tu es tombé comme le fruit.

Au ciel tu es monté, prémices des vivants.

Tu te présentes au Père comme l'offrande parfaite.

Intentions libres

Dieu d'amour, éternellement fidèle, accueille l'eucharistie de ton peuple : nous reconnaissons ce que tu as fait pour nous, et nous venons à toi, en bénissant ton nom, pour te servir dans la joie de l'Esprit. Par Jésus Christ.

Que le Seigneur qui nous a sauvés par sa croix soit pour nous la résurrection et la vie. Amen.

La messe
Vendredi de la 25ᵉ semaine du temps ordinaire

Saint Pio de Pietrelcina (1887-1968)   *Mémoire*

● *Padre Pio a été le généreux dispensateur de la miséricorde divine, étant disponible pour tous à travers l'accueil, la direction spirituelle et, en particulier, l'administration du sacrement de la réconciliation. Au cours de toute son existence, il a cherché à se configurer toujours davantage au crucifié, en ayant clairement conscience d'avoir été appelé à collaborer de façon particulière à l'œuvre de la rédemption. Padre Pio unissait à la prière une intense activité caritative : prière et charité, voilà une synthèse plus que jamais concrète de l'enseignement de padre Pio.* ●

Le juste trouvera dans le Seigneur sa joie et son refuge, et tous les hommes au cœur droit, leur fierté.

Prière. Seigneur qui seul es saint, et sans qui nul homme n'est bon, accorde-nous, à la prière de saint Pio de Pietrelcina, de savoir répondre à ton appel pour n'être pas à jamais privés de ta gloire. Par Jésus Christ, ton Fils, notre Seigneur.

Lecture du livre d'Aggée   1, 15b à 2, 9

L a deuxième année du règne de Darius, le vingt et unième jour du septième mois, la parole du Seigneur se

fit entendre par l'intermédiaire du prophète Aggée : « Va
parler à Zorobabel, gouverneur de Juda, à Josué le grand
prêtre, et au reste du peuple. Tu leur diras : Reste-t-il
encore parmi vous quelqu'un qui ait vu ce Temple dans
sa splendeur première ? Eh bien ! Qu'est-ce que vous voyez
maintenant ? N'est-il pas devant vous réduit à rien ? Mais
à présent, courage, Zorobabel ! Courage, Josué, grand
prêtre ! Courage, tout le peuple du pays ! Au travail ! Je
suis avec vous, déclare le Seigneur de l'univers, selon l'engagement que j'ai pris envers vous à votre sortie d'Égypte,
déclare le Seigneur de l'univers. Mon esprit se tient au
milieu de vous : Ne craignez pas ! Encore un peu de temps,
et je vais ébranler le ciel et la terre, la mer et les conti-
nents. Je vais mettre en branle toutes les nations païennes,
leurs trésors afflueront ici, et j'emplirai ce Temple de splendeur, déclare le Seigneur de l'univers. L'argent est à moi,
l'or est à moi. La splendeur future de ce Temple surpas-
sera la première, et dans ce lieu, je vous ferai don de la
paix. Parole du Seigneur de l'univers. »

──────── • PSAUME 42 • ────────

J'espère en Dieu : c'est lui mon Sauveur !

Rends-moi justice, ô mon Dieu, défends ma cause
contre un peuple sans foi ;
de l'homme qui ruse et trahit,
libère-moi.

C'est toi, Dieu, ma forteresse :
pourquoi me rejeter ?
Pourquoi vais-je assombri,
pressé par l'ennemi ?

Envoie ta lumière et ta vérité :
qu'elles guident mes pas
et me conduisent à ta montagne sainte,
jusqu'en ta demeure.

J'avancerai jusqu'à l'autel de Dieu,
vers Dieu qui est toute ma joie ;
je te rendrai grâce avec ma harpe,
Dieu, mon Dieu.

Alléluia. Alléluia. Le Fils de l'homme est venu pour servir, et donner sa vie en rançon pour la multitude. Alléluia.

Évangile de Jésus Christ selon saint Luc 9, 18-22

Un jour, Jésus priait à l'écart. Comme ses disciples étaient là, il les interrogea : « Pour la foule, qui suis-je ? » Ils répondirent : « Jean Baptiste ; pour d'autres, Élie ; pour d'autres, un prophète d'autrefois qui serait ressuscité. » Jésus leur dit : « Et vous, que dites-vous ? Pour vous, qui suis-je ? » Pierre prit la parole et répondit : « Le Messie de Dieu. » Et Jésus leur défendit vivement de le révéler à personne, en expliquant : « Il faut que le Fils de l'homme souffre beaucoup, qu'il soit rejeté par les anciens, les chefs des prêtres et les scribes, qu'il soit tué et que, le troisième jour, il ressuscite. »

Prière sur les offrandes. Sois favorable à nos prières, Seigneur, et, pour nous rendre dignes de servir en ta présence, permets que l'intercession des saints nous garde. Par Jésus, le Christ, notre Seigneur.

Au banquet du Seigneur, les justes sont en fête ; en sa présence, ils débordent d'allégresse.

Prière après la communion. Dieu éternel, Père tout-puissant, toi qui es la source de toute consolation et de toute paix, accorde à ta famille, assemblée pour louer ton nom en cette fête de saint Pio de Pietrelcina, de recueillir dans sa communion à ton Fils le gage de l'éternelle rédemption. Par Jésus, le Christ.

MÉDITATION DU JOUR

Pour vous, qui suis-je ?

L'image de Jésus Christ peut être fixée en nous de deux manières. Nous pouvons nous le figurer sous la forme sensible d'un homme aimable, saint et bienfaisant. Mais c'est là l'image d'une simple créature qui ne représente pas complètement Jésus Christ, non seulement homme et créature, mais homme et Dieu tout ensemble. Ne séparons jamais l'humain du divin. Voyons toujours en lui le Fils de Dieu et de Marie, le Sauveur du monde, vrai Dieu et vrai homme. En pensant à Jésus Christ, nous penserons ainsi toujours à Dieu.

On peut, en second lieu, fixer dans son âme l'image du Christ en se conformant à ses divins exemples. Alors ce n'est plus l'imagination, c'est l'imitation qui remplit l'âme des préceptes, des conseils, de la doctrine de Jésus Christ, et avec tant d'amour qu'on ne veut plus faire que sa volonté. Parce qu'on lui entend dire : *Aimez vos ennemis, faites du bien à ceux qui vous haïssent* (Mt 5, 44), non seulement on pardonne à ses ennemis, mais on les reçoit, on les aime sincèrement, de tout son cœur ; on les honore, on les excuse, on les défend, non pas qu'on ignore le mal fait et la haine qu'ils vous portent, mais parce qu'on ne veut pas s'y arrêter et se le rappeler, afin d'imiter la patience de Jésus Christ.

Bx Henri Suso

Henri Suso († 1366), dominicain disciple de Maître Eckhart et figure de la mystique rhénane, a été béatifié en 1831.

Prière du soir

Hymne

R/ Le soir peut revenir
   Et la nuit,
   Si Jésus nous redit
   De quel Esprit nous sommes.

Vienne Jésus pour dissiper
Le brouillard et les doutes :
Sa parole donnée
Est soleil sans déclin.

Vienne Jésus pour surmonter
La fatigue des jours :
Il est l'eau de la source
Et le pain de la vie.

Vienne Jésus pour dominer
La frayeur du naufrage :
N'est-il pas le seul Maître
Du navire et des flots ?

Vienne Jésus pour consoler
De la mort implacable,
En frère premier-né
Relevé du tombeau !

Psaume 40   Prière confiante d'un malade face à l'ennemi

Aimer Dieu et son prochain est le double commandement de
l'amour qui donne la vie. « Va, et toi aussi fais de même », nous
dit Jésus.

Heureux qui pense au pauvre et au faible :
le Seigneur le sauve au jour du malheur !
Il le protège et le garde en vie, heureux sur la terre.
Seigneur, ne le livre pas à la merci de l'ennemi !

Le Seigneur le soutient sur son lit de souffrance :
si malade qu'il soit, tu le relèves.

J'avais dit : « Pitié pour moi, Seigneur,
guéris-moi, car j'ai péché contre toi ! »
Mes ennemis me condamnent déjà :   ennemis
« Quand sera-t-il mort ? son nom, effacé ? »
Si quelqu'un vient me voir, ses propos sont vides ;
il emplit son cœur de pensées méchantes,
    il sort, et dans la rue il parle.

Unis contre moi, mes ennemis murmurent,   ennemis
à mon sujet, ils présagent le pire ;
« C'est un mal pernicieux qui le ronge ;
le voilà couché, il ne pourra plus se lever. »
Même l'ami, qui avait ma confiance   ami
et partageait mon pain, m'a frappé du talon.

Mais toi, Seigneur, prends pitié de moi ;
relève-moi, je leur rendrai ce qu'ils méritent.
Oui, je saurai que tu m'aimes
si mes ennemis ne chantent pas victoire.   ennemis
Dans mon innocence tu m'as soutenu
et rétabli pour toujours devant ta face.

     Béni soit le Seigneur,
        Dieu d'Israël, *   Dieu
     depuis toujours et pour toujours !   toujours
        Amen ! Amen !

Seigneur Jésus, toi qui as guéri les malades et pardonné aux pécheurs, toi qui as dit : « Heureux les miséricordieux, ils obtiendront miséricorde », apprends-nous à penser aux pauvres et à soutenir ceux qui souffrent, de sorte que tu nous prennes en pitié et nous sauves au jour du jugement.

Parole de Dieu

Romains 15, 1-3

Nous, les forts, nous devons prendre sur nous la fragilité des faibles, et non pas agir selon notre convenance. Que chacun de nous cherche à faire ce qui convient à son prochain en vue d'un bien vraiment constructif, pour édifier. Car le Christ, non plus, n'a pas agi selon sa convenance, mais il a subi ce que dit l'Écriture : « On t'insulte et l'insulte retombe sur moi » (Ps 68, 10).

Auprès du Seigneur est l'amour,
près de lui, le pardon !

CANTIQUE DE MARIE (Texte, couverture A)

INTERCESSION

À l'heure où le Christ souffrit sur la croix, nous prions pour les membres souffrants de son Corps :

℟ Seigneur, prends pitié de nous.

Libérateur des prisonniers,

Justice des condamnés,

Force des malades,

Espoir des mourants,

Lumière des aveugles,

Richesse des pauvres,

Pain des affamés,

Toi, l'ami des hommes.

Intentions libres

Notre Père… Car c'est à toi qu'appartiennent…

SAINTS
D'HIER ET D'AUJOURD'HUI
Le martyrologe romain fait mémoire de SAINT PIO DE PIETRELCINA

Que la prière des saints nous vienne en aide
pour avancer vers le Royaume.

En Italie, le couvent capucin de San Giovanni Rotondo accueille sept millions de pèlerins par an. C'est là qu'a vécu padre Pio (1887-1968), né Francesco Forgione, qui a porté les stigmates pendant cinquante ans. Durant quinze à dix-neuf heures par jour, padre Pio confessait les foules. Il avait, entre autres, le don de lire dans les consciences. À tous, il rappelait les moyens simples de vivre en chrétien : l'eucharistie, la confession, la prière et l'attachement filial à Marie. Chaque jour, il célébrait la messe deux heures durant, le visage tantôt marqué de douleurs, tantôt transfiguré. En 1956, il fonda un grand hôpital, la « Maison du soulagement de la souffrance », qui a subsisté grâce à la Providence. De santé fragile, padre Pio endurait les souffrances de ses stigmates, sa notoriété, ainsi que l'incompréhension de ses supérieurs. Il traversa aussi des périodes de profonde sécheresse spirituelle. « Sous la croix, on apprend à aimer », rappelait-il. À sa mort, la foule défila de façon ininterrompue pendant trois jours.

Bonne fête ! Constant

SAMEDI 24 SEPTEMBRE

Prière du matin

Venez, adorons le Maître du monde.

Gloire au Père, et au Fils, et au Saint-Esprit,
au Dieu qui est, qui était, et qui vient,
pour les siècles des siècles. Amen. Alléluia.

HYMNE

Qui donc est Dieu pour nous aimer ainsi,
  fils de la terre ?
Qui donc est Dieu, si démuni, si grand,
  si vulnérable ?

℟ Qui donc est Dieu pour nous aimer ainsi ?

Qui donc est Dieu pour se lier d'amour
  à part égale ?
Qui donc est Dieu, s'il faut pour le trouver
  un cœur de pauvre ?

Qui donc est Dieu, s'il vient à nos côtés
  prendre nos routes ?
Qui donc est Dieu qui vient sans perdre cœur
  à notre table ?

Qui donc est Dieu que nul ne peut aimer
  s'il n'aime l'homme ?
Qui donc est Dieu qu'on peut si fort blesser
  en blessant l'homme ?

Psaume 118 (XIX)   Litanie au maître de la Loi

Chaque matin, reconnaissons que le Seigneur est proche de nous
et disposons nos cœurs à vivre de sa parole.

J'appelle de tout mon cœur : réponds-moi ;
    je garderai tes commandements.   tes commandements
Je t'appelle, Seigneur, sauve-moi ;
    j'observerai tes exigences.   tes exigences
Je devance l'aurore et j'implore :
    j'espère en ta parole.   ta parole
Mes yeux devancent la fin de la nuit
    pour méditer sur ta promesse.   ta promesse
Dans ton amour, Seigneur, écoute ma voix :
    selon tes décisions fais-moi vivre !   tes décisions
Ceux qui poursuivent le mal s'approchent,
    ils s'éloignent de ta loi.   ta loi
Toi, Seigneur, tu es proche,
    tout dans tes ordres est vérité.   tes ordres
Depuis longtemps je le sais :
    tu as fondé pour toujours tes exigences.   tes exigences

Gloire au Père, et au Fils, et au Saint-Esprit…

Apprends-moi à devancer l'aurore pour approcher ta loi
et découvrir, ô mon Dieu, comme tu es proche.

Parole de Dieu   Romains 16, 25-27

GLOIRE À DIEU, qui a le pouvoir de vous rendre forts
conformément à l'Évangile que je proclame en annonçant Jésus Christ. Oui, voilà le mystère qui est maintenant révélé : il était resté dans le silence depuis toujours,
mais aujourd'hui il est manifesté. Par ordre du Dieu éternel, et grâce aux écrits des prophètes, ce mystère est porté
à la connaissance de toutes les nations pour les amener à
l'obéissance de la foi. Gloire à Dieu, le seul sage, par Jésus
Christ et pour les siècles des siècles. Amen.

Cantique de Zacharie

(Texte, couverture B)

Louange et intercession

Avec toutes les générations
qui ont chanté la gloire de la Vierge Marie,
disons à Dieu notre reconnaissance :

℟   Nous te louons, Seigneur, et nous te bénissons !

Pour l'humilité de la Vierge,
et sa docilité à ta parole,

Pour son allégresse
et pour l'œuvre, en elle, de l'Esprit,

Pour l'enfant qu'elle a porté,
qu'elle a couché dans la mangeoire,

Pour son offrande au Temple
et son obéissance à la Loi,

Pour sa présence à Cana,
pour sa tranquille prière,

Pour sa foi dans l'épreuve,
pour sa force au Calvaire,

Pour sa joie au matin de Pâques,
et parce qu'elle est notre mère.

Intentions libres

Écoute-nous, Seigneur, et accorde-nous la paix profonde
que nous te demandons. Ainsi en te cherchant tous les
jours de notre vie, et soutenus par la prière de la Vierge
Marie, nous parviendrons sans encombre jusqu'à toi. Par
Jésus Christ, ton Fils, notre Seigneur.

LA MESSE

Samedi de la 25ᵉ semaine du temps ordinaire

(En ce jour, on peut choisir les oraisons, entre filets, de la messe en l'honneur de la Vierge Marie, Missel romain n° 8.)

Nous te saluons, Mère très sainte : tu as mis au monde le Roi qui gouverne le ciel et la terre pour les siècles sans fin.

PRIÈRE. Accorde à tes serviteurs, Dieu très bon, de posséder la santé de l'âme et du corps, et, par la glorieuse intercession de la sainte Vierge Marie, d'être libérés des tristesses de ce monde et de goûter les joies de l'éternité. Par Jésus Christ, ton Fils, notre Seigneur.

Lecture du livre de Zacharie
2, 5-9.14-15a

MOI, ZACHARIE, je levai les yeux et voici ce que j'ai vu : un homme qui tenait à la main une chaîne d'arpenteur. Je lui demandai : « Où vas-tu ? » Il me répondit : « Je vais mesurer Jérusalem, pour voir quelle est sa largeur et quelle est sa longueur. » L'ange qui me parlait était en train de sortir, lorsqu'un autre ange sortit le rejoindre et lui dit : « Cours, va dire à ce jeune homme : "Jérusalem doit rester une ville ouverte, à cause de la quantité d'hommes et de bétail qui la peupleront." Quant à moi, je serai pour elle, déclare le Seigneur, une muraille de feu pour l'entourer, et je serai sa gloire au milieu d'elle. Chante et réjouis-toi, fille de Sion ; voici que je viens, j'habiterai au milieu de toi, déclare le Seigneur. En ce jour-là, des nations nombreuses s'attacheront au Seigneur, elles seront pour moi un peuple, et j'habiterai au milieu de toi. »

--- • CANTIQUE (Jérémie 31) • ---

Rassemble, Seigneur, ton peuple dispersé.

Écoutez, nations, la parole du Seigneur !
Annoncez dans les îles lointaines :
« Celui qui disperse Israël le rassemble,
il le garde, comme un berger son troupeau.

« Le Seigneur a libéré Jacob,
l'a racheté des mains d'un plus fort.
Ils viennent, criant de joie, sur les hauteurs de Sion :
ils affluent vers la bonté du Seigneur.

« La jeune fille se réjouit, elle danse ;
jeunes gens, vieilles gens, tous ensemble !
Je change leur deuil en joie,
les réjouis, les console, après la peine. »

Alléluia. Alléluia. Jésus Christ, notre Sauveur, a détruit la mort, il a fait resplendir la vie par son Évangile. Alléluia.

Évangile de Jésus Christ selon saint Luc   9, 43b-45

COMME tout le monde était dans l'admiration devant tout ce que faisait Jésus, il dit à ses disciples : « Mettez-vous bien en tête ce que je vous dis là : le Fils de l'homme va être livré aux mains des hommes. » Mais les disciples ne comprenaient pas ces paroles, elles restaient voilées pour eux, si bien qu'ils n'en saisissaient pas le sens, et ils avaient peur de l'interroger sur ces paroles.

PRIÈRE SUR LES OFFRANDES. Dans son amour pour les hommes, que ton Fils unique vienne à notre secours, Seigneur : puisque sa naissance n'a pas altéré mais a consacré la virginité de sa mère, qu'il nous délivre aujourd'hui de nos péchés et te rende agréable cette offrande. Lui qui règne avec toi pour les siècles des siècles.

Heureuse la Vierge Marie, qui a porté dans son sein le Fils du Père éternel.

Prière après la communion. En communiant à la nourriture du ciel, nous implorons ta bonté, Seigneur : puisque nous avons la joie de faire mémoire de la Vierge Marie, rends-nous capables d'accueillir comme elle le mystère de notre rédemption. Par Jésus, le Christ, notre Seigneur.

MÉDITATION DU JOUR

Une corbeille percée

Les Apophtegmes des Pères recueillent des scènes de la vie des ermites, comme abba Moïse, dans le désert de Scété, en Égypte.

Un frère fauta une fois à Scété. On tint un conseil, auquel on convoqua abba Moïse. Mais celui-ci refusa de venir.

Aussi le prêtre lui envoya dire : « Viens, car tout le monde t'attend. » Il se leva et vint avec une corbeille percée qu'il remplit de sable, qu'il mit sur son dos et qu'il porta ainsi. Les autres, sortis à sa rencontre, lui dirent : « Qu'est-ce que cela, père ? » Le vieillard dit : « Mes fautes sont en train de s'écouler derrière moi et je ne les vois pas ; et moi, je suis venu aujourd'hui pour juger les fautes d'autrui ! » Entendant cela, ils ne dirent rien au frère, mais lui pardonnèrent. Anonyme

Prière du soir
26e semaine du temps ordinaire

Que ma prière devant toi s'élève comme un encens,
et mes mains, comme l'offrande du soir.

Gloire au Père, et au Fils, et au Saint-Esprit !

Hymne

Le jour s'achève,
Mais la gloire du Christ
Illumine le soir.
Le pain rompu,
Le vin nouveau
Portent leur fruit de louange :
Béni sois-tu, ô notre Père,
En Jésus, le Vivant !

L'Esprit nous garde
Sous l'alliance du Christ
Et le signe pascal.
La vie reçue,
La vie donnée
Rythment le temps de l'Église :
Nous sommes tiens, ô notre Père,
En Jésus, le Vivant !

Le monde marche
Vers le règne du Christ,
Et sa nuit prendra fin.
Nos cœurs l'ont su,
Nos yeux verront :
L'œuvre de Dieu est lumière.
Tu nous l'as dit, ô notre Père,
En Jésus, le Vivant !

Que l'on découvre
Le visage du Christ
À la joie des sauvés !
Il est venu,
Il vient encor,
Dieu tient toujours ses promesses :
Tu nous bénis, ô notre Père,
En Jésus, ton enfant !

PSAUME 15

Loin des chemins incertains et des valeurs trompeuses, Dieu
guide ceux qui le cherchent vers le bonheur véritable.

Garde-moi, mon Dieu :   Dieu :
j'ai fait de toi, mon refuge.   mon refuge
J'ai dit au Seigneur : « Tu es mon Dieu !
Je n'ai pas d'autre bonheur que toi. »   mon bonheur

Toutes les idoles du pays,
    ces dieux que j'aimais, +
ne cessent d'étendre leurs ravages, *
et l'on se rue à leur suite.
Je n'irai pas leur offrir le sang des sacrifices ; *
leur nom ne viendra pas sur mes lèvres !

Seigneur, mon partage et ma coupe :   mon partage
de toi dépend mon sort.   mon sort
La part qui me revient fait mes délices ;   mes délices
j'ai même le plus bel héritage !   mon héritage

Je bénis le Seigneur qui me conseille :   mon conseil
même la nuit mon cœur m'avertit.   mon défenseur
Je garde le Seigneur devant moi sans relâche ;
il est à ma droite : je suis inébranlable.   ma force

Mon cœur exulte, mon âme est en fête   ma fête
ma chair elle-même repose en confiance :   ma confiance
tu ne peux m'abandonner à la mort   ma vie
ni laisser ton ami voir la corruption.

Tu m'apprends le chemin de la vie : +   mon chemin
devant ta face, débordement de joie !   ma joie
À ta droite, éternité de délices !   mes délices

Gloire au Père, et au Fils, et au Saint-Esprit,
pour les siècles des siècles. Amen.

Père, tu as fait boire au Christ la coupe d'une mort amère, mais tu n'as pas permis que sa chair voie la corruption, et tu lui as ouvert le chemin de la vie. Accorde-nous la même part : que nous trouvions en toi notre bonheur, et, devant ta face, la joie éternelle.

Parole de Dieu
Colossiens 1, 2b-6a

QUE DIEU notre Père vous donne la grâce et la paix. Nous rendons grâce à Dieu, le Père de notre Seigneur Jésus Christ, en priant pour vous à tout instant. Nous avons entendu parler de votre foi dans le Christ Jésus et de l'amour que vous avez pour tous les fidèles dans l'espérance de ce qui vous attend au ciel ; vous en avez déjà reçu l'annonce par la parole de vérité, la Bonne Nouvelle qui est parvenue jusqu'à vous, elle qui porte du fruit et progresse dans le monde entier.

*Nous te rendons grâce,
ô notre Dieu !*

CANTIQUE DE MARIE
(Texte, couverture A)

INTERCESSION

À la veille du jour du Seigneur, supplions-le de regarder avec bonté ce que fut notre vie pendant la semaine :

℟ Accueille-nous, Seigneur, en ta bonté.

Créateur souverain, tu nous as confié le monde :
– pour tout progrès, merci ;
    pour toute lâcheté, pardon.

Tu nous as donné des compagnons de travail :
– pour les secours donnés et reçus, merci ;
    pour les malveillances et les jalousies, pardon.

Tu nous as donné des frères :
– pour les témoignages d'affection, merci ;
   pour tout manque d'amour, pardon.

Tu nous as donné de rencontrer des inconnus :
– pour les amitiés qui se sont nouées, merci ;
   pour nos indifférences, pardon.

Regarde avec bonté ceux qui sont morts
de mort brutale ou dans l'isolement :
– accueille-les dans le repos éternel.

Intentions libres

Notre Père…

   Car c'est à toi qu'appartiennent
   le règne, la puissance et la gloire,
   pour les siècles des siècles !

Heureuse es-tu, Vierge Marie !
Par toi, le salut est entré dans le monde,
Comblée de gloire, tu te réjouis devant le Seigneur,
tu cries de joie à l'ombre de ses ailes.
Sainte Mère de Dieu,
prie pour nous, pauvres pécheurs.

Saints
D'HIER ET D'AUJOURD'HUI
Le martyrologe romain fait mémoire
de saint Isarn

Célébrons la tendresse de Dieu
pour tant d'hommes et de femmes
parvenus à la sainteté en se donnant au Christ.

Isarn (ou Ysarn, 977-1047) est une figure de proue du monachisme provençal. Né à Pamiers, Isarn fut enlevé, à 13 ans par l'abbé Gaucelin. Parvenu à Agde, l'abbé obtint de l'évêque Étienne que le jeune Pyrénéen prît l'habit religieux. Ses parents n'auraient alors plus aucun droit sur lui. Sur le chemin, Gaucelin et Isarn firent halte à Marseille, à l'abbaye Saint-Victor. Attiré par cette jeune communauté, Isarn s'y cacha, se soustrayant à la tutelle de Gaucelin. Isarn devint prieur puis, en 1020, abbé de Saint-Victor qui connut un grand essor sous son impulsion. Austère pour lui-même, bienveillant et pacifique pour les autres, Isarn restaura la vie régulière dans son monastère.

Dans la crypte de Saint-Victor, sur la tombe de saint Isarn, on lit encore aujourd'hui cette épitaphe sur une belle plaque : « Il fut homme de Dieu, artisan de paix. À tous il apporta la joie. Ce qu'il enseignait, il le pratiquait. »

Bonne fête ! Thècle

Paroles de Dieu
pour un dimanche

Le seul chemin

La parabole évangélique semble presque enfantine : deux fils, l'un et l'autre alternativement obéissant ou rebelle à l'injonction paternelle. Pourtant, elle provoque une question vitale quant à notre capacité à répondre à l'appel du Seigneur. Nos paroles et nos actes sont-ils en adéquation ? Ne courons-nous pas le risque d'une conversion du bout des lèvres, qui, en définitive, ne nous engage pas en totalité ?

Pourtant, le prophète Ézékiel nous avait prévenus. *Écoutez donc, fils d'Israël : est-ce ma conduite qui est étrange ? N'est-ce pas plutôt la vôtre ?* (Ez **18**, 25). Autrement dit, notre conversion doit reposer sur une écoute attentive de la parole que Dieu nous adresse. Il s'agit alors d'ouvrir les yeux afin de mieux réconcilier gestes et paroles, décisions et actions. Sinon, nous pourrions nous tromper de direction. *Seigneur, enseigne-moi tes voies, fais-moi connaître ta route* (Ps **24**, 4).

Mais le Seigneur ne se résout pas à nos égarements. En son Fils, il nous dévoile le seul itinéraire pouvant nous conduire vers lui. Comme le redit Paul aux chrétiens de Philippes, il nous faut suivre le chemin d'abaissement parcouru par Jésus. *Lui qui était dans la condition de Dieu, il n'a pas jugé bon de revendiquer son droit d'être traité à l'égal de Dieu ; mais au contraire, il se dépouilla lui-même en prenant la condition de serviteur* (Ph **2**, 6-7). Autrement dit, il nous faut rivaliser d'attention les uns pour les autres, afin de nous faire tenir dans l'unité avec le Seigneur.

O.P.

▪ Les intentions dominicales ▪

Ces intentions sont à adapter en fonction de l'actualité et de l'assemblée qui célèbre.

Avec humilité, tenons-nous devant Dieu et présentons-lui nos intentions de prière pour tous les hommes.

Prions pour que l'Église ne cesse d'accueillir les pécheurs qui viennent à elle.

Prions pour les hommes et les femmes qui portent un passé douloureux et n'osent plus espérer.

Prions pour les jeunes qui grandissent en apprenant le sens de la vérité et de la parole donnée.

Prions pour nos frères juifs qui vont fêter la nouvelle année et se préparent au Grand Pardon.

Prions pour que notre communauté soit un lieu de soutien fraternel et spirituel.

Tu entends nos prières, Père très bon ; donne à chacun la claire vision de ce qu'il doit faire et la force de l'accomplir. Par Jésus, le Christ, notre Seigneur.

B.D.

DIMANCHE 25 SEPTEMBRE
26ᵉ du temps ordinaire

Prière du matin

Peuple choisi par Dieu,
viens adorer ton chef et ton pasteur.

Louez le Seigneur, tous les peuples ;   Ps 116
fêtez-le, tous les pays !

Son amour envers nous s'est montré le plus fort ;
éternelle est la fidélité du Seigneur !

Gloire au Père, et au Fils, et au Saint-Esprit,
pour les siècles des siècles. Amen.

HYMNE

Au commencement
Était le Verbe !
Il était en Dieu !
Il était Dieu !

℟ Alléluia ! Alléluia ! Alléluia !

Il était la vie,
Notre lumière.
La lumière luit
Dans notre nuit !

Qui croit en son nom
A Dieu pour Père !
Qui l'aura reçu
Ne mourra plus !

Le Verbe fait chair
parmi les hommes

A manifesté
La vérité !

Nous tenons de Lui
Grâce sur grâce !
Il a révélé
Le Dieu caché !

Et par Jésus Christ,
Le Fils unique,
Un jour, de nos yeux,
Nous verrons Dieu !

Psaume 117 (I)   Action de grâce

Regardons Jésus. Il a mis son espérance en Dieu seul et il n'a pas
été abandonné. Rendons grâce au Seigneur car éternel est son
amour !

Rendez grâce au Seigneur : Il est bon ! *
    Éternel est son amour !

Oui, que le dise Israël :
    Éternel est son amour ! +
Que le dise la maison d'Aaron :
    Éternel est son amour ! *
Qu'ils le disent, ceux qui craignent le Seigneur :
    Éternel est son amour !

Dans mon angoisse j'ai crié vers le Seigneur,
et lui m'a exaucé, mis au large.
Le Seigneur est pour moi, je ne crains pas ;
que pourrait un homme contre moi ?
Le Seigneur est avec moi pour me défendre,
et moi, je braverai mes ennemis.

Mieux vaut s'appuyer sur le Seigneur
    que de compter sur les hommes ; *

mieux vaut s'appuyer sur le Seigneur
   que de compter sur les puissants !

Toutes les nations m'ont encerclé :
au nom du Seigneur, je les détruis !
Elles m'ont cerné, encerclé :
au nom du Seigneur, je les détruis !
Elles m'ont cerné, comme des guêpes : [+]
(– ce n'était qu'un feu de ronces –) [*]
au nom du Seigneur, je les détruis !

On m'a poussé, bousculé, pour m'abattre ;
mais le Seigneur m'a défendu.
Ma force et mon chant, c'est le Seigneur ;
il est pour moi le salut.

Rendez grâce au Seigneur : Il est bon ! [*]
   Éternel est son amour !

Gloire au Père, et au Fils, et au Saint-Esprit,
pour les siècles des siècles. Amen.

Parole de Dieu   Romains 5, 1-2.5

D IEU a fait de nous des
justes par la foi ; nous
sommes ainsi en paix avec Dieu par notre Seigneur Jésus
Christ, qui nous a donné, par la foi, l'accès au monde de
la grâce dans lequel nous sommes établis ; et notre orgueil
à nous, c'est d'espérer avoir part à la gloire de Dieu. Et
l'espérance ne trompe pas, puisque l'amour de Dieu a été
répandu dans nos cœurs par l'Esprit Saint qui nous a été
donné.

Viens, Esprit d'amour ! Viens !

CANTIQUE DE ZACHARIE   (Texte, couverture B)

Louange et intercession
(d'après les litanies des saints)

Jésus, Fils du Dieu vivant,

℟   De grâce, écoute-nous.

Accorde à tous les peuples la justice et la paix.

Rassemble en ton Corps
ceux qui confessent ton nom.

Conduis tous les hommes à la lumière de l'Évangile.

Affermis-nous et garde-nous fidèles à ton service.

Élève nos désirs vers les biens éternels.

Sois bienfaisant pour nos bienfaiteurs.

Donne à chacun les fruits de la terre,
pour que nous puissions te rendre grâce.   Intentions libres

Dieu notre Père, tu mets ta joie en ceux qui écoutent
ta parole dans la foi et l'obéissance. Fais-nous revenir
à toi pour accomplir ta volonté, telle que Jésus nous l'a
révélée, lui qui t'a servi parfaitement et qui te glorifie
pour les siècles des siècles.

La messe
26ᵉ dimanche du temps ordinaire

Tu nous as traités, Seigneur, en toute justice, car nous avons
péché, nous n'avons pas écouté tes commandements. Mais, pour
l'honneur de ton nom, traite-nous selon la richesse de ta miséricorde.

Gloire à Dieu ——————————————— page 203

Prière. Dieu qui donnes la preuve suprême de ta puissance,
lorsque tu patientes et prends pitié, sans te lasser, accorde-nous

ta grâce : en nous hâtant vers les biens que tu promets, nous parviendrons au bonheur du ciel. Par Jésus Christ, ton Fils, notre Seigneur.

Lecture du livre d'Ézékiel   18, 25-28

Parole du Seigneur tout-puissant. Je ne désire pas la mort du méchant, et pourtant vous dites : « La conduite du Seigneur est étrange. » Écoutez donc, fils d'Israël : est-ce ma conduite qui est étrange ? N'est-ce pas plutôt la vôtre ? Si le juste se détourne de sa justice, se pervertit, et meurt dans cet état, c'est à cause de sa perversité qu'il mourra. Mais si le méchant se détourne de sa méchanceté pour pratiquer le droit et la justice, il sauvera sa vie. Parce qu'il a ouvert les yeux, parce qu'il s'est détourné de ses fautes, il ne mourra pas, il vivra.

• Psaume 24 •

Sou - viens - toi, Sei - gneur, de ton a-
mour et viens nous sau - ver.

Ou bien :

**En nous tournant vers toi, notre Dieu,
nous trouvons la vie.**

Seigneur, enseigne-moi tes voies,
fais-moi connaître ta route.

Dirige-moi par ta vérité, enseigne-moi,
car tu es le Dieu qui me sauve.

Rappelle-toi, Seigneur, ta tendresse,
ton amour qui est de toujours.
Oublie les révoltes, les péchés de ma jeunesse,
dans ton amour, ne m'oublie pas.

Il est droit, il est bon, le Seigneur,
lui qui montre aux pécheurs le chemin.
Sa justice dirige les humbles,
il enseigne aux humbles son chemin.

Lecture de la lettre
de saint Paul Apôtre aux Philippiens
2, 1-11

FRÈRES, s'il est vrai que dans le Christ on se réconforte les uns les autres, si l'on s'encourage dans l'amour, si l'on est en communion dans l'Esprit, si l'on a de la tendresse et de la pitié, alors, pour que ma joie soit complète, ayez les mêmes dispositions, le même amour, les mêmes sentiments ; recherchez l'unité. Ne soyez jamais intrigants ni vantards, mais ayez assez d'humilité pour estimer les autres supérieurs à vous-mêmes. Que chacun de vous ne soit pas préoccupé de lui-même, mais aussi des autres. Ayez entre vous les dispositions que l'on doit avoir dans le Christ Jésus.

(Fin de la lecture brève)

Lui qui était dans la condition de Dieu, il n'a pas jugé bon de revendiquer son droit d'être traité à l'égal de Dieu ; mais au contraire, il se dépouilla lui-même en prenant la condition de serviteur. Devenu semblable aux hommes et reconnu comme un homme à son comportement, il s'est abaissé lui-même en devenant obéissant jusqu'à mourir, et à mourir sur une croix. C'est pourquoi Dieu l'a élevé au-dessus de tout ; il lui a conféré le Nom qui sur-passe tous les noms, afin qu'au Nom de Jésus, aux cieux, sur terre et dans l'abîme, tout être vivant tombe à genoux, et que toute langue proclame : « Jésus Christ est le Sei-gneur », pour la gloire de Dieu le Père.

Alléluia. Alléluia. Aujourd'hui, ne fermez pas votre cœur, mais écoutez la voix du Seigneur. Alléluia.

Évangile de Jésus Christ selon saint Matthieu
21, 28-32

JÉSUS DISAIT aux chefs des prêtres et aux anciens : « Que pensez-vous de ceci ? Un homme avait deux fils. Il vint trouver le premier et lui dit : "Mon enfant, va tra-vailler aujourd'hui à ma vigne." Il répondit : "Je ne veux pas." Mais ensuite, s'étant repenti, il y alla. Abordant le second, le père lui dit la même chose. Celui-ci répondit : "Oui, Seigneur !" et il n'y alla pas. Lequel des deux a fait la volonté du père ? » Ils lui répondirent : « Le premier. » Jésus leur dit : « Amen, je vous le déclare : les publicains et les prostituées vous précèdent dans le royaume de Dieu. Car Jean Baptiste est venu à vous, vivant selon la justice, et vous n'avez pas cru à sa parole ; tandis que les publi-cains et les prostituées y ont cru. Mais vous, même après avoir vu cela, vous ne vous êtes pas repentis pour croire à sa parole. »

CREDO ———————————————————— page 205

PRIÈRE SUR LES OFFRANDES. Dieu de miséricorde, accepte notre offrande : qu'elle ouvre largement pour nous la source de toute bénédiction. Par Jésus, le Christ, notre Seigneur.

PRÉFACE ————————————————————— page 208

Souviens-toi, Seigneur, de la parole que tu m'as donnée ; en elle j'ai mis mon espoir, et, dans ma misère, elle est pour moi un réconfort.

Ou bien :

À ceci nous avons reconnu l'Amour : Jésus a donné sa vie pour nous ; nous devons donc, à notre tour, donner notre vie pour nos frères.

PRIÈRE APRÈS LA COMMUNION. Que cette eucharistie, Seigneur, renouvelle nos esprits et nos corps, et nous donne part à l'héritage glorieux de celui qui nous unit à son sacrifice lorsque nous proclamons sa mort. Lui qui règne avec toi pour les siècles des siècles.

• ━━━━━━━━━━━━━━━━━━━━━━━━━━━━━━━━━━ •

A U   F I L   D E S   J O U R S

• ━━━━━━━━━━━━━━━━━━━━━━━━━━━━━━━━━━ •

Un appel à la conversion

Jésus, en nous proposant cette histoire toute simple (Mt 21, 28-32), ne donne aucune explication psychologique. Il nous montre seulement quelqu'un qui change…, qui se convertit… Et c'est déjà une révélation réconfortante pour nous. Le monde moderne, les courants de pensée actuels tentent de nous faire croire que nous sommes conditionnés et comme définitivement enfermés dans des déterminismes qui nous enlèvent toute responsabilité et toute liberté. Jésus, au contraire, nous ramène à notre responsabilité en nous répétant que les jeux ne sont jamais faits d'avance. Quel que soit notre passé, quels que soient nos refus précédents…, un changement est toujours possible. Jésus est celui qui, jamais, n'enferme quelqu'un dans son passé ; Jésus est celui qui donne sa chance à tout homme, même le plus pécheur.

Ainsi nous est révélé que Dieu ne nous voit pas figés, mais en devenir. Dans nos difficultés actuelles, il voit, lui, l'homme nouveau qui va, peut-être, en naître.

NOËL QUESSON

Le père Noël Quesson, ordonné en 1948, est prêtre du diocèse d'Angers.

Prière du soir

HYMNE

Peuples, criez de joie
Et bondissez d'allégresse :
Le Père envoie son Fils
Manifester sa tendresse ;
Ouvrons les yeux :
Il est l'image de Dieu
Pour que chacun le connaisse.

Loué soit notre Dieu,
Source et Parole fécondes :
Ses mains ont tout créé
Pour que nos cœurs lui répondent ;
Par Jésus Christ,
Il donne l'être et la vie :
En nous sa vie surabonde.

Loué soit notre Dieu
Qui ensemence la terre
D'un peuple où son Esprit
Est plus puissant que la guerre ;
En Jésus Christ,
La vigne porte du fruit
Quand tous les hommes sont frères.

Loué soit notre Dieu
Dont la splendeur se révèle

Quand nous buvons le vin
Pour une terre nouvelle ;
Par Jésus Christ,
Le monde passe aujourd'hui
Vers une gloire éternelle.

Peuples, battez des mains
Et proclamez votre fête :
Le Père accueille en lui
Ceux que son Verbe rachète ;
Dans l'Esprit Saint,
Par qui vous n'êtes plus qu'un,
Que votre joie soit parfaite !

PSAUME 117 (II)   Rendre grâce

L'action de grâce et la louange débordent des lèvres de ceux qui
se savent sauvés par Dieu. Au soir de ce jour, redisons les merveilles de Dieu.

Clameurs de joie et de victoire *
sous les tentes des justes :
« Le bras du Seigneur est fort,
   le bras du Seigneur se lève, *
le bras du Seigneur est fort ! »

Non, je ne mourrai pas, je vivrai
pour annoncer les actions du Seigneur :
il m'a frappé, le Seigneur, il m'a frappé,
mais sans me livrer à la mort.

Ouvrez-moi les portes de justice :
j'entrerai, je rendrai grâce au Seigneur.
« C'est ici la porte du Seigneur :
qu'ils entrent les justes ! »
Je te rends grâce car tu m'as exaucé :
tu es pour moi le salut.

La pierre qu'ont rejetée les bâtisseurs
est devenue la pierre d'angle :
c'est là l'œuvre du Seigneur,
la merveille devant nos yeux.
Voici le jour que fit le Seigneur,
qu'il soit pour nous jour de fête et de joie !

Donne, Seigneur, donne le salut !
Donne, Seigneur, donne la victoire !

Béni soit au nom du Seigneur
    celui qui vient ! *
De la maison du Seigneur,
    nous vous bénissons !

Dieu, le Seigneur, nous illumine. *
Rameaux en main, formez vos cortèges
    jusqu'auprès de l'autel.

Tu es mon Dieu, je te rends grâce, *
mon Dieu, je t'exalte !

Rendez grâce au Seigneur : Il est bon ! *
    Éternel est son amour !

Gloire au Père, et au Fils, et au Saint-Esprit,
pour les siècles des siècles. Amen.

*Dans la joie, Seigneur, nous te rendons grâce pour ce jour
que tu as fait, ce jour où tu as donné la victoire à ton Fils
venu dans ce monde mener ton combat contre les puissants.
C'est lui la pierre rejetée par les bâtisseurs et devenue la
pierre d'angle de ton Église. Avec le peuple que sa résurrection a libéré et qui n'a plus rien à craindre de la mort,
nous proclamons : Éternel est ton amour ! Béni soit en ton
nom celui qui vient, Jésus, le Christ, notre Sauveur !*

Parole de Dieu   2 Thessaloniciens 2, 13-14

Nous devons continuellement rendre grâce à Dieu pour vous, frères aimés du Seigneur, car Dieu vous a choisis dès le commencement, pour être sauvés par l'Esprit qui sanctifie et par la foi en la vérité. C'est à cela qu'il vous a appelés par notre Évangile, à posséder la gloire de notre Seigneur Jésus Christ.

Je bénirai le Seigneur, toujours et partout.

Hymne de louange   (Texte, couverture C)

Louange

Avec les témoins du Christ ressuscité sur qui nous appuyons notre foi, rendons grâce à Dieu le Père :

℟   Loué sois-tu, Seigneur de gloire !

Loué sois-tu pour Jésus de Nazareth,
le prophète puissant par la parole et par les actes :
il a été crucifié, il est à jamais vivant.

Pour le Messie que tu as envoyé :
en son nom, les boiteux marchent,
les aveugles voient, les sourds entendent.

Pour ton Fils qui s'est fait obéissant
jusqu'à mourir sur la croix :
il est exalté au-dessus de tout nom.

Pour le Christ ressuscité
qui s'est fait reconnaître au partage du pain,
il est au milieu des siens pour la suite des jours.

Pour le premier-né d'entre les morts :
il entraîne vers toi
tous ceux que la mort retenait captifs.   Intentions libres

Notre Père… Car c'est à toi qu'appartiennent…

LUNDI 26 SEPTEMBRE
Saints Côme et Damien

Prière du matin

Souviens-toi de ton amour,
souviens-toi de ton peuple,
souviens-toi de moi…

Gloire au Père, et au Fils, et au Saint-Esprit !

PSAUME 41 (I)   Soif de Dieu

Le Seigneur, ton Dieu, t'a fait connaître la pauvreté, il t'a fait
sentir la faim, et il t'a donné à manger la manne, pour te faire
découvrir que l'homme ne vit pas seulement de pain, mais de
tout ce qui vient de la bouche du Seigneur. Il t'a fait traverser
ce désert, vaste et terrifiant, pays de la sécheresse et de la soif.
C'est lui qui, pour toi, a fait jaillir l'eau de la roche la plus dure.
Souviens-toi du Seigneur, ton Dieu (Dt 8, 3… 18).

Comme un cerf altéré
    cherche l'eau vive, *
ainsi mon âme te cherche,
    toi mon Dieu.

Mon âme a soif de Dieu,
    le Dieu vivant ; *
quand pourrai-je m'avancer,
    paraître face à Dieu ?

Je n'ai d'autre pain que mes larmes,
    le jour, la nuit, *
moi qui chaque jour entends dire :
    « Où est-il ton Dieu ? »

Je me souviens,
    et mon âme déborde : *

en ce temps-là,
> je franchissais les portails !

Je conduisais vers la maison de mon Dieu
> la multitude en fête, *
parmi les cris de joie
> et les actions de grâce.

Pourquoi te désoler, ô mon âme,
> et gémir sur moi ? *
Espère en Dieu ! De nouveau je rendrai grâce :
> il est mon sauveur et mon Dieu !

Gloire au Père, et au Fils, et au Saint-Esprit,
pour les siècles des siècles. Amen.

Parole de Dieu
Jean 4, 6... 15

Jésus, fatigué par la route, s'était assis là, au bord du puits de Jacob. Il était environ midi. Arrive une femme de Samarie, qui venait puiser de l'eau. Jésus lui dit : « Donne-moi à boire. » La Samaritaine lui dit : « Comment, toi qui es juif, tu me demandes à boire, à moi, une Samaritaine ? » Jésus lui répondit : « Si tu savais le don de Dieu, si tu connaissais celui qui te dit : "Donne-moi à boire", c'est toi qui lui aurais demandé, et il t'aurait donné de l'eau vive. » Elle lui dit : « Seigneur, tu n'as rien pour puiser, et le puits est profond ; avec quoi prendrais-tu l'eau vive ? »

Jésus lui répondit : « Tout homme qui boit de cette eau aura encore soif ; mais celui qui boira de l'eau que moi je lui donnerai n'aura plus jamais soif ; et l'eau que je lui donnerai deviendra en lui source jaillissante pour la vie éternelle. » La femme lui dit : « Seigneur, donne-la-moi, cette eau : que je n'aie plus soif, et que je n'aie plus à venir ici pour puiser. »

Cantique de Zacharie (Texte, couverture B)

Intercession

Pas d'eau dans mon puits,
pas de source en mon désert,
mais toi, Seigneur, tu peux faire jaillir
  l'eau de la pierre la plus dure ;
toi qui me fais connaître la pauvreté,
  tu veux me donner l'eau vive.
Donne-la-moi, Seigneur, cette eau,
  que je n'aie plus soif !

À toi, le règne,
  à toi, la puissance et la gloire,
  pour les siècles des siècles !

La messe

Lundi de la 26ᵉ semaine du temps ordinaire

Saints Côme et Damien *Mémoire facultative*

● *Côme et Damien sont des martyrs de Cyr, près d'Alep, en Syrie. Dès le IVᵉ siècle, les miracles fleurissaient tellement sur leurs tombes que la légende les présenta comme des médecins qui soignaient gratuitement. Aussi leur culte ne devait-il pas tarder à se répandre à travers le bassin méditerranéen.* ●

Ils se réjouissent dans les cieux, les saints qui ont suivi les traces du Christ ; et, parce qu'ils ont répandu leur sang pour son amour, ils sont dans l'allégresse avec lui pour l'éternité.

Prière. Nous faisons mémoire des saints Côme et Damien pour te glorifier, Seigneur, puisque ton admirable providence leur a donné la gloire sans fin, et nous donne maintenant ton secours. Par Jésus Christ, ton Fils, notre Seigneur.

Lecture du livre de Zacharie 8, 1-8

L A PAROLE DU SEIGNEUR de l'univers me fut adressée : J'éprouve pour Sion un amour jaloux, j'ai pour elle une ardeur passionnée. Je suis revenu vers Sion, et je fixerai ma demeure au milieu de Jérusalem. Jérusalem s'appellera : « Ville fidèle », et la montagne du Seigneur de l'univers : « Montagne sainte ». Les vieux et les vieilles reviendront s'asseoir sur les places de Jérusalem, le bâton à la main, à cause de leur grand âge ; les places de la ville seront pleines de petits garçons et de petites filles qui viendront y jouer. Si tout cela paraît une merveille pour les survivants de ce temps-là, est-ce que ce sera aussi une merveille pour moi ? déclare le Seigneur de l'univers. Voici que je sauve mon peuple, en le ramenant du pays de l'orient et du pays de l'occident. Je les ferai venir pour qu'ils demeurent au milieu de Jérusalem. Ils seront mon peuple et je serai leur Dieu, dans la fidélité et dans la justice.

— • PSAUME 101 • —

**Quand Dieu rassemblera son peuple,
sa gloire apparaîtra.**

Les nations craindront le nom du Seigneur,
et tous les rois de la terre, sa gloire :
quand le Seigneur rebâtira Sion,
quand il apparaîtra dans sa gloire,
il se tournera vers la prière du spolié,
il n'aura pas méprisé sa prière.

Que cela soit écrit pour l'âge à venir,
et le peuple à nouveau créé chantera son Dieu :
« Des hauteurs, son sanctuaire, le Seigneur s'est penché ;
du ciel, il regarde la terre

pour entendre la plainte des captifs
et libérer ceux qui devaient mourir. »

On publiera dans Sion le nom du Seigneur
et sa louange dans tout Jérusalem,
au rassemblement des royaumes et des peuples
qui viendront servir le Seigneur.
Les fils de tes serviteurs trouveront un séjour,
et devant toi se maintiendra leur descendance.

Alléluia. Alléluia. Le Fils de l'homme est venu pour servir, et donner sa vie en rançon pour la multitude. Alléluia.

Évangile de Jésus Christ selon saint Luc 9, 46-50

UNE DISCUSSION s'éleva entre les disciples pour savoir qui était le plus grand parmi eux. Mais Jésus, connaissant la discussion qui occupait leur pensée, prit un enfant, le plaça à côté de lui et leur dit : « Celui qui accueille en mon nom cet enfant, c'est moi qu'il accueille. Et celui qui m'accueille accueille aussi celui qui m'a envoyé. Et celui d'entre vous tous qui est le plus petit, c'est celui-là qui est grand. » Jean, l'un des Douze, dit à Jésus : « Maître, nous avons vu quelqu'un chasser les esprits mauvais en ton nom, et nous avons voulu l'en empêcher, car il n'est pas avec nous pour te suivre. » Jésus lui répondit : « Ne l'empêchez pas : celui qui n'est pas contre vous est pour vous. »

PRIÈRE SUR LES OFFRANDES. En rappelant, Seigneur, la mort de tes amis, qui fut chère à tes yeux, nous t'offrons cet unique sacrifice, source et modèle de tout martyre. Par Jésus, le Christ, notre Seigneur.

Au banquet du Seigneur, les justes sont en fête, en sa présence, ils débordent d'allégresse.

PRIÈRE APRÈS LA COMMUNION. Entretiens en nous, Seigneur, le don que nous avons reçu de ta bonté en la fête des bienheureux Côme et Damien ; qu'il serve à notre guérison et nous apporte la paix. Par Jésus, le Christ, notre Seigneur.

●————————————————————————●
M É D I T A T I O N   D U   J O U R
●————————————————————————●

L'art de la natation

Les tentations, plus nous nous efforçons de les fuir, plus nous en sommes accablés et découragés, sans même pouvoir en sortir.

Ceux qui ont à nager en mer et qui connaissent l'art de la natation plongent quand la vague arrive sur eux, et se laissent aller dessous, jusqu'à ce qu'elle soit passée, après quoi ils continuent de nager sans difficulté. S'ils veulent s'opposer à la vague, celle-ci les repousse et les rejette à une bonne distance. Dès qu'ils se remettent à nager, une nouvelle vague vient sur eux ; s'ils résistent encore, les voilà de nouveau repoussés et rejetés, ils se fatiguent seulement et n'avancent pas. Qu'ils plongent au contraire sous la vague, comme je l'ai dit, qu'ils s'abaissent dessous, et elle passera sans les gêner ; ils continueront à nager tant qu'ils voudront, et à accomplir ce qu'ils ont à faire. Ainsi en est-il des tentations. Supportées avec patience et humilité, elles passent sans faire de mal.

DOROTHÉE DE GAZA

Dorothée († vIᵉ s.), moine de Gaza, fonda son propre monastère et écrivit à ses disciples des lettres et des instructions spirituelles. Ces écrits sont considérés aujourd'hui comme des ouvrages fondamentaux de la tradition monastique orthodoxe.

Prière du soir

Notre secours est le nom du Seigneur
qui a fait le ciel et la terre.

Gloire au Père, et au Fils, et au Saint-Esprit,
au Dieu qui est, qui était, et qui vient,
pour les siècles des siècles. Amen. Alléluia.

HYMNE

Frappe à ma porte,
Toi qui viens me déranger.
Frappe à ma porte,
Tu viens me ressusciter.

℟ Je ne sais ni le jour ni l'heure,
Mais je sais que c'est toi, Seigneur.

Frappe à ma porte
Tout le vent de ton Esprit.
Frappe à ma porte
Le cri de tous mes frères.

Frappe à ma porte
Le cri de tes affamés.
Frappe à ma porte
La chaîne du prisonnier.

Frappe à ma porte,
Toi, la misère du monde.
Frappe à ma porte
Le Dieu de toute ma joie.

PSAUME 41 (II)   Soif de Dieu

La source, longuement cherchée dans le désert, offre une eau au
goût de vie. Cherchons, dans les déserts de nos âmes, cette source
purifiante qu'est le Christ.

Si mon âme se désole,
    je me souviens de toi, *
depuis les terres du Jourdain et de l'Hermon,
    depuis mon humble montagne.

L'abîme appelant l'abîme
    à la voix de tes cataractes, *
la masse de tes flots et de tes vagues
    a passé sur moi.

Au long du jour, le Seigneur
    m'envoie son amour ; *
et la nuit, son chant est avec moi,
    prière au Dieu de ma vie.

Je dirai à Dieu, mon rocher :
    « Pourquoi m'oublies-tu ? *
Pourquoi vais-je assombri,
    pressé par l'ennemi ? »

Outragé par mes adversaires,
    je suis meurtri jusqu'aux os, *
moi qui chaque jour entends dire :
    « Où est-il ton Dieu ? »

Pourquoi te désoler, ô mon âme,
    et gémir sur moi ? *
Espère en Dieu ! De nouveau je rendrai grâce :
    il est mon sauveur et mon Dieu !

Gloire au Père, et au Fils, et au Saint-Esprit,
pour les siècles des siècles. Amen.

Parole de Dieu   1 Thessaloniciens 2, 13 ; 3, 12

Voici pourquoi nous ne cessons de rendre grâce à Dieu. Quand vous avez reçu de notre bouche la parole de Dieu, vous l'avez accueillie pour ce qu'elle est réellement :

non pas une parole d'hommes, mais la parole de Dieu qui est à l'œuvre en vous, les croyants. Que le Seigneur vous donne, entre vous et à l'égard de tous les hommes, un amour de plus en plus intense et débordant, comme celui que nous avons pour vous.

Gloire et louange à toi, Seigneur Jésus !

CANTIQUE DE MARIE   (Texte, couverture A)

INTERCESSION

Prions le Christ, qui appelle tous les hommes à la joie du salut :

℟   Sauveur du monde, attire à toi les hommes.

Seigneur, ta puissance est bonté ;
– nous sommes faibles : viens à notre secours.

Regarde ton Église dispersée dans le monde :
– qu'elle porte l'Évangile jusqu'aux terres lointaines.

Tu n'es pas loin de chacun de nous ;
– laisse-toi toucher par ceux qui t'approchent
dans l'obscurité.

Tu as guéri l'aveugle de naissance ;
– prends pitié de nos infirmités.

Accueille nos frères défunts dans la Cité sainte
– où Dieu sera tout en tous.

Intentions libres

Notre Père…

    Car c'est à toi qu'appartiennent
    le règne, la puissance et la gloire,
    pour les siècles des siècles !

Saints
D'hier et d'aujourd'hui
Le martyrologe romain fait mémoire
du bienheureux Gaspar Stanggasinger

Soutenus par la prière des saints,
demandons la grâce de recevoir comme eux
la couronne de gloire.

« Je peux, je veux, je dois me faire saint. » Le jeune homme qui choisit cette devise est Gaspard Stanggassinger, né à Berchtesgaden, en Bavière, le 12 janvier 1871. À 16 ans, il fit vœu de chasteté. À 18 ans, il se consacra au Sacré-Cœur après sa guérison d'une maladie grave. À 21 ans, il reçut la tonsure et les ordres mineurs chez les rédemptoristes. À 24 ans, il fut ordonné prêtre. « Tout ce que j'ai, ma vie, mon sang, ma santé, ma voix, je dois le consacrer au salut des âmes jusqu'à ma mort, selon l'enseignement de saint Alphonse-Marie de Liguori. » Aspirant à la mission, le jeune religieux se prépara, à l'école missionnaire de Dürnberg, à partir pour le Brésil. L'été 1899, il fut nommé directeur de cette école malgré son jeune âge et donna aux jeunes élèves l'exemple d'une joyeuse charité et d'une prière assidue. La vie terrestre de ce jeune homme, toute donnée au Seigneur, s'acheva brutalement lorsqu'à 28 ans il mourut d'une péritonite foudroyante.

Bonne fête ! Côme et Damien

MARDI 27 SEPTEMBRE
Saint Vincent de Paul

Prière du matin

Rendons grâce à Dieu : éternel est son amour !

Gloire au Père, et au Fils, et au Saint-Esprit !

HYMNE

Béni de Dieu
En qui le Père se complaît,
Tu es venu
　baptiser l'homme dans ta mort,
Et le Jourdain baigna ton corps.
Ô viens, Seigneur Jésus !
Justice du Royaume ;
Que nous chantions pour ton retour :

℟　Béni soit au nom du Seigneur
Celui qui vient sauver son peuple.

Rocher nouveau
D'où sort le Fleuve de la vie,
Tu es venu
　abreuver ceux qui croient en toi,
Et tu laissas s'ouvrir ton cœur.
Ô viens, Seigneur Jésus !
Fontaine intarissable ;
Que nous chantions pour ton retour.

PSAUME 42 　　　　　　　Il est mon Sauveur et mon Dieu !

C'est pas à pas que l'on avance vers la maison du Seigneur. C'est peu à peu que l'on se convertit. Pourquoi nous désoler ? le Père plein de tendresse nous attend.

Rends-moi justice, ô mon Dieu, défends ma cause
     contre un peuple sans foi ; *
de l'homme qui ruse et trahit,
     libère-moi.

C'est toi, Dieu, ma forteresse :
     pourquoi me rejeter ? *
Pourquoi vais-je assombri,
     pressé par l'ennemi ?

Envoie ta lumière et ta vérité :
     qu'elles guident mes pas *
et me conduisent à ta montagne sainte,
     jusqu'en ta demeure.

J'avancerai jusqu'à l'autel de Dieu,
     vers Dieu qui est toute ma joie ; *
Je te rendrai grâce avec ma harpe,
     Dieu, mon Dieu.

Pourquoi te désoler, ô mon âme,
     et gémir sur moi ? *
Espère en Dieu ! De nouveau je rendrai grâce :
     il est mon sauveur et mon Dieu !

Rendons gloire au Père tout-puissant,
     à son Fils, Jésus Christ, le Seigneur,
à l'Esprit qui habite en nos cœurs,
     pour les siècles des siècles. Amen.

Dieu qui es toute ma joie, est-ce toi qui me rejettes quand l'ennemi me presse ? Fais briller sur mes pas la lumière du Christ : que sa vérité me conduise vers la demeure qu'il a préparée, jusqu'à l'autel de sa gloire, où la désolation devient action de grâce.

Parole de Dieu 1 Corinthiens 13, 4-7

L'AMOUR prend patience ; l'amour rend service ; l'amour ne jalouse pas ; il ne se vante pas, ne se gonfle pas d'orgueil ; il ne fait rien de malhonnête ; il ne cherche pas son intérêt ; il ne s'emporte pas ; il n'entretient pas de rancune ; il ne se réjouit pas de ce qui est mal, mais il trouve sa joie dans ce qui est vrai ; il supporte tout, il fait confiance en tout, il espère tout, il endure tout.

Vivons dans la charité, au service les uns des autres !

CANTIQUE DE ZACHARIE (Texte, couverture B)

LOUANGE ET INTERCESSION

Par le Fils, et dans l'Esprit,
adressons notre prière au Père qui nous aime :

℟ Fais-nous vivre de ton Esprit.

Au matin du monde,
ton Esprit sur les eaux éveillait la vie.
– Éveille-nous à ta louange, pour ton service.

À l'aube du salut,
ton Esprit en Marie formait le Messie.
– Forme-nous à l'obéissance, pour ton règne.

Au jour de la Pentecôte,
ton Esprit parlait par la bouche des Apôtres.
– Mets sur nos lèvres la parole qui sauve.

Au matin de ce jour,
l'Esprit travaille en nous.
– Qu'il habite nos prières et féconde nos efforts.

Intentions libres

Seigneur, tu as donné à saint Vincent de Paul toutes les qualités d'un apôtre pour secourir les pauvres et former les prêtres ; accorde-nous une pareille ardeur, pour aimer ce qu'il a aimé et pratiquer ce qu'il a enseigné. Par Jésus Christ, ton Fils, notre Seigneur.

La messe
Mardi de la 26ᵉ semaine du temps ordinaire

Saint Vincent de Paul (1581-1660)   *Mémoire*

● *Vincent de Paul, le fondateur des confréries de Charité et des Prêtres de la Mission, est l'un des maîtres de la spiritualité française du XVIIᵉ siècle. Mais il est surtout le type achevé de la charité chrétienne qui va au-devant de toutes les misères pour les secourir, car elle découvre dans le visage de tout être souffrant les traits de son Seigneur.* ●

« L'Esprit du Seigneur est sur moi, dit Jésus, parce que le Seigneur m'a consacré par l'onction. Il m'a envoyé porter la Bonne Nouvelle aux pauvres, apporter aux opprimés la libération. »

Prière ————————————————————— ci-dessus

Lecture du livre de Zacharie   8, 20-23

A INSI parle le Seigneur de l'univers : Voici que, de nouveau, des peuples afflueront, venus de la multitude des villes. On se dira d'une ville à l'autre : « Allons implorer le Seigneur, allons chercher la face du Seigneur de l'univers ; moi, en tout cas, j'y vais. » Des peuples nombreux et des nations puissantes viendront à Jérusalem implorer le Seigneur de l'univers et chercher sa face. Ainsi parle le Seigneur de l'univers : En ces jours-là, il y aura pour un Juif dix hommes de toute langue et de toute nation, qui le saisiront par son vêtement et lui diront : « Nous allons avec vous, car nous avons appris que Dieu est avec vous. »

———— • Psaume 86 • ————

Le Seigneur est avec nous.

Le Seigneur aime les portes de Sion
plus que toutes les demeures de Jacob.
Elle est fondée sur les montagnes saintes.

Pour ta gloire on parle de toi, ville de Dieu !
Voyez Tyr, la Philistie, l'Éthiopie :
chacune est née là-bas.

Mais on appelle Sion : « Ma mère ! »
car en elle, tout homme est né.
C'est lui, le Très-Haut, qui la maintient.

Au registre des peuples, le Seigneur écrit :
« Chacun est né là-bas. »
Tous ensemble ils dansent, et ils chantent :
« En toi, toutes nos sources ! »

Alléluia. Alléluia. Le Fils de l'homme est venu pour servir, et donner sa vie en rançon pour la multitude. Alléluia.

Évangile de Jésus Christ selon saint Luc   9, 51-56

Comme le temps approchait où Jésus allait être enlevé de ce monde, il prit avec courage la route de Jérusalem. Il envoya des messagers devant lui ; ceux-ci se mirent en route et entrèrent dans un village de Samaritains pour préparer sa venue. Mais on refusa de le recevoir, parce qu'il se dirigeait vers Jérusalem. Devant ce refus, les dis-

ciples Jacques et Jean intervinrent : « Seigneur, veux-tu
que nous ordonnions que le feu tombe du ciel pour les
détruire ? » Mais Jésus se retourna et les interpella vivement. Et ils partirent pour un autre village.

Prière sur les offrandes. Seigneur, tu donnais à saint Vincent
de Paul la force de conformer toute sa vie aux saints mystères
qu'il célébrait ; fais que nous devenions nous-mêmes, par la
puissance de cette eucharistie, une offrande agréable à tes yeux.
Par Jésus, le Christ, notre Seigneur.

Proclamons l'amour du Seigneur, ses merveilles pour les
hommes : il a rassasié ceux qui avaient faim et désaltéré ceux
qui avaient soif.

Prière après la communion. Déjà réconfortés par cette eucharistie, nous te supplions humblement, Seigneur : permets que
l'exemple de saint Vincent de Paul nous stimule et nous soutienne, afin que nous allions, comme ton Fils, annoncer aux
pauvres la Bonne Nouvelle. Par Jésus, le Christ, notre Seigneur.

●────────────────────●

M É D I T A T I O N   D U   J O U R

●────────────────────●

Maître de douceur

Y a-t-il rien qui soit plus agréable à Dieu que le respect et la douceur, qui sont les vertus du Fils de Dieu ?
C'est une instruction qu'il nous a laissée. *Apprenez de
moi*, dit-il, *que je suis doux et humble de cœur* (Mt 11,
29), c'est-à-dire : « Apprenez de moi que je suis respectueux et doux », car, par humilité, il entend le respect, puisque le respect procède de l'humilité. Y a-t-il
jamais eu homme plus doux et plus respectueux que
Jésus Christ ? Oh ! non, il était doux et humble envers
tous.

Il n'a pas dit : « Apprenez de moi à faire des
mondes », ni « des anges », car nous n'y pourrions arri-

ver, et cela ne convient qu'à la toute-puissance de Dieu, mais : *Apprenez de moi que je suis doux et humble*, et en nous disant que nous l'apprissions de lui, il a entendu que nous apprissions à l'être. C'est le coin dont sont marqués ceux qui lui appartiennent.

S. VINCENT DE PAUL

Figure majeure du renouveau spirituel du XVIIe siècle français, saint Vincent de Paul († 1660) a fondé, avec Louise de Marillac, les Filles de la Charité. Il fut aussi formateur de prêtres et fonda la société des Prêtres de la Mission (lazaristes).

Prière du soir

HYMNE

Berger puissant qui nous conduis,
Tu nous as faits pour ta lumière ;
Et par-delà ce jour trop bref
Tu nous emmènes dans ta gloire.

À travers l'œuvre de tes mains,
Nos cœurs déjà te reconnaissent ;
Mais le désir de ton amour
Toujours plus loin poursuit sa quête.

Nous voulons voir à découvert
L'éclat radieux de ton visage.
Dans l'aujourd'hui de ton appel,
Prépare en nous le face-à-face.

PSAUME 12   Sûrs de ton amour

Dieu pourrait-il oublier l'homme qu'il a créé ? Comme une mère, il le tient par la main pour lui faire traverser les épreuves de sa vie.

Combien de temps, Seigneur, vas-tu m'oublier,
combien de temps, me cacher ton visage ?
Combien de temps aurai-je l'âme en peine
    et le cœur attristé chaque jour ? *
Combien de temps
    mon ennemi sera-t-il le plus fort ?

Regarde, réponds-moi, Seigneur mon Dieu ! *
Donne la lumière à mes yeux,
    garde-moi du sommeil de la mort ;
que l'adversaire ne crie pas : « Victoire ! »
que l'ennemi n'ait pas la joie de ma défaite !

Moi, je prends appui sur ton amour ; +
que mon cœur ait la joie de ton salut !
Je chanterai le Seigneur
    pour le bien qu'il m'a fait.

Gloire au Père, et au Fils, et au Saint-Esprit,
pour les siècles des siècles. Amen.

*Avec ton Serviteur souffrant, nous crions vers toi, Seigneur
notre Dieu : ne nous oublie pas plus longtemps ! Avec ton
Fils endormi dans la mort, nous te disons notre confiance :
nous sommes sûrs de ton amour ! Avec lui ressuscité dans
ta lumière nous pouvons te rendre grâce : tu es un Dieu
sauveur !*

Parole de Dieu
Romains 4, 13. 20-22

Dieu a promis à Abraham
et à sa descendance qu'ils
recevraient le monde en héritage, non pas en accomplissant la Loi mais en devenant des justes par la foi. Devant
la promesse de Dieu, Abraham ne tomba pas dans le doute
et l'incrédulité : il trouva sa force dans la foi et rendit
gloire à Dieu, car il était pleinement convaincu que Dieu
a la puissance d'accomplir ce qu'il a promis. Et, comme

le dit l'Écriture : En raison de sa foi, Dieu a estimé qu'il était juste.

Fais grandir en nous la foi, Dieu sauveur !

CANTIQUE DE MARIE (Texte, couverture A)

INTERCESSION

Dans la confiance, prions le Christ
qui fortifie son peuple et le conduit :

℟ Garde-nous sur tes chemins.

Ô Christ, Sagesse du Père,
donne-nous d'entendre ta parole
– et de la mettre en pratique.

Lumière des nations, éclaire ceux qui les gouvernent :
– qu'ils soient attentifs au bien des peuples.

Dispensateur des dons de Dieu,
tu as nourri les foules ;
– que ta pitié nous porte à donner
ce que nous avons à ceux qui n'ont rien.

Médecin des âmes et des corps,
suscite en nous ta charité
– pour que nous visitions les malades, nos frères.

Gloire au Père, vie et résurrection de nos morts,
– reçois-les dans ton royaume.

Intentions libres

Notre Père…

Car c'est à toi qu'appartiennent
le règne, la puissance et la gloire,
pour les siècles des siècles !

SAINTS
D'HIER ET D'AUJOURD'HUI
Le martyrologe romain fait mémoire de SAINTE HILTRUDE

*Puissions-nous, à l'exemple des saints,
brûler du désir de servir Dieu et nos frères.*

À Liessies dans le Hainaut, Hiltrude était la fille de Wibert, comte de Poitou, et d'Ade, son épouse. Promise en mariage à Hugues, un seigneur bourguignon qui appartenait à une des plus importantes maisons du royaume, la jeune fille, qui s'était depuis longtemps promise à Dieu, refusa. Bien qu'ils fussent de fervents chrétiens, ses parents ne changèrent pas d'avis et elle dut prendre un temps la fuite pour échapper à ce destin. À son retour, elle s'arrangea pour que sa sœur Berthe épousât le seigneur bourguignon à sa place. Elle put alors avoir la permission de ses parents d'aller vivre en recluse dans une cellule proche de Liessies. Ce monastère que son père avait fondé était mené par son frère Gontrand. On les vit souvent converser ensemble des choses du ciel tout au long de ces dix-sept années où Hiltrude mena une vie d'abnégation, de prière et de pauvreté au service des nécessiteux. C'est à Liessies qu'elle mourut, entourée de sa famille, vers l'an 785.

Bonne fête ! Vincent

MERCREDI 28 SEPTEMBRE
Saint Venceslas
Saint Laurent Ruiz et ses compagnons

Prière du matin

Seigneur, ouvre mes lèvres,
et ma bouche publiera ta louange.

Gloire au Père, et au Fils, et au Saint-Esprit,
au Dieu qui est, qui était, et qui vient,
pour les siècles des siècles. Amen. Alléluia.

HYMNE

Tel un brouillard qui se déchire
Et laisse émerger une cime,
Ce jour nous découvre, indicible,
Un autre jour, que l'on devine.

Tout rayonnant d'une promesse,
Déjà ce matin nous entraîne,
Figure de l'aube éternelle
Sur notre route quotidienne.

Vienne l'Esprit pour nous apprendre
À voir dans ce jour qui s'avance
L'espace où mûrit notre attente
Du jour de Dieu, notre espérance.

PSAUME 76   Plainte dans la souffrance

Au jour de détresse, nous crions vers le Seigneur. Au jour de paix, n'oublions pas l'action du Seigneur qui nous sauve. Avec gratitude, faisons mémoire de son œuvre éternelle.

Vers Dieu, je crie mon appel !
Je crie vers Dieu : qu'il m'entende !

Au jour de la détresse, je cherche le Seigneur ; [+]
la nuit, je tends les mains sans relâche,
mon âme refuse le réconfort.

Je me souviens de Dieu, je me plains,
je médite et mon esprit défaille.
Tu refuses à mes yeux le sommeil ;
je me trouble, incapable de parler.

Je pense aux jours d'autrefois,
aux années de jadis ;
la nuit, je me souviens de mon chant,
je médite en mon cœur, et mon esprit s'interroge.

Le Seigneur ne fera-t-il que rejeter,
ne sera-t-il jamais plus favorable ?
Son amour a-t-il donc disparu ?
S'est-elle éteinte, d'âge en âge, la parole ?

Dieu oublierait-il d'avoir pitié,
dans sa colère a-t-il fermé ses entrailles ?
J'ai dit : « Une chose me fait mal,
la droite du Très-Haut a changé. »

Je me souviens des exploits du Seigneur,
je rappelle ta merveille de jadis ;
je me redis tous tes hauts faits,
sur tes exploits je médite.

Dieu, la sainteté est ton chemin !
Quel Dieu est grand comme Dieu ?

Tu es le Dieu qui accomplis la merveille,
qui fais connaître chez les peuples ta force :
tu rachetas ton peuple avec puissance,
les descendants de Jacob et de Joseph.

Les eaux, en te voyant, Seigneur, ⁺
les eaux, en te voyant, tremblèrent,
l'abîme lui-même a frémi.

Les nuages déversèrent leurs eaux, ⁺
les nuées donnèrent de la voix,
la foudre frappait de toute part.

Au roulement de ta voix qui tonnait, ⁺
tes éclairs illuminèrent le monde,
la terre s'agita et frémit.

Par la mer passait ton chemin, ⁺
tes sentiers, par les eaux profondes ;
et nul n'en connaît la trace.

Tu as conduit comme un troupeau ton peuple
par la main de Moïse et d'Aaron.

Gloire au Père, et au Fils, et au Saint-Esprit…

*Nous rappelons, Seigneur, tes exploits et tes hauts faits : tu
as ressuscité Jésus, comme tu avais libéré ton peuple en
faisant passer son chemin par la mer. Quand la détresse
de ce temps trouble ton Église, soutiens sa longue prière :
qu'elle garde en mémoire ta fidélité de toujours.*

Parole de Dieu
Romains 8, 35a.38-39

QUI POURRA **nous séparer de**
l'amour du Christ ? J'en
ai la certitude : ni la mort ni la vie, ni les esprits ni les puissances, ni le présent ni l'avenir, ni les astres, ni les cieux, ni les abîmes, ni aucune autre créature, rien ne pourra nous séparer de l'amour de Dieu qui est en Jésus Christ notre Seigneur.

*Pas de plus grand amour que de donner
sa vie pour ceux qu'on aime.*

Cantique de Zacharie (Texte, couverture B)

Louange et intercession

Dans la paix de l'Esprit Saint,
prions le Seigneur Dieu :

℟ Seigneur, nous te prions.

Pour que l'Église grandisse
et que les chrétiens demeurent dans l'unité,

Pour la famille de Dieu,
ici rassemblée au nom du Christ,

Pour le peuple chrétien et pour ses pasteurs,
le pape, les évêques et les prêtres,

Pour que le travail de ce jour nous rapproche de Dieu
et nous procure le pain quotidien,

Pour nos frères qui souffrent
dans leur âme ou dans leur corps.

Intentions libres

Tu as voulu, Seigneur, que la puissance de l'Évangile travaille le monde à la manière d'un ferment ; veille sur tous ceux qui ont à répondre à leur vocation chrétienne au milieu des occupations de ce monde : qu'ils cherchent toujours l'Esprit du Christ, pour qu'en accomplissant leurs tâches d'hommes, ils travaillent à l'avènement de ton règne.

À toi, le règne,
à toi, la puissance et la gloire,
pour les siècles des siècles !

LA MESSE
Mercredi de la 26ᵉ semaine du temps ordinaire

SAINT VENCESLAS (Xᵉ S.)   *Mémoire facultative*

● *Venceslas, duc de Bohême, n'avait pas 30 ans quand il fut assassiné par son frère. Il était d'une grande austérité de vie, au milieu d'une cour aux mœurs brutales, et d'une grande charité envers les pauvres. Aussi son tombeau, à Prague, devint-il très tôt un centre de pèlerinage.* ●

Saint Venceslas a combattu jusqu'à la mort pour être fidèle à son Dieu ; il n'a pas craint les menaces des impies : il était fondé sur le roc.

PRIÈRE. Dieu qui inspirais à saint Venceslas, ton martyr, de préférer le royaume du ciel à celui de la terre, accorde-nous, par son intercession, de savoir renoncer à nous-mêmes pour nous attacher à toi de tout notre cœur. Par Jésus Christ, ton Fils, notre Seigneur.

Lecture du livre de Néhémie   2, 1-8

MOI, NÉHÉMIE, j'étais alors échanson royal. La vingtième année du règne d'Artaxerxès, au mois de Nizan, je présentai le vin et l'offris au roi. Je n'avais jamais montré de tristesse devant lui, mais ce jour-là, le roi me dit : « Pourquoi ce triste visage ? Tu n'es pourtant pas malade ! Tu as donc du chagrin ? » Rempli de crainte, je répondis : « Que le roi vive toujours ! Comment n'aurais-je pas l'air triste, quand la ville où sont enterrés mes pères a été dévastée, et ses portes, dévorées par le feu ? » Le roi me dit alors : « Que veux-tu donc me demander ? » Je fis une prière au Dieu du ciel, et je répondis au roi : « Si tel est le bon plaisir du roi, et si tu es satisfait de ton serviteur, laisse-moi aller en Juda, dans la ville où sont enterrés mes pères, et je la rebâtirai. » Le roi, qui avait la reine à côté de lui, me demanda : « Combien de temps durera ton voyage ? Quand reviendras-tu ? » Je lui indiquai une date qu'il approuva, et il m'autorisa à partir. Je dis encore : « Si tel est le bon plaisir du roi, qu'on me donne des lettres pour les gouverneurs de la province qui est à l'ouest de l'Euphrate, afin qu'ils facilitent mon passage jusqu'en Juda ; et aussi une lettre pour Asaph, l'inspecteur des forêts royales, afin qu'il me fournisse du bois de charpente pour les portes de la citadelle qui protégera le Temple, les portes de la ville, et la maison où je vais m'installer. » Le roi me l'accorda, car la protection de mon Dieu était sur moi.

• Psaume 136 •

**Que ma langue s'attache à mon palais
si je t'oublie, Jérusalem !**

Au bord des fleuves de Babylone
nous étions assis et nous pleurions,
nous souvenant de Sion ;
aux saules des alentours
nous avions pendu nos harpes.

C'est là que nos vainqueurs
nous demandèrent des chansons,
et nos bourreaux, des airs joyeux :
« Chantez-nous, disaient-ils,
quelque chant de Sion. »

Comment chanterions-nous
un chant du Seigneur
sur une terre étrangère ?
Si je t'oublie, Jérusalem,
que ma main droite m'oublie !

Je veux que ma langue
s'attache à mon palais
si je perds ton souvenir,
si je n'élève Jérusalem
au sommet de ma joie.

Alléluia. Alléluia. Aujourd'hui le Seigneur nous appelle,
suivons-le sur les chemins de l'Évangile. Alléluia.

Évangile de Jésus Christ selon saint Luc   9, 57-62

EN COURS de route, un homme dit à Jésus : « Je te suivrai partout où tu iras. » Jésus lui déclara : « Les renards ont des terriers, les oiseaux du ciel ont des nids ; mais le Fils de l'homme n'a pas d'endroit où reposer la tête. » Il dit à un autre : « Suis-moi. » L'homme répondit : « Permets-moi d'aller d'abord enterrer mon père. » Mais Jésus répliqua : « Laisse les morts enterrer leurs morts. Toi, va annoncer le règne de Dieu. » Un autre encore lui dit : « Je te suivrai, Seigneur ; mais laisse-moi d'abord faire mes adieux aux gens de ma maison. » Jésus lui répondit : « Celui qui met la main à la charrue et regarde en arrière n'est pas fait pour le royaume de Dieu. »

PRIÈRE SUR LES OFFRANDES. Par ta bénédiction, Seigneur, sanctifie nos offrandes : qu'elles nous obtiennent de ta grâce cet ardent amour qui donnait à saint Venceslas la force de souffrir pour toi jusqu'au bout. Par Jésus, le Christ, notre Seigneur.

« Si quelqu'un veut marcher à ma suite, dit le Seigneur, qu'il renonce à lui-même, qu'il prenne sa croix, et qu'il me suive. »

PRIÈRE APRÈS LA COMMUNION. Que cette communion, Seigneur, nous donne cette force d'âme qui permit à saint Venceslas, ton martyr, d'être fidèle à te servir et victorieux dans la souffrance. Par Jésus, le Christ, notre Seigneur.

MÉDITATION DU JOUR

Quel appel ?

Dès la première prédication de l'Évangile, bien des gens furent des disciples de Jésus Christ, qui restaient dans leur maison, et pourtant d'autres durent quitter leur maison ; bien des gens possédaient paisiblement leurs biens, recevaient le Seigneur à leur table, et lui rendaient même grand service ; et pourtant, d'autres devaient donner tout ce qu'ils avaient aux pauvres et poursuivre des courses sans assurance. Les deux routes ont toujours existé. Toujours le Seigneur dira aux uns : « À cause de moi et pour mon amour, tu auras une femme, des enfants, une maison, des biens à gérer de ma part dans le monde. » Toujours le Seigneur dira aux autres : « Tu n'auras que moi et je serai ton Tout. »

Toujours le Seigneur dira aux uns : « Je sais ce qui te convient, je te donnerai chaque jour ta peine et ton pain quotidiens, afin que, partout où tu seras posé, il y ait aussi ma croix. » Toujours le Seigneur dira aux autres : « Prends ta croix et suis-moi. » Prends-la par les trois bras de la pauvreté, de l'obéissance, de la pureté. Pourquoi ? Parce que c'est ainsi que je veux que tu m'aimes et que nous aimions le monde ensemble.

MADELEINE DELBRÊL

À 20 ans, Madeleine Delbrêl († 1964) fait une expérience forte de l'Évangile, qui l'amène, en 1933, à s'engager pleinement « à s'unir au Christ en plein monde » marxiste. Son action sociale à Ivry est marquée par sa profonde vie spirituelle dont ses livres portent l'empreinte.

Prière du soir

Dieu, viens à mon aide,
Seigneur, à notre secours.

Gloire au Père, et au Fils, et au Saint-Esprit !

HYMNE

Ouvre mes yeux, Seigneur,
Aux merveilles de ton amour.
Je suis l'aveugle sur le chemin ;
Guéris-moi, je veux te voir.

Fais que je marche, Seigneur,
Aussi dur que soit le chemin.
Je veux te suivre jusqu'à la croix ;
Viens me prendre par la main.

Garde ma foi, Seigneur :
Tant de voix proclament ta mort !
Quand vient le soir, et le poids du jour,
Ô Seigneur, reste avec moi.

PSAUME 61   Chant de confiance

Le Christ l'a promis, il est avec nous jusqu'à la fin des temps et
sa présence est notre refuge. Avec lui, avançons dans le monde
avec droiture et simplicité de cœur.

Je n'ai de repos qu'en Dieu seul,
mon salut vient de lui.

Lui seul est mon rocher, mon salut,
ma citadelle : je suis inébranlable.

Combien de temps tomberez-vous sur un homme
        pour l'abattre, vous tous,*
comme un mur qui penche,
        une clôture qui croule ?

Détruire mon honneur est leur seule pensée : [+]
    ils se plaisent à mentir. [*]
Des lèvres, ils bénissent ;
    au fond d'eux-mêmes, ils maudissent.

Je n'ai mon repos qu'en Dieu seul ;
oui, mon espoir vient de lui.

Lui seul est mon rocher, mon salut,
ma citadelle : je reste inébranlable.

Mon salut et ma gloire
    se trouvent près de Dieu. [*]
Chez Dieu, mon refuge,
    mon rocher imprenable !

Comptez sur lui en tous temps,
    vous, le peuple. [*]
Devant lui épanchez votre cœur :
    Dieu est pour nous un refuge.

L'homme n'est qu'un souffle, [+]
    les fils des hommes, un mensonge : [*]
sur un plateau de balance, tous ensemble,
    ils seraient moins qu'un souffle.

N'allez pas compter sur la fraude
    et n'aspirez pas au profit ; [*]
si vous amassez des richesses,
    n'y mettez pas votre cœur.

Dieu a dit une chose,
    deux choses que j'ai entendues. [+]
Ceci : que la force est à Dieu ;
    à toi, Seigneur, la grâce ! [*]
Et ceci : tu rends à chaque homme
    selon ce qu'il fait.

Gloire au Père, et au Fils, et au Saint-Esprit…

Parole de Dieu
1 Pierre 5, 5b-7

REVÊTEZ TOUS l'humilité dans vos rapports les uns avec les autres. En effet Dieu s'oppose aux orgueilleux, aux humbles il accorde sa grâce. Tenez-vous donc humblement sous la main puissante de Dieu pour qu'il vous élève quand le jugement viendra. Déchargez-vous sur lui de tous vos soucis puisqu'il s'occupe de vous.

Entre tes mains, Seigneur,
je remets mon esprit.

CANTIQUE DE MARIE   (Texte, couverture A)

INTERCESSION

Dieu se révèle aux pauvres et aux petits.
Prions-le dans la simplicité du cœur :

℟   En ta tendresse, écoute nos prières.

Que tous les peuples te reconnaissent vrai Dieu,
et Jésus Christ, le Sauveur que tu as envoyé.

Souviens-toi de ton Église : garde-la de tout mal ;
qu'elle grandisse en ton amour.

Souviens-toi de nos parents, de nos amis,
de nos bienfaiteurs.

Souviens-toi de ceux qui portent le poids du jour.

Dieu de miséricorde,
souviens-toi de ceux qui sont morts aujourd'hui :
qu'ils entrent dans ton royaume.

Intentions libres

Notre Père… Car c'est à toi qu'appartiennent…

SAINTS
D'HIER ET D'AUJOURD'HUI

Le martyrologe romain fait mémoire de SAINTE LIOBA

Les saints ont reçu du Seigneur
une force d'âme invincible,
qu'ils nous obtiennent la grâce
de le servir au milieu de ce monde.

Au VIIIe siècle, sainte Lioba a attiré par son exemple tant de vocations religieuses que son monastère de Tauberbischofsheim a donné naissance à nombre d'autres fondations à travers la Germanie. Dans ses couvents, on vivait selon la tradition monastique établie par saint Benoît de Nursie, mêlant avec bonheur étude intellectuelle et travail manuel, dévotions communautaires et détente. Anglaise de naissance et de bonne famille, Lioba gagna la Germanie vers l'an 748. Accompagnée de trente pieuses compagnes, elle eut pour mission d'établir des œuvres de charité pour les femmes de la région. Elles vinrent d'outre-Manche à la demande d'un oncle de Lioba, saint Boniface, moine et missionnaire. Il savait que la mère de Lioba, longtemps stérile, l'avait offerte à Dieu dès sa naissance et élevée dans la foi chrétienne. Confiée à la sœur du roi d'Angleterre, sainte Tetta, la jeune fille avait profité d'une solide éducation religieuse et ainsi acquis une maturité spirituelle qui lui servit dans sa vocation d'abbesse.

Bonne fête ! Venceslas

Vous tous, les anges, bénissez le Seigneur !

Beaucoup de choses se disent sur les anges et, depuis quelques années, les librairies regorgent d'ouvrages plus ou moins fantaisistes sur le sujet. L'Écriture et l'Église sont beaucoup plus sobres à propos des anges.

Jésus et les anges

Gardez-vous de mépriser un seul de ces petits, car je vous le dis, leurs anges dans les cieux voient sans cesse la face de mon Père, affirme Jésus (Mt **18**, 10). Et, là, d'une certaine manière, tout est dit de ce qu'il est possible de savoir sur les anges. Ils sont dans les cieux. Êtres spirituels, dépourvus de corps physiques, invisibles à nos yeux, ils voient Dieu continuellement. L'ange apparaît en lien avec les hommes puisque Jésus parle de « leurs anges » comme si chacun était attaché à une personne. Ainsi, les anges sont intéressés à la vie des hommes et c'est pour cette raison *qu'il y a de la joie chez les anges de Dieu pour un seul pécheur qui se convertit* (Lc **15**, 10).

L'auteur de la lettre aux Hébreux donne une belle définition des anges : *Ne sont-ils pas tous des esprits chargés d'une fonction, que Dieu envoie pour le service de ceux qui doivent avoir en héritage le salut ?* (He **1**, 7). Ainsi, leur rôle est directement lié à l'accomplissement du dessein de salut de Dieu.

Peut-être est-ce pour cette raison qu'ils accompagnent Jésus tout au long de sa vie, lui qui accomplit toute chose. Ne sont-ils pas là, troupe innombrable et joyeuse, pour annoncer sa naissance ? Ne servent-ils pas Jésus du désert de la tentation à la nuit de l'agonie, comme ils le serviront lors de son retour en gloire ?

Présence prévenante

Sans aucun doute, ils adorent le Dieu trois fois saint, comme le rapporte Isaïe (**6**, 2-3), mais toute l'Écriture les montre également affairés auprès des hommes. Ils pressent Loth de sortir de Sodome (Gn **19**, 15) ; un ange arrête le bras d'Abraham se levant sur Isaac (Gn **22**, 11) ; Agar et son enfant doivent la vie à l'intervention d'un ange lui montrant un puits (Gn **21**, 17) ; Élie, découragé et fuyant la fureur de Jézabel, est réconforté par un ange (1 R **19**, 5). Ils virevoltent entre les nombreuses pages de l'histoire du peuple saint, protégeant, réconfortant, annonçant naissances et vocations.

Ils sont toujours porteurs d'une nouvelle, d'où leur nom, « ange », du grec *aggelos,* qui signifie « messager » ; d'ailleurs, le mot « évangile » *euaggelion,* qui est la bonne nouvelle par excellence, a la même racine. Ne sont-ils pas les premiers porteurs de la bonne nouvelle au matin de Pâques ?

Anges en mission

Parmi la multitude des anges, l'Écriture mentionne le nom de trois d'entre eux. Et leur nom détermine la mission qu'ils accomplissent. Ainsi Michel, dont le nom signifie « qui est comme Dieu ? », interpelle et combat tous ceux qui voudraient se faire l'égal du Dieu tout-puissant. Raphaël est « Dieu qui guérit » la cécité de Tobie et éloigne la malédiction qui repose sur Sara. Gabriel, est la « force de Dieu », qui donne à Daniel l'intelligence du dessein de Dieu, comme il le fait plus tard pour Marie.

À aucun moment, l'Écriture ne distingue des catégories d'anges. Raphaël se présente comme faisant partie d'un groupe de « sept anges ». Le mot « archange » apparaît sans aucune précision, sauf dans l'Épître de Jude, où Michel est dit archange. Les chérubins postés devant le jardin d'Éden doivent leur nom à l'imagerie babylonienne, tout comme les séraphins de la vision d'Isaïe doivent le leur au verbe hébreu *saraph,* qui veut dire « brûler, embraser ».

Lorsque saint Paul énumère toute une liste de puissances cosmiques, attestées par ailleurs dans la littérature juive apocryphe, il les place immédiatement sous la domination du Christ sans s'y intéresser davantage. Son but est de manifester le dessein de Dieu, qui est de *ramener toutes choses sous un seul chef, le Christ, les êtres célestes comme les terrestres* (Ép **1**, 10, BJ).

Dans la prière de l'Église

Non seulement chaque dimanche nous professons, comme une vérité de foi, la réalité du monde angélique, mais nous sommes en communion avec eux dans la célébration eucharistique. Nous les supplions comme des frères dans le *Confiteor* et nous unissons nos voix aux leurs dans le chant du *Sanctus,* et, dans la première prière eucharistique, nous supplions le Père pour que l'offrande eucharistique « soit portée par [son] ange en présence de [sa] gloire ». La liturgie nous donne de les fêter – anges et archanges – mais leur vigilante présence fraternelle nous reste un mystère que nous découvrirons, émerveillés, dans la splendeur du ciel.

■ **B.D.**

JEUDI 29 SEPTEMBRE
Saints Michel, Gabriel et Raphaël

Prière du matin

En présence des anges, venez, adorons le Seigneur.

Gloire au Père, et au Fils, et au Saint-Esprit,
au Dieu qui est, qui était, et qui vient,
pour les siècles des siècles. Amen. Alléluia.

TROPAIRE

Anges du Seigneur   Stance
et serviteurs de sa Parole,
votre désir guettait son mystère :
il vous est révélé.
Le Père vous a choisis
pour accompagner vers sa lumière
les héritiers du salut.

℟ Envoyés de Dieu, conduisez-nous
à la rencontre de son Fils !

Dans le silence de la nuit,
vous annoncez aux bergers
le Sauveur couché dans une crèche.

À l'aube de la Pâque nouvelle,
vous rendez témoignage
au Premier-né d'entre les morts.

À l'heure où Jésus disparaît
aux yeux des Apôtres,
vous allumez dans leur cœur
l'espérance de son retour en gloire.

CANTIQUE DES CRÉATURES (I) (Daniel 3)

Avec tous les anges rassemblés dans la gloire du ciel, bénissons le Seigneur.

Toutes les œuvres du Seigneur,
    bénissez le Seigneur :
À lui, haute gloire, louange éternelle !

Vous, les anges du Seigneur,
    bénissez le Seigneur,
À lui, haute gloire, louange éternelle !

Vous, les cieux,
    bénissez le Seigneur,
et vous, les eaux par-dessus le ciel,
    bénissez le Seigneur,
et toutes les puissances du Seigneur,
    bénissez le Seigneur !

Et vous, le soleil et la lune,
    bénissez le Seigneur,
et vous, les astres du ciel,
    bénissez le Seigneur,
vous toutes, pluies et rosées,
    bénissez le Seigneur !

Vous tous, souffles et vents,
    bénissez le Seigneur,
et vous, le feu et la chaleur,
    bénissez le Seigneur,
et vous, la fraîcheur et le froid,
    bénissez le Seigneur !

Et vous, le givre et la rosée,
    bénissez le Seigneur,
et vous, le gel et le froid,
    bénissez le Seigneur,
et vous, la glace et la neige,
    bénissez le Seigneur !

Et vous, les nuits et les jours,
  bénissez le Seigneur,
et vous, la lumière et les ténèbres,
  bénissez le Seigneur,
et vous, les éclairs, les nuées,
  bénissez le Seigneur !
À lui, haute gloire, louange éternelle !

Que la terre bénisse le Seigneur :
À lui, haute gloire, louange éternelle !

Bénissons le Père, le Fils et l'Esprit Saint :
À lui, haute gloire, louange éternelle !
Béni sois-tu, Seigneur, au firmament du ciel :
À toi, haute gloire, louange éternelle !

Parole de Dieu   Genèse 28, 12-13a

JACOB eut un songe : une échelle était dressée sur la terre, et son sommet touchait le ciel ; des anges de Dieu montaient et descendaient. Le Seigneur se tenait près de lui. Il lui dit : « Je suis le Seigneur, le Dieu d'Abraham ton père, le Dieu d'Isaac. »

Je te chante, Seigneur, en présence des anges !

CANTIQUE DE ZACHARIE   (Texte, couverture B)

LOUANGE ET INTERCESSION

Que les anges du ciel
nous aident à bénir notre Dieu et Père :

℟ Anges du Seigneur, bénissez le Seigneur !

Dieu notre Père, tu as donné mission à tes anges
de veiller sur nos routes,
– tiens-nous fidèles au long de ce jour.

Dieu notre Père, les anges qui nous gardent
te contemplent sans cesse :
– donne-nous de chercher ton visage.

Dieu notre Père, tes élus seront comme les anges
dans le ciel :
– donne-nous la chasteté du cœur et du corps.

Dieu notre Père, envoie à ton peuple
ton archange Michel :
– qu'il nous protège dans les combats
contre l'Adversaire.

Intentions libres

Dans ta sagesse admirable, Seigneur, tu assignes leurs
fonctions aux anges et aux hommes ; fais que nous soyons
protégés sur cette terre par ceux qui dans le ciel servent
toujours devant ta face. Par Jésus Christ, ton Fils.

LA MESSE
Fête des saints Michel, Gabriel et Raphaël

● *C'EST AU JOUR DE LA DÉDICACE d'une basilique en
l'honneur de saint Michel au nord-est de Rome, au
cours du Ve siècle, que nous célébrons la fête de tous
les saints anges. « La splendeur de ces créatures spirituelles nous laisse entrevoir comme tu es grand et
combien tu surpasses tous les êtres » (préface).
L'Écriture ne fait que de brèves mentions des archanges
Michel et Gabriel, et elle ne parle de Raphaël qu'au
livre de Tobie. Dans le Nouveau Testament, Gabriel
est l'ange annonciateur de la naissance de Jean Baptiste et de celle de Jésus, tandis que Michel apparaît
comme le chef des armées du ciel, vainqueur de Satan
dans le grand combat de la fin des temps (1re lecture,
Ap). Mais, du paradis de la Genèse à celui de l'Apocalypse, les anges remplissent de leur présence invi-*

sible tout le déroulement de l'histoire du salut. Ils sont là, « messagers du Seigneur » (a. d'ouverture), pour révéler ses desseins et porter ses ordres, mais surtout ils chantent sa gloire (a. de la communion), foule immense d'adorateurs que Daniel ou Jean entrevoient autour du trône du Dieu vivant. « Des millions d'êtres le servaient, des centaines de millions se tenaient devant lui » (1ʳᵉ lecture, Dn, cf. p. d'ouverture). La liturgie de la terre nous associe à celle que les anges célèbrent dans le ciel. Non seulement « nous joignons nos voix à leur hymne de louange pour chanter et proclamer » que le Seigneur est saint, mais, en offrant le sacrifice, nous demandons à Dieu que « notre offrande soit portée par son ange, en présence de sa gloire, sur son autel céleste » (prière eucharistique I, cf. p. sur les offrandes). ●

Messagers du Seigneur, bénissez le Seigneur, vous, les invincibles porteurs de ses ordres, prompts à exécuter sa parole.

Gloire à Dieu ———————————————— page 203

Prière——————————————————— page précédente

Lecture du livre de Daniel 7, 9-10.13-14

L A NUIT, au cours d'une vision, moi, Daniel, je regardais : des trônes furent disposés, et un Vieillard prit place ; son habit était blanc comme la neige, et les cheveux de sa tête, comme de la laine immaculée ; son trône était fait de flammes de feu, avec des roues de feu ardent. Un fleuve de feu coulait, qui jaillissait devant lui. Des millions d'êtres le servaient, des centaines de millions se tenaient devant lui. Le tribunal prit place et l'on ouvrit des livres.

Je regardais, au cours des visions de la nuit, et je voyais venir, avec les nuées du ciel, comme un Fils d'homme ; il parvint jusqu'au Vieillard, et on le fit avancer devant lui. Et il lui fut donné domination, gloire et royauté ; tous les peuples, toutes les nations et toutes les langues le servirent. Sa domination est une domination éternelle, qui ne passera pas, et sa royauté, une royauté qui ne sera pas détruite.

Ou bien :

Lecture de l'Apocalypse de saint Jean 12, 7-12a

IL Y EUT un combat dans le ciel : celui de Michel et de ses anges contre le Dragon. Le Dragon, lui aussi, combattait avec l'aide des siens, mais ils furent les moins forts et perdirent leur place dans le ciel. Oui, il fut rejeté, le grand Dragon, le serpent des origines, celui qu'on nomme Démon et Satan, celui qui égarait le monde entier. Il fut jeté sur la terre, et ses anges avec lui. Alors j'entendis dans le ciel une voix puissante, qui proclamait : « Voici maintenant le salut, la puissance et la royauté de notre Dieu, et le pouvoir de son Christ ! Car l'accusateur de nos frères a été rejeté, lui qui les accusait jour et nuit devant notre Dieu. Et eux, ils l'ont vaincu par le sang de l'Agneau et le témoignage de leur parole. Dépassant l'amour d'eux-mêmes, ils sont allés jusqu'à la mort. Ciel, sois donc dans la joie, ainsi que vous tous qui demeurez aux cieux. »

• PSAUME 137 •

Je chanterai le Seigneur,
en présence des anges.

De tout mon cœur, Seigneur, je te rends grâce :
tu as entendu les paroles de ma bouche.
Je te chante en présence des anges,
vers ton temple sacré, je me prosterne.

Je rends grâce à ton nom pour ton amour et ta vérité,
car tu élèves, au-dessus de tout, ton nom et ta parole.
Le jour où tu répondis à mon appel,
tu fis grandir en mon âme la force.

Tous les rois de la terre te rendent grâce
quand ils entendent les paroles de ta bouche.
Ils chantent les chemins du Seigneur :
« Qu'elle est grande, la gloire du Seigneur ! »

Alléluia. Alléluia. Tous les anges du Seigneur, bénissez le
Seigneur : à lui, haute gloire, louange éternelle ! Alléluia.

Évangile de Jésus Christ selon saint Jean 1, 47-51

Lorsque Jésus voit Nathanaël venir à lui, il déclare :
« Voici un véritable fils d'Israël, un homme qui ne sait pas
mentir. » Nathanaël lui demande : « Comment me connais-
tu ? » Jésus lui répond : « Avant que Philippe te parle,
quand tu étais sous le figuier, je t'ai vu. » Nathanaël lui
dit : « Rabbi, c'est toi le Fils de Dieu ! c'est toi le Roi d'Israël ! » Jésus reprend : « Je te dis que je t'ai vu sous le
figuier, et c'est pour cela que tu crois ! Tu verras des choses
plus grandes encore. » Et il ajoute : « Amen, amen, je vous
le dis : vous verrez les cieux ouverts, avec les anges de Dieu
qui montent et descendent au-dessus du Fils de l'homme. »

Prière sur les offrandes. Avec nos humbles prières, Seigneur,
nous t'offrons le sacrifice d'action de grâce ; puisque les anges
le portent en présence de ta gloire, daigne l'accueillir avec bonté,
et fais qu'il nous obtienne le salut. Par Jésus, le Christ, notre Seigneur.

Préface. Vraiment, il est juste et bon de t'offrir notre action de
grâce, Dieu éternel et tout-puissant, et de te rendre gloire pour
tes anges et tes archanges : l'admiration que leur fidélité nous
inspire rejaillit jusqu'à toi, et la splendeur de ces créatures spi-

rituelles nous laisse entrevoir comme tu es grand et combien tu surpasses tous les êtres. Avec ces multitudes d'esprits bienheureux qui t'adorent dans le ciel par le Christ, notre Seigneur, nous te chantons ici-bas en proclamant : Saint !…

De tout cœur, je veux, Seigneur, te rendre grâce ; je te chante en présence des anges.

PRIÈRE APRÈS LA COMMUNION. Déjà réconfortés par le pain du ciel, nous te supplions humblement, Seigneur : puissions-nous avec ces forces neuves, et sous la protection des anges, avancer d'un pas ferme dans la voie du salut. Par Jésus, le Christ, notre Seigneur.

MÉDITATION DU JOUR

Jésus et Nathanaël

Nathanaël s'étonne d'être connu si intimement ; Jésus lui donne, en réponse, une illustration de la connaissance qu'il a de lui : *Quand tu étais sous le figuier, je t'ai vu* (Jn 1, 48). La tradition juive peut éclairer cette parole énigmatique. Il ne s'agit pas tant d'un épisode de la vie de Nathanaël, le figuier était devenu dans le judaïsme l'arbre de la connaissance, du bonheur et du malheur. La parole insinuerait qu'en étudiant la Loi, Nathanaël s'est préparé à rencontrer Jésus même.

Dans sa réaction, Nathanaël s'avance lui aussi au-delà de la découverte d'un rabbi supérieur, et il accorde à Jésus la plus grande distinction possible à ses yeux. En le proclamant « Roi d'Israël », il le reconnaît Messie, tout comme le fera la foule enthousiaste lors de l'entrée de Jésus à Jérusalem.

Jésus pouvait-il en rester là ? Ici, il accepte implicitement les titres messianiques que Nathanaël lui a adressés, mais il semble relativiser une foi qu'il a lui-même suscitée, pour ouvrir le disciple à une réalité encore au-delà. Il lui dit : *Tu verras mieux encore* (v. 50). Formulée au futur, cette annonce qui paraît dépasser même les Écritures messianiques aurait pu demeurer ouverte sur une indétermination. Mais Jésus va reprendre en un langage solennel la promesse du « voir » annoncée : *Venez et vous verrez* (Jn 1, 39). Et même, l'auditoire s'élargit par un « vous » qui prend la place du « tu » : à travers Nathanaël, c'est Israël tout entier qui est invité à « voir ». XAVIER LÉON-DUFOUR

Jésuite et exégète de haute facture, Xavier Léon-Dufour († 2007) a notamment rédigé le fameux Vocabulaire de théologie biblique *et a publié un remarquable commentaire de l'Évangile de saint Jean.*

Prière du soir

En présence des anges, venez, adorons le Seigneur.

*Gloire au Père, et au Fils, et au Saint-Esprit,
au Dieu qui est, qui était, et qui vient,
pour les siècles des siècles. Amen. Alléluia.*

HYMNE

Gloire à toi, Seigneur des anges,
Pour leur beauté où se déploient
La splendeur de ta présence
Et l'écho de ta voix.
Dans l'éclosion de leur louange,
Ils s'élancent près de toi.

Ils jouaient dans ton aurore
Avant que lève notre jour,
L'univers n'était encore

Qu'un projet de l'amour.
Ils adoraient le Fils de l'homme
Au sommet de leurs parcours.

Frémissant devant ta face,
À pleine joie ils crient ton nom !
Que l'un d'eux descende et passe
Nous toucher d'un tison :
Alors nos lèvres rendront grâces,
Purifiées par le pardon.

Quelle paix, sinon la tienne,
Tes messagers annoncent-ils
Dans leurs chants qui nous reprennent
À la nuit de l'exil ?
La porte s'ouvre, ils nous entraînent
Jusqu'à l'arbre de la vie.

CANTIQUE DES CRÉATURES (II-III)   (Daniel 3)

Unis aux anges, apprenons dès ici-bas à chanter la louange
du Père, du Fils et du Saint-Esprit.

Et vous, montagnes et collines,
     bénissez le Seigneur,
et vous, les plantes de la terre,
     bénissez le Seigneur,
et vous, sources et fontaines,
     bénissez le Seigneur !

Et vous, océans et rivières,
     bénissez le Seigneur,
baleines et bêtes de la mer,
     bénissez le Seigneur,
vous tous, les oiseaux dans le ciel,
     bénissez le Seigneur,
vous tous, fauves et troupeaux,
     bénissez le Seigneur :
À lui, haute gloire, louange éternelle !

Et vous, les enfants des hommes,
      bénissez le Seigneur :
À lui, haute gloire, louange éternelle !

Toi, Israël,
      bénis le Seigneur !
Et vous, les prêtres,
      bénissez le Seigneur,
vous, ses serviteurs,
      bénissez le Seigneur !

Les esprits et les âmes des justes,
      bénissez le Seigneur,
les saints et les humbles de cœur,
      bénissez le Seigneur,
Ananias, Azarias et Misaël,
      bénissez le Seigneur :
À lui, haute gloire, louange éternelle !

Bénissons le Père, le Fils et l'Esprit Saint :
À lui, haute gloire, louange éternelle !
Béni sois-tu, Seigneur, au firmament du ciel :
À toi, haute gloire, louange éternelle !

Parole de Dieu Apocalypse 1, 4b-5

QUE LA GRÂCE et la paix vous soient données, de la part de Celui qui est, qui était et qui vient, de la part des sept esprits qui sont devant son Trône, de la part de Jésus Christ, le témoin fidèle, le premier-né d'entre les morts, le souverain des rois de la terre, lui qui nous aime, qui nous a délivrés de nos péchés par son sang.

       Alléluia ! Alléluia !
          Alléluia !

CANTIQUE DE MARIE (Texte, couverture A)

INTERCESSION

Demandons à Dieu de nous rendre, à l'image des anges du ciel, prompts à faire sa volonté et toujours attentifs à sa parole :

℟   Nous t'en prions, écoute-nous !

Que notre prière, offerte par la main des anges, s'élève devant toi comme un encens.

Que notre offrande soit portée par ton ange en présence de ta gloire.

Que nous chantions avec la foule des anges : Gloire à Dieu dans le ciel, paix aux hommes sur la terre.

Que ton archange saint Michel guide vers ta lumière tous les fidèles défunts.

Intentions libres

Notre Père…

Car c'est à toi qu'appartiennent le règne, la puissance et la gloire, pour les siècles des siècles !

VENDREDI 30 SEPTEMBRE
Saint Jérôme

Prière du matin

Béni sois-tu, Seigneur,
Dieu de tendresse et d'amour !

Gloire au Père, et au Fils, et au Saint-Esprit !

Hymne

Qui donc est Dieu pour se livrer perdant
aux mains de l'homme ?
Qui donc est Dieu, qui pleure notre mal
comme une mère ?

℟ Qui donc est Dieu pour nous aimer ainsi ?

Qui donc est Dieu, qui tire de sa mort
notre naissance ?
Qui donc est Dieu pour nous ouvrir sa joie
et son royaume ?

Qui donc est Dieu pour nous donner son Fils
né de la femme ?
Qui donc est Dieu qui veut à tous ses fils
donner sa mère ?

Qui donc est Dieu pour être notre Pain
à chaque cène ?
Qui donc est Dieu pour appeler nos corps
jusqu'en sa gloire ?

Qui donc est Dieu ? L'Amour est-il son nom
et son visage ?
Qui donc est Dieu qui fait de nous ses fils
à son image ?

Cantique d'Osée (6)

Nous en avons la certitude, ressuscité des morts, le Christ nous a ouvert les portes de la vie.

Venez, retournons vers le Seigneur ! +
il a blessé, mais il nous guérira ;
il a frappé, mais il nous soignera.

Après deux jours, il nous rendra la vie ; +
il nous relèvera le troisième jour :
alors, nous vivrons devant sa face.

Efforçons-nous de connaître le Seigneur :
son lever est aussi sûr que l'aurore ;
il nous viendra comme la pluie,
l'ondée qui arrose la terre.

« – Que ferai-je de toi, Éphraïm ?
Que ferai-je de toi, Juda ?
Votre amour est une brume du matin,
une rosée d'aurore qui s'en va.

« C'est l'amour que je veux, non le sacrifice,
la connaissance de Dieu plus que les holocaustes. »

Gloire au Père, et au Fils, et au Saint-Esprit…

Parole de Dieu Éphésiens 2, 13-14.16

Maintenant, en Jésus Christ, vous qui étiez loin, vous êtes devenus proches par le sang du Christ. C'est lui, le Christ, qui est notre paix : des deux, Israël et les païens, il a fait un seul peuple ; par sa chair crucifiée, il a fait tomber ce qui les séparait, le mur de la haine. Les uns comme les autres, réunis en un seul corps, il voulait les réconcilier avec Dieu par la croix : en sa personne, il a tué la haine.

Sang du Christ, versé pour nous !

Cantique de Zacharie   (Texte, couverture B)

Louange et intercession

Seigneur Jésus, nous étions dans les ténèbres :
– tu ouvres nos yeux à la lumière.

℟   Pour cette merveille : Alléluia !

Seigneur Jésus, nous avions blasphémé ton nom :
– tu as pardonné notre faute.

Seigneur Jésus, nous étions séparés de toi :
– tu nous rétablis dans ton alliance.

Seigneur Jésus, nous vivions désunis :
– tu nous rassembles dans ton Corps.

Seigneur Jésus, nous étions morts :
– par ta mort, tu nous rends la vie.   Intentions libres

Dieu qui as donné à saint Jérôme de goûter la sainte Écriture et d'en vivre intensément, fais que ton peuple soit davantage nourri de ta parole et trouve en elle une source de vie. Par Jésus Christ, ton Fils, notre Seigneur.

La messe
Vendredi de la 26ᵉ semaine du temps ordinaire

Saint Jérôme (340-420)   *Mémoire*

● *Le prêtre Jérôme séjourna à plusieurs reprises à Rome, où il fut secrétaire du pape Damase, mais il passa les trente-cinq dernières années de sa vie à Bethléem, près de la grotte où Jésus est né. C'est là que, dans la pénitence et la prière, il se livra à l'étude assidue de la Bible dont il se fit le traducteur en langue latine et le commentateur.* ●

Que les paroles de Dieu soient toujours sur tes lèvres ; médite-les jour et nuit, veille à les accomplir en tout ce qu'elles contiennent : alors ta vie prendra sens et valeur.

PRIÈRE ———————————————— page précédente

Lecture du livre de Baruc   1, 15-22

AU SEIGNEUR notre Dieu appartient la justice, mais à nous la honte sur le visage comme on le voit aujourd'hui : honte pour l'homme de Juda et les habitants de Jérusalem, pour nos rois et nos chefs, pour nos prêtres, nos prophètes et nos pères ; oui, nous avons péché contre le Seigneur, nous lui avons désobéi, nous n'avons pas écouté la voix du Seigneur notre Dieu, qui nous disait de suivre les commandements du Seigneur qu'il nous avait mis sous les yeux. Depuis le jour où le Seigneur a fait sortir nos pères du pays d'Égypte jusqu'à ce jour, nous n'avons pas cessé de désobéir au Seigneur notre Dieu ; dans notre légèreté, nous n'avons pas écouté sa voix. Aussi, comme on le voit aujourd'hui, le malheur s'est attaché à nous, avec la malédiction que le Seigneur avait fait prononcer par son serviteur Moïse, au jour où il a fait sortir nos pères du pays d'Égypte pour nous donner une terre ruisselant de lait et de miel. Nous n'avons pas écouté la voix du Seigneur notre Dieu, à travers toutes les paroles des prophètes qu'il nous envoyait. Chacun de nous, selon la pensée de son cœur mauvais, est allé servir des dieux étrangers et faire ce qui est mal aux yeux du Seigneur notre Dieu.

• PSAUME 78 •

**Pour la gloire de ton nom,
Seigneur, délivre-nous !**

Dieu, les païens ont envahi ton domaine ;
ils ont souillé ton temple sacré
et mis Jérusalem en ruines.

Ils ont livré les cadavres de tes serviteurs
en pâture aux rapaces du ciel
et la chair de tes fidèles, aux bêtes de la terre.

Ils ont versé le sang comme l'eau
aux alentours de Jérusalem :
les morts restaient sans sépulture.

Nous sommes la risée des voisins.
Combien de temps, Seigneur, durera ta colère
et brûlera le feu de ta jalousie ?

Ne retiens pas contre nous les péchés de nos ancêtres :
que nous vienne bientôt ta tendresse,
car nous sommes à bout de force !

Aide-nous, Dieu notre Sauveur,
délivre-nous, efface nos fautes,
pour la cause de ton nom !

Alléluia. Alléluia. Aujourd'hui ne fermons pas notre cœur,
mais écoutons la voix du Seigneur. Alléluia.

Évangile de Jésus Christ selon saint Luc   10, 13-16

E N PARLANT aux soixante-
douze disciples, Jésus
disait : « Malheureuse es-tu, Corazine ! Malheureuse es-
tu, Bethsaïde ! Car, si les miracles qui ont eu lieu chez
vous avaient eu lieu à Tyr et à Sidon, il y a longtemps que
les gens y auraient pris le vêtement de deuil, et se seraient
assis dans la cendre en signe de pénitence. En tout cas,
Tyr et Sidon seront traitées moins sévèrement que vous
lors du Jugement. Et toi, Capharnaüm, seras-tu donc éle-

vée jusqu'au ciel ? Non, tu descendras jusqu'au séjour des morts ! Celui qui vous écoute m'écoute ; celui qui vous rejette me rejette ; et celui qui me rejette rejette celui qui m'a envoyé. »

PRIÈRE SUR LES OFFRANDES. Permets, Seigneur notre Dieu, qu'après avoir accueilli ta parole en nos cœurs, à l'exemple de saint Jérôme, nous mettions plus d'empressement à t'offrir le sacrifice du salut. Par Jésus, le Christ, notre Seigneur.

Quand tes paroles se présentaient, Seigneur, je les dévorais. Ta parole faisait mes délices et la joie de mon cœur.

PRIÈRE APRÈS LA COMMUNION. Permets, Seigneur notre Dieu, que cette communion reçue en la fête de saint Jérôme réveille le cœur de tes fidèles : attentifs aux enseignements de l'Écriture, ils verront quel chemin il faut suivre ; en le suivant, ils parviendront à la vie éternelle. Par Jésus, le Christ, notre Seigneur.

MÉDITATION DU JOUR

Des racines dans le ciel

Je te le demande, frère très cher, vivre au milieu des textes de la Bible, les méditer, ne rien connaître, ne rien chercher d'autre, ne crois-tu pas que c'est déjà, dès ici-bas, habiter le royaume céleste ? Ne sois pas choqué, je te prie, dans les Écritures saintes, par la simplicité et presque la vulgarité du langage ; soit par la faute des traducteurs, soit même à dessein, elles se présentent de telle sorte qu'elles puissent assez aisément instruire un auditoire populaire, mais de façon que, dans une seule et même phrase, le savant et l'ignorant découvrent des sens différents.

Je ne suis pas léger et stupide, au point de me flatter de connaître tout cela et de prétendre cueillir sur

terre des fruits de ces arbres dont les racines sont plan-
tées au ciel ; mais j'avoue le désirer, j'ai la prétention
de m'y efforcer ; je refuse d'être ton maître, mais je
m'engage à être ton compagnon. *À qui demande, on
donne ; à qui frappe, l'on ouvre ; qui cherche, trouve*
(Mt 7, 8). Étudions sur terre ce dont la science persé-
vérera pour notre bonheur dans le ciel.

S. Jérôme

*Prêtre de Rome, saint Jérôme († 420) partit pour Bethléem, où
il vécut dans l'ascèse et l'étude de la Bible qu'il traduisit en latin,
la Vulgate. Il est docteur de l'Église.*

Prière du soir

*Seigneur, entends ma prière,
que mon cri parvienne jusqu'à toi !*

*Gloire au Père, et au Fils, et au Saint-Esprit,
au Dieu qui est, qui était, et qui vient,
pour les siècles des siècles. Amen. Alléluia.*

Hymne

Regarde où nous risquons d'aller
Tournant le dos
À la cité
De ta souffrance !
Ta Pâque est lente aux yeux de la chair
De tes bourreaux :
Explique-nous le livre ouvert
À coups de lance.

Comment marcherions-nous vers toi
Quand il est tard,
Si tu ne vas
Où vont nos routes ?

Ne manque pas aux pèlerins
Mais viens t'asseoir :
La nappe est mise pour le pain
Et pour la coupe.

Comment te saurons-nous vivant
Et l'un de nous,
Si tu ne prends
Ces simples choses ?
Partage-nous ton corps brisé
Pour que le jour
Se lève au fond des cœurs troublés
Où tu reposes.

Ce jour que nous sentons lever,
Nous le voyons
À la clarté
De ton visage :
Ne laisse pas le vent de nuit
Ni les démons
Éteindre en nous le feu qui luit
Sur ton passage.

Remets, entre nos mains tendues
À te chercher,
L'Esprit reçu
De ta patience.
Éclaire aussi l'envers du cœur
Où le péché
Revêt d'un masque de laideur
Ta ressemblance.

PSAUME 120   Dieu garde les siens

Certains regardent le ciel comme une immensité vide. Le psalmiste sait que Dieu est un gardien fidèle qui veille sur notre vie, maintenant et à jamais.

Je lève les yeux vers les montagnes :
d'où le secours me viendra-t-il ?
Le secours me viendra du Seigneur
qui a fait le ciel et la terre.

Qu'il empêche ton pied de glisser,
qu'il ne dorme pas, ton gardien.
Non, il ne dort pas, ne sommeille pas,
le gardien d'Israël.

Le Seigneur, ton gardien, le Seigneur, ton ombrage,
se tient près de toi.
Le soleil, pendant le jour, ne pourra te frapper,
ni la lune, durant la nuit.

Le Seigneur te gardera de tout mal,
il gardera ta vie.
Le Seigneur te gardera, au départ et au retour,
maintenant, à jamais.

Rendons gloire au Père tout-puissant,
à son Fils, Jésus Christ, le Seigneur,
à l'Esprit qui habite en nos cœurs,
pour les siècles des siècles. Amen.

Dieu qui as fait le ciel et la terre, viens au secours de ton Église en marche : tiens-toi à ses côtés, empêche-la de tomber, sois son gardien tout au long de sa route vers toi.

Parole de Dieu
1 Corinthiens 2, 7-8

Nous proclamons la sagesse du mystère de Dieu, sagesse tenue cachée, prévue par lui dès avant les siècles, pour nous donner la gloire. Aucun de ceux qui dominent ce monde ne l'a connue, car, s'ils l'avaient connue, ils n'auraient jamais crucifié le Seigneur de gloire.

Ouvre mes yeux à tes merveilles !

CANTIQUE DE MARIE   (Texte, couverture A)

INTERCESSION

Regardons celui que nous avons transpercé
et confessons notre foi :

℟   Vraiment, tu es le Fils de Dieu !

Béni sois-tu, Sauveur du genre humain,
pour ta Passion glorieuse
– ton sang nous a rachetés.

De ton côté ouvert d'où jaillit l'eau vive,
– répands l'Esprit sur tous les hommes.

Tu envoies au monde des témoins de ta résurrection :
– qu'ils proclament ta croix victorieuse.

Christ en agonie jusqu'à la fin du monde,
– n'oublie pas les membres souffrants de ton Corps.

Toi qui es sorti vivant du tombeau,
– éveille ceux qui sont endormis dans la mort.

Intentions libres

Notre Père…

    Car c'est à toi qu'appartiennent
    le règne, la puissance et la gloire,
    pour les siècles des siècles !

Saints
D'hier et d'aujourd'hui

Le martyrologe romain fait mémoire
de sainte Eusébie

Les saints ont mis en pratique la parole de Dieu,
qu'ils nous aident à rendre témoignage à l'Évangile.

À Marseille, en 731, Eusébie est depuis quarante ans l'abbesse du monastère bénédictin de Saint-Cyr, fondé par le célèbre Cassien, où elle est entrée à l'âge de 14 ans. Les Sarrasins, déjà maîtres de l'Espagne, ravagent le sud de la France. Les monastères sont rasés et les églises pillées. Le monastère de Lérins tombe à son tour tandis que les portes de Marseille sont ouvertes par Mauront, le gouverneur de la Provence, qui n'hésite pas à trahir son prince et sa patrie. Voyant les Barbares approcher, Eusébie incite ses religieuses à se mutiler le visage afin de conserver leur chasteté, offerte au Christ, et de ne pas être emmenées en esclavage. À la suite de leur courageuse abbesse, les quarante religieuses s'amputent chacune le nez et la bouche. Peu après, entrant de force dans le monastère, les Sarrasins, saisis d'horreur devant ces *desnarados*, « sans nez », massacrent les religieuses, qui meurent ainsi en martyres.

Bonne fête ! Jérôme et Géronimo

Des idées
pour célébrer

4 septembre 2011   **23ᵉ dimanche ordinaire**

*V*enez, crions de joie pour le Seigneur [...] ! Par nos hymnes de fête acclamons-le ! (Ps **94**, 1-2). La période estivale s'achève, les activités reprennent et la communauté paroissiale se retrouve après la dispersion des vacances d'été. De nombreuses rencontres ou des moments forts, la présence et le témoignage de foi des vacanciers ont pu renouveler notre foi. Les JMJ ont renforcé, chez beaucoup de jeunes, l'attachement au Christ et à son Église.

■ L'ouverture de la célébration ■

Pour l'ouverture de la célébration, on choisira un chant déjà bien connu qui manifestera la joie de célébrer ensemble le Seigneur. *Peuple du Dieu vivant* (*Voix nouvelles* n° 29), *Si le Père vous appelle* (CNA[1] 721), *Jour du Vivant* I 34-92-8 (*CNA* 561), *Dieu nous a tous appelés* A 14-56-1 (*CNA* 571) : « Dieu nous as tous appelés à l'amour et au pardon » (couplets 2, 3, 4), *Chantons à Dieu* L 30-79 (*CNA* 538), *Peuple de Dieu, marche joyeux* K 180, ou *Par la musique et par nos voix* (*CNA* 572).
Pour le rite pénitentiel, plusieurs formulations sont particulièrement accordées au passage d'Évangile de ce dimanche comme : « Seigneur Jésus Christ, venu réconcilier tous les hommes avec ton Père et notre Père... »

---

1. *CNA : Chants notés de l'assemblée.* 2. *MNA : Missel noté de l'assemblée.*

(*Missel romain*). On peut penser aussi à la petite litanie « Jésus dont l'Esprit vient nous purifier…, nous pardonner… » (*CNA* 185 g).

■ La liturgie de la Parole ■

Le *CNA* propose deux versions musicales pour le psaume **94**. La seconde, même si elle est moins connue, est à la portée de toutes les assemblées. Le psalmiste aura soin de porter attention à l'indication « décidé », mentionnée au début de l'antienne. La musique, par son balancement rythmique et ses intervalles mélodiques, aidera à trouver ce caractère.

Pour la prière universelle, on peut penser à la prière litanique *Écoute-nous, Dieu très bon* (*CNA* 231-5).

■ La liturgie eucharistique ■

Pour la procession des dons, on peut chanter *Dieu notre Père, voici le pain* B 57-30 tandis que l'on dépose au pied de l'autel les intentions de prière recueillies pendant l'été. À la fraction, *Agneau de l'Alliance fidèle* A 240-1 (*CNA* 305).

Pendant le mouvement de communion, *Ubi caritas* (*CNA* 448), ou une version en français de ce beau texte, *Où sont amour et charité* D 511, *Voici le pain que donne Dieu* D 50-07-3, *Voici le pain partagé* D 14-42 (*CNA* 348). En chant d'action de grâce, *Pas de plus grand amour* DL 265 (*CNA* 452).

■ L'envoi ■

Nous sommes le peuple qu'il conduit, chante le psaume (**94**, 7). Pour la procession de sortie, penser à *Jubilez, criez de joie* U 52-42.

11 septembre 2011   24ᵉ dimanche ordinaire

« Pardonne-nous, comme nous pardonnons… » Comment vivre le pardon en communauté ? Les textes de ce dimanche répondent à cette préoccupation des disciples. Dans le passage de l'Évangile, Jésus montre en parabole que le pardon entre frères ne peut trouver sa force et son appui que dans la foi et la miséricorde du Père. Dieu *pardonne toutes tes offenses*, il *guérit de toute maladie* et *réclame ta vie à la tombe* (Ps **102**, 3-4).

■ L'ouverture de la célébration ■

Comme chaque dimanche, les chrétiens se rassemblent pour célébrer la résurrection du Christ, c'est pourquoi on peut chanter *Il s'est levé* I 10-67-5 (*CNA* 558). D'autres chants sont tout indiqués à l'ouverture de la célébration : *Dieu nous éveille à la foi* A 20-70-3 (*CNA* 546), ou *Aimons-nous les uns les autres* D 1 (*CNA* 528), tout comme *Enfants du même Père* T 76 (*CNA* 521).

Le rite pénitentiel peut être chanté avec des mots qui tissent un lien étroit avec l'Évangile de ce jour. *Fils du Père éternel* (*CNA* 169), « envoyé, non pour condamner le monde, mais pour le sauver », ou *Seigneur Jésus, vivante image du Père* (*CNA* 178) : « Ô Christ, né de la Vierge Marie pour nous apporter le pardon. »

■ La liturgie de la Parole ■

Pour varier la mise en œuvre du psaume et sortir de l'alternance habituelle entre antienne et strophe, on pourra penser à la forme du psaume choral en choisissant la proposition musicale ZL 102-9. L'assemblée chantera alors la réponse brève « en écho ».

Pour l'acclamation à l'Évangile, *Alléluia « Fribourg »* (*CNA* 215-9). Le chantre fera la cantillation du verset sur le ton proposé.

■ La liturgie eucharistique ■

« Pardonne-nous, comme nous pardonnons… ». On aura à cœur de bien poser les mots que Jésus a laissés à ses Apôtres pour leur apprendre à prier en récitant le *Notre Père*, à mi-voix ou plus lentement que d'habitude.

Pendant le processionnal de communion, on peut penser aux chants suivants : *À l'image de ton amour* D 218 (*CNA* 529), *Dieu est amour* D 116 (*MNA*[2] 82-12), *ou Tenons en éveil* C 243 (*CNA* 591).

Pour l'action de grâce, *En mémoire du Seigneur* D 304 (*CNA* 327), ou *Pour que l'homme soit un fils* G 297 (*CNA* 426).

18 septembre 2011   **25ᵉ dimanche ordinaire**

L'œuvre à accomplir est si grande que Dieu appelle largement. Tous, aujourd'hui, nous sommes embauchés à des heures différentes pour travailler à la vigne, une vigne qui portera du fruit. Pourtant, Dieu donnera à chacun de nous la même récompense, le même salaire. Pourquoi y voir une mauvaise démarche ? *Vas-tu regarder avec un œil mauvais parce que moi, je suis bon ?* (Mt **20**, 15). Dieu ne fait pas de différence entre nous ; il accueille chacun dans son amour. *La bonté du Seigneur est pour tous* (Ps **144**, 9).

■ L'ouverture de la célébration ■

Appelés pour bâtir le Royaume KT 51-32, en choisissant au moins le couplet 4 : « Chanteurs aux vignes du Royaume, vous entonnez son chant de paix, et son Royaume se construit. » *Si le Père vous appelle* T 154-1 (*CNA 721*), *Pour avancer ensemble* K 20-38 (*CNA 524*). L'assemblée se constitue pour rendre grâce au Seigneur et redire que son amour est éternel, *Regarde, Seigneur, tes enfants* (Voix nouvelles n° 30, CD vol. XIV). D'autres chants pour l'entrée : *Le Sauveur de tous les hommes* SYL J 360 (*CNA 564*), *Hommes nouveaux baptisés* I 14-64-1 (*CNA 675*), *Jour de lumière* (*CNA 560*) : « Jour de lumière, jour du Seigneur, jour de l'alliance éternelle… », ou *Jour du Seigneur* P 10-00-1 (*CNA 562*), avec les couplets 1, 2 et 4.

Pour le rite pénitentiel, on invitera toute l'assemblée à se tourner vers la croix et à dire : « Je confesse à Dieu. »

■ La liturgie de la Parole ■

Aujourd'hui, il sera bon de mettre le psaume en valeur en le faisant chanter par l'assemblée. Pour cela, on prendra un ton très simple. Si on en a les moyens vocaux, on pourra mettre en œuvre une version musicale plus élaborée (ZL 144-19).

Après l'Évangile, inviter l'assemblée à prendre un temps de silence pour laisser le message de Jésus entrer dans les cœurs. Et, après l'homélie, si cela convient, on peut chanter *Écoute la voix du Seigneur* A 548 (*CNA* 761), ou *Ouvriers de la paix* T 13-92 (*CNA* 522).

▪ La liturgie eucharistique ▪

Pour la procession des dons, on peut chanter *Dieu notre Père, voici le pain* B 57-30.

Pendant le mouvement de communion, *Nous formons un même corps* C 105 (*CNA* 570), *Tenons en éveil* C 243 (*CNA* 591), ou *Venez manger la Pâque* I 119-2 (*CNA* 347). *Voici le pain que donne Dieu* D 50-07-3, l'orgue peut dialoguer avec l'assemblée après chaque strophe.

En action de grâce, *En accueillant l'amour* DLH 126 (*CNA* 325), *Pour l'appel à rejoindre* G 14-58-1 (*CNA* 676), ou *Ô Père, Ô Tout-Puissant* MP 22-26-2 ou MP 22-26-3.

▪ L'envoi ▪

Jour du Seigneur P 10-00-1 (*CNA* 562), avec les couplets 1 et 2.

25 septembre 2011   **26ᵉ dimanche ordinaire**

Il n'est jamais trop tard pour « revenir » et se convertir. La réponse des deux fils à l'appel du Père, dans la parabole de Jésus, montre que les actes comptent davantage que les mots. Le Christ lui-même va plus loin, toute sa vie est un beau modèle où les mots et les actes sont toujours en parfait accord. « Aujourd'hui, ne fermez pas votre cœur, mais écoutez la voix du Seigneur » (verset de l'*Alléluia*).

■ L'ouverture de la célébration ■

Appelés pour bâtir le Royaume KT 51-32, en choisissant au moins le couplet 4 : « Chanteurs aux vignes du Royaume… » *À ce monde que tu fais* T 146 (*CNA* 526) convient bien pour accompagner le processionnal d'entrée. *Écoute la voix du Seigneur* A 548 (*CNA* 761) avec l'invitation à écouter et à répondre à la voix du Seigneur : « Qui que tu sois, ton Dieu t'appelle, qui que tu sois, il est ton Père. » On peut également penser à *Dieu qui nous appelles à vivre* K 158 (*CNA* 547), ou *Peuple choisi* K 64 (*CNA* 543).

C'est tout un peuple nouveau qui est rassemblé par le Christ et qui se tient devant lui. « De ton peuple assemblé qui espère ta grâce, prends pitié Seigneur ! » (*CNA* 185 f). En se tournant vers la croix pendant le rite pénitentiel, l'assemblée, sans oublier le prêtre et le chantre, reconnaît que le Christ est le Maître, il est Sauveur.

■ La liturgie de la Parole ■

Pour le psaume **24**, essayer de varier la mise en œuvre. Par exemple en chantant les strophes par moitié en alternance (chantre ou psalmiste / assemblée).

En lien avec l'hymne aux Philippiens *Le Christ s'est fait obéissant pour nous* HX 43-76 (*Voix nouvelles* n° 32) est un chant possible après l'homélie.

■ La liturgie eucharistique ■

Pendant la fraction, *Agneau de Dieu. Voici l'Agneau* AL 200 (*CNA* 304), avec les versets 2, 3 et 7.

Pendant la procession de communion, *Venez manger la Pâque* I 119-2 (*CNA* 347), *Voici le pain que donne Dieu* D 50-07-3, *La Vigne et le chemin* IX 53-08, ou *La gloire de Dieu notre Père* D 383.

En action de grâce, *Pas de plus grand amour* D 13-20, ou *Celui qui a mangé de ce pain* D 140-2 (*CNA* 321), en se rappelant qu'il faut le chanter avec lenteur.

■ L'envoi ■

Tu es la vraie lumière D 86 *bis* (*CNA* 595) ou *Bénissez Dieu, vous, serviteurs de Dieu* (couplet 2).

Paul Craipeau

Les droits des hymnes sont gérés par le SECLI.

MAGNIFICAT

Directeur de la rédaction : **Pierre-Marie Varennes**
Directeur de la promotion : **Romain Lizé**
Rédactrice en chef : **Bernadette Mélois**
« Méditations du jour » : **David Gabillet,
Guillaume Bady, Marc Fassier et François Maillot**
« Petite chronique biblique » : **Marie-Noëlle Thabut**
« Prière familiale » : **P. Hervé Destrès**
« Dans le jardin des psaumes » : **Nathalie Nabert**
« Commentaire d'œuvre d'art » : **Éliane Gondinet-Wallstein**
Secrétaire générale de la rédaction : **Frédérique Chatain**
1re rédactrice graphiste & secrétaire de rédaction : **Solange Bosdevesy**
1re secrétaire de rédaction & iconographe : **Isabelle Mascaras**
Secrétaire de rédaction : **Hélène Durand**
Rédactrice spécialisée : **Bénédicte Ducatel**
Rédacteur-réviseur : **Bernadette Lallouet**

Ont collaboré à ce numéro :
**Paul Craipeau, P. Hervé Guillez, Fleur Nabert-Valjavec,
P. Olivier Praud, Hélène Villars,
et Cyril Lepeigneux** (martyrologe romain)

Magnificat est publié par Magnificat SAS au capital de 789 230 €. Président,
directeur de la publication : Vincent Montagne. Principal actionnaire : Média-
Participations Paris au capital de 50 494 416 €. N° CPPAP : 0914 K 85377.
N° ISSN : 1240-0971. Dépôt légal à parution. © AELF Paris, 2011, pour les
textes liturgiques. © Magnificat SAS, 2011, pour l'ensemble de l'ouvrage. Tous
droits réservés pour tous pays. Impression : CPI-Clausen & Bosse, Allemagne.

Rédaction : courrier@magnificat.fr
15-27, rue Moussorgski 75018 Paris

Promotion : magnificat-promo@magnificat.fr

Pour contacter le service commercial :
(Abonnement, réabonnement, numéro non reçu, etc.)
Sotiaf/Magnificat TSA 29021 – 35909 Rennes Cedex 9
Tél. : 02.99.55.10.20 Fax : 02.99.55.87.88
www.magnificat.com

<u>Tarifs</u> : 1 an (format poche et grand format) **France** : 36 €.
UE/DOM-TOM : 39 €. **Le monde entier** : 55 €.

2 ans (format poche et grand format) **France** : 59 €.
UE/DOM-TOM : 78 €. **Le monde entier** : 98 €.

■ **Votre premier numéro vous parviendra un mois après <u>la date de réception
en nos bureaux</u> de votre bon d'abonnement.** ■ En application de la loi 78/17,
informatique et libertés, vous disposez d'un droit d'accès et de rectification pour
toute information vous concernant sur notre fichier. Magnificat peut être amené à
communiquer ces informations aux organismes qui lui sont liés contractuellement
sauf opposition de votre part notifiée par écrit. ■

*Ce numéro comporte un encart broché de 8 pages et, sur le service abonnés,
2 encarts jetés : « Magnificat junior » et « Calendrier liturgique officiel 2012 ».*

Magnificat est un mensuel conçu pour aider les chrétiens à unir leur vie à la prière
de l'Église universelle, tout spécialement par la liturgie. Magnificat n'est pas un livre
pour le célébrant et ne remplace pas le *Missel romain* ou les lectionnaires.

■ Sel de vie, 9-11 ans
Éditions Crer

C'est la rentrée ! Le nouveau parcours « Sel de vie » du diocèse de Rennes propose trois CD, chacun adapté à l'âge des enfants (7-9 ans, 9-11 ans et 11-12 ans). Le disque choisi s'adresse aux enfants de 9 à 11 ans. Pourquoi limiter, me direz-vous, le choix de ces chants au seul diocèse de Rennes quand on considère que ceux-ci pourraient aider tous les catéchètes de France ?

Partir d'un itinéraire biblique, *Dans le ciel d'Abraham*, *Avec Jonas*, *Dieu de l'Alliance*, *Prenons le large*, et conduire l'enfant, peu à peu, à prendre conscience que Dieu a une place dans sa vie, *Change ton regard*, *Parole*... Une réalisation joyeuse, bien faite, par des auteurs-compositeurs rompus à ce genre d'aventure !

Partitions incluses sur piste CD-Rom.

■ Gospel Gazy Blues, piano solo
Touve R. Ratovondrahety
SM

Autres cieux, autres couleurs, en ce mois de septembre. Ce disque nous a étonné à plus d'un titre. Touve, d'origine malgache, est un pianiste d'exception, aux dons reconnus d'improvisateur. Sous ses doigts, son piano Steinway devient une véritable « machine à sons », qui revisite les grands airs du *gospel*.

In the Upper Room, *Ave Maris stella*... ont eu notre préférence. C'est une musique que l'on n'explique pas, elle s'écoute et crée une atmosphère de joie. Ces mélodies s'affranchissent de toute leur nostalgie initiale, celle du blues, pour vous saisir et ne plus vous lâcher. Treize morceaux de vraie création et de dynamisme. Certains soirs, dans une maison, en quête d'un peu de lumière...

— Dominique Fournier

Sur la terre comme au ciel…

Œuvre présentée en couverture.

Créé forme accompli de la perfection, comble de la sagesse et parfait en beauté (Ez **28**, 12), l'ange Lucifer (« Porteur-de-la-Lumière »), las d'adorer, voulut être adoré. Il se révolta contre Dieu et entraîna le tiers des anges dans sa folle entreprise (Ap **12**, 4). Il y eut un combat dans le ciel, et Michel (« Qui-est-comme-Dieu »), à la tête de l'armée des anges fidèles, triompha et précipita les vaincus dans l'abîme. Dans cette œuvre, Marco d'Oggiono nous propose de méditer les répercussions quotidiennes, dans notre existence, de cet incompréhensible *mystère d'iniquité* dont parle saint Paul (2 Th **2**, 7). C'est pourquoi il représente Lucifer nu, en une caricature de l'homme mauvais qui se perd lui-même dans le gouffre de ses passions. Et il associe Gabriel (« La-Force-de-Dieu ») et Raphaël (« Dieu-guérit ») à la victoire de Michel. Le conflit, invisible, spirituel, qui oppose les anges à Lucifer se joue aussi au cœur de nos vies. Là où les puissances restées fidèles accomplissent leur mission au service de notre salut, les anges des ténèbres se déchaînent pour tenter de rendre inutile notre rachat par le sang du Christ.

Au centre de notre combat spirituel, Michel vient déployer la force de son bras et étendre sur nous la protection de ses ailes immatérielles. À sa droite se tient Gabriel. Il vient nous révéler le bienveillant dessein que Dieu a sur nous et recueillir notre *Fiat*. À sa gauche, Raphaël vient nous guérir de nos vices et nous prendre par la main pour nous aider à franchir les passages difficiles sur la route escarpée de notre salut.

■ **Pierre-Marie Varennes**

La Naissance de la Vierge,
Albrecht Altdorfer (v. 1480-1538),
Alte Pinakothek, Munich, Allemagne.

Dans l'Histoire sainte mise en images par les artistes depuis des siècles, certaines scènes sont restées légèrement en retrait. Albrecht Altdorfer, peintre allemand du xvie siècle, s'est saisi de l'une d'elles et l'a rendue digne des plus grands chefs-d'œuvre de l'iconographie chrétienne. Il s'agit de la Naissance de la Vierge, narrée seulement dans le protoévangile de Jacques. Le peintre a l'intuition que sans l'avènement d'une enfant capable de dire le plus grand « oui » jamais murmuré

dans le monde, rien n'est possible. Il crée alors une œuvre pleine de joie qui est aussi secrètement un traité de spiritualité mariale.

Si on lit ce tableau du haut vers le bas, du plus flamboyant au plus humble, l'œil découvre d'abord une mise en scène époustouflante, car Altdorfer fait naître Marie dans une église. Il est possible que le peintre ait pris pour modèle la cathédrale Saint-Pierre de sa ville natale de Ratisbonne, un superbe exemple d'architecture gothique. Les arcs en plein cintre, la finesse des meneaux, les baies et leurs verrières translucides, rien ne manque pour dire la magnificence de cette église. Une église qui n'existe pas encore lorsqu'Anne et Joachim donnent naissance à Marie ! Or, ce n'est pas tant dans l'anachronisme qu'Altdorfer est audacieux : Cranach et Dürer, ses maîtres, usent souvent du procédé en habillant par exemple les personnages de l'Histoire sainte avec des vêtements du XVIe siècle. Ce qui est plus remarquable, c'est le sens de cette mise en scène : Marie naît au beau milieu d'une église parce qu'elle va donner elle-même naissance à l'Église. C'est par elle, l'Arche d'Alliance, que tout commence.

Fêtant ce double avènement, les anges captivent le regard. Altdorfer n'en peint pas moins d'une cinquantaine, un chiffre rarement égalé dans l'histoire de la peinture religieuse ! Il y

a dans leur ronde une prouesse technique : celle d'une perspective parfaite. Mais au-delà du morceau de bravoure, cette foule ailée est la traduction directe d'une joie immense. Les anges sont parés de toutes les couleurs comme de toutes les formes de la joie, et tous sont penchés vers Marie. Certains pirouettent dangereusement, l'un d'eux en a même les bras emmêlés ! C'est l'image de la joie de Dieu. Au milieu, le plus grand d'entre eux, plus calme, encense respectueusement en signe de bénédiction l'enfant qui vient de naître. Les volutes de sa vénération s'étoilent au milieu du cercle des chérubins et recentrent le regard vers la scène majeure qui se joue en bas.

Étonnamment, un beau lit à baldaquin est disposé dans l'église, mais cela semble naturel à chacun. Les pampilles de velours rouges du dais donnent du réalisme à la scène et lui confèrent même une dimension intime. Leur « intérieur » n'est guère commun et pourtant Anne et Joachim sont chez eux dans cette église. Cette présence du lit a aussi une portée théologique, il rappelle que l'enfant, certes sans péché, est cependant bien le fruit d'une conception humaine. Nous sommes dans l'intimité d'une famille. Anne est couchée. Deux

servantes s'occupent d'elle. L'une lui lave les mains tandis que l'autre part rechercher de l'eau. Ces soins du corps nous ramènent eux aussi à l'intimité humaine. Joachim, quant à lui, est représenté en bon père de famille : il rentre à ce domicile conjugal si particulier avec une grande simplicité, ses outils sur l'épaule et une belle miche de pain sous le bras.

Enfin, au cœur de la scène, une petite enfant. Sa nourrice la regarde tendrement. Mais ce qui saute surtout aux yeux, c'est le rouge carminé violent de sa robe qui tranche avec l'ivoire des chairs. Un rouge rappelé par le manteau de Joachim, et qui semble remonter jusqu'au ciel avec le velours du lit et certaines draperies des anges qui ressortent sur la teinte plus fade de la pierre. À peine née, Marie est bercée dans le voile de la Passion, comme une préfiguration de la Vierge des douleurs qui verra son fils livré à l'infamie des hommes. Mais le plus touchant dans cette œuvre, qui pour être majestueuse pourrait sembler extérieure, c'est le jeu des regards. Car, pris par la liesse, tous les personnages regardent vers l'enfant, vers la terre. Marie est la seule à regarder vers le ciel. Si petite, elle a déjà toute son attention vers le Dieu qui va tout lui demander mais aussi tout lui confier.

Ce qu'Altdorfer nous révèle secrètement par ce tableau, c'est à la fois sa conviction que l'Église commence avec Marie, mais aussi que, quelles que soient les magnificences humaines déployées pour l'honorer, la mère du Sauveur est avant tout et depuis toujours silencieusement enfouie dans le cœur de Dieu, et que c'est là qu'il faut la chercher.

■ *Fleur Nabert-Valjavec*
Sculpteur. Réalise également du mobilier liturgique.
Écrit sur l'art dans plusieurs revues dont Magnificat.

Pour mieux admirer les détails de ce chef-d'œuvre :
www.magnificat.com

MAGNIFICAT
BON D'ABONNEMENT

❏ **OUI, je souscris** un abonnement à MAGNIFICAT

Je choisis : ❏ **LE FORMAT POCHE** (10,3 x 15,7 cm)

❏ **LE GRAND FORMAT** (11,3 x 17 cm)

1 TARIFS

FRANCE	1 an	❏ Normal : 36 €	❏ Solidarité : 49 €	❏ Réduit* : 19 €
	2 ans	❏ Normal : 59 €	❏ Solidarité : 99 €	
BELGIQUE, UE DOM-TOM	1 an	❏ Normal : 39 €	❏ Solidarité : 49 €	❏ Réduit* : 33 €
	2 ans	❏ Normal : 78 €	❏ Solidarité : 99 €	(Belgique uniquement)
SUISSE	1 an	❏ Normal : 60 CHF	❏ Solidarité : 80 CHF	
	2 ans	❏ Normal : 120 CHF	❏ Solidarité : 160 CHF	
AUTRES PAYS	1 an	❏ Normal : 55 €	❏ Solidarité : 65 €	
	2 ans	❏ Normal : 98 €	❏ Solidarité : 118 €	
CANADA	1 an	❏ 65$CDN (grand format uniquement)		

* Le tarif réduit est strictement réservé aux étudiants et aux personnes pouvant justifier de difficultés financières. Il est disponible uniquement en format poche.

2 MES COORDONNÉES

M., MME, MLLE   NOM

PRÉNOM

ADRESSE

ADRESSE

VILLE

CODE POSTAL   PAYS

TÉLÉPHONE   BA0911

E-MAIL : _____

ANNÉE DE NAISSANCE : _____

3 RÈGLEMENT (VOIR AU DOS) ➡

3   RÈGLEMENT

❑ Chèque (uniquement en euros, à l'ordre de Magnificat)   ❑ Mandat

❑ Carte bancaire

N° : |＿＿＿＿| |＿＿＿＿| |＿＿＿＿| |＿＿＿＿|

Date exp. : |＿＿＿| |＿＿＿|

3 derniers chiffres figurant au dos de votre carte bancaire : |＿＿＿|

N° tél. du titulaire de la carte : |＿＿＿＿＿＿＿＿＿＿|

Date et signature obligatoires :

Tarifs valables jusqu'au 31/12/2011

4   Le BON D'ABONNEMENT accompagné du règlement est à retourner sous enveloppe affranchie à :

Pour la France, l'UE, les Dom-Tom et le reste du monde :
SOTIAF / MAGNIFICAT – TSA 29021 – 35 909 RENNES Cedex 9
Tél. : 02 99 55 10 20 – Fax : 02 99 55 87 88
E-mail : magnificat.france@sotiaf.fr

Abonnez-vous et réabonnez-vous par Internet : www.magnificat.fr

Un abonnement à Magnificat offre 12 numéros par an, un hors-série Semaine sainte **et l'accès gratuit à l'édition mensuelle sur Internet et sur iPhone**
(Télécharger l'application Magnificat sur l'App Store).

Belgique : Je verse la somme de .... € sur le compte n° 775-5939663-83
ÉDITIONS FIDÉLITÉ - Rue Blondeau, 7 - 5000 Namur
Tél. : 081/ 22 15 51 - Fax : 081/ 22 08 97 - E-mail : magnificat@fidelite.be

Suisse : Je joins mon règlement par virement postal à La Poste 17-336720-5
ÉDITIONS PAROLE ET SILENCE - Le Muveran - 1880 Les Plans-sur-Bex
Tél./Fax. : 024 498 23 11 - E-mail : paroleetsilence@omedia.ch

Canada : Je joins mon règlement de 65 $CDN (taxes comprises) – grand format
REVUE SAINTE-ANNE / MAGNIFICAT - 9795, Boul. Sainte-Anne
Sainte-Anne-de-Beaupré, QC G0A 3C0 - Tél. : (418) 827-4538 ou 1-800-363-3585
Fax : (418) 827-4530 - E-mail : mag@revuesainteanne.ca

Conformément à la loi « informatique et libertés », vous disposez d'un droit d'accès et de rectification aux informations vous concernant. Vos coordonnées peuvent être transmises à des sociétés partenaires de Magnificat, excepté si vous cochez cette case : ❑